シンプル理学療法学シリーズ

地域リハビリテーション学テキスト

改訂第4版

監修
細田多穂

編集
備酒伸彦
樋口由美
対馬栄輝

南江堂

■ 監　修 ■

| 細田 多穂 | ほそだ　かずほ | 埼玉県立大学名誉教授 |

■ 編　集 ■

備酒 伸彦	びしゅ　のぶひこ	神戸学院大学総合リハビリテーション学部理学療法学科教授
樋口 由美	ひぐち　ゆみ	大阪公立大学大学院リハビリテーション学研究科教授
対馬 栄輝	つしま　えいき	弘前大学大学院保健学研究科教授

■ 執筆者（執筆順）■

備酒 伸彦	びしゅ　のぶひこ	神戸学院大学総合リハビリテーション学部理学療法学科教授
長野　聖	ながの　きよし	四條畷学園大学リハビリテーション学部理学療法学専攻教授
冨永　淳	とみなが　じゅん	株式会社萌福祉サービスグランジェ MOE 山の手
川越 雅弘	かわごえ　まさひろ	埼玉県立大学大学院保健医療福祉学研究科兼研究開発センター教授
金沢 善智	かなざわ　よしのり	国際医療福祉専門学校リハビリテーション学科理学療法士コース長
森本 陽介	もりもと　ようすけ	神戸学院大学総合リハビリテーション学部理学療法学科准教授
今岡 真和	いまおか　まさかず	大阪河﨑リハビリテーション大学リハビリテーション学部理学療法学専攻准教授
原田 浩史	はらだ　ひろし	いしもと整形外科リハビリクリニック
赤羽根 誠	あかばね　まこと	秀友会介護老人保健施設愛里苑
野尻 晋一	のじり　しんいち	介護老人保健施設清雅苑施設長
眞藤 英恵	しんどう　はなえ	ALSOK ライフサポート株式会社ローズライフ事業部部長
樋口 由美	ひぐち　ゆみ	大阪公立大学大学院リハビリテーション学研究科教授
畑山 浩志	はたやま　ひろし	洲本市役所健康福祉部介護福祉課長寿支援係
浅田 史成	あさだ　ふみなり	大阪労災病院治療就労両立支援センター両立支援部門主任理学療法士
対馬 栄輝	つしま　えいき	弘前大学大学院保健学研究科教授
岡村 英樹	おかむら　ひでき	有限会社サニープレイス代表取締役
奥田 邦晴	おくだ　くにはる	大阪府立大学名誉教授
大垣 昌之	おおがき　まさのぶ	社会医療法人愛仁会愛仁会本部リハビリテーション統括部長
阪田 憲二郎	さかた　けんじろう	神戸学院大学総合リハビリテーション学部社会リハビリテーション学科教授
沖田 裕子	おきた　ゆうこ	NPO 法人認知症の人とみんなのサポートセンター代表
山本 大誠	やまもと　たいせい	東京国際大学医療健康学部理学療法学科教授
津田 祐輔	つだ　ゆうすけ	株式会社アールアンドシー湘南 ムーブメントプラス事業部長
石川　朗	いしかわ　あきら	神戸大学大学院保健学研究科教授
森下 元賀	もりした　もとよし	吉備国際大学保健医療福祉学部理学療法学科准教授
辻　真人	つじ　まさと	老人保健施設さんなん桜の里
梶家 慎吾	かじや　しんご	株式会社 Steps リハビリ訪問看護ステーション薔所長
竹内 さをり	たけうち　さをり	甲南女子大学看護リハビリテーション学部理学療法学科准教授
南　哲	みなみ　さとし	神戸学院大学総合リハビリテーション学部理学療法学科講師

「シンプル理学療法学シリーズ」監修のことば

　近年，超高齢社会を迎え，理学療法士の需要が高まるとともに，理学療法士養成校数・学生数が急激に増加した．現代の理学療法教育には，この理学療法士を目指す多くの学生に対する教育の質を保証し，教育水準の向上および均質化に努める責務がある．

　しかし既存の教科書は，教育現場の実際を重視するというよりも，著者の意向・考え方を優先するきらいがあり，各疾患別理学療法のアプローチを個々に暗記する形式のものが多い．一方で，学生には，学習した内容を単に"暗記する"ということだけではなく，"理解して覚える"ということが求められている．そのため講義で学んだ知識・技術を確実に理解できる新しい形の教科書が望まれている．そこで，これらを具現化したものが「シンプル理学療法学シリーズ」である．

　編集にあたっては本シリーズの特長を次のように設定し，これらを過不足のないように盛り込むことを前提とした．

1. 理学療法の教育カリキュラムに準拠し，教育現場での使いやすさを追求する．
2. 障害を系統別に分類し，障害を引き起こす疾患の成り立ちを解説した上で，理学療法の基礎的な指針を提示する．このことにより，基本的な治療原則を間違えずに，的確な治療方法を適応できる思考を養えるようにする．
3. 実際の講義に即して，原則として1章が講義の1コマにおさまる内容にまとめる．演習，実習，PBL（問題解決型学習）の課題を適宜取り込み，臨床関連のトピックスを「memo」としてコラム形式で解説する．また，エビデンスについても最新の情報を盛り込む．これらの講義のプラスアルファとなる内容を教員が取捨選択できるような構成を目指し，さらに，学生の自習や発展学習にも対応し，臨床に対する興味へつながるように工夫する．
4. 網羅的な教科書とは異なり，理学療法士を目指す学生にとって必要かつ十分な知識・技術を厳選する．長文での解説は避け，箇条書きでの簡潔な解説と，豊富な図表・写真を駆使し，多彩な知識をシンプルに整理した理解しやすい紙面構成になるように努める．
5. 学生の理解を促すために，キーワード等により重要なポイントがひとめでわかるようにする．また，予習・復習に活用できるように，「調べておこう」，「学習到達度自己評価問題」などの項目を設け，能動学習に便宜をはかる．

　また，いずれの理学療法士養成校で教育を受けても同等の臨床遂行能力が体得できるような，標準化かつ精選された「理学療法教育ガイドライン＝理学療法教育モデル・コアカリキュラム」となり得ることをめざした．これらの目的を達成するために，執筆者として各養成施設で教鞭をとられている実力派教員に参加いただいたことは大変に意義深いことであった．

　改訂第2版，改訂第3版では，以上の編集方針に加えて，わかりやすさを追求し紙面構成・デザインの一部変更を行い，視覚的理解の促進にいっそうの重点を置いた．

　シリーズ発刊から15年が経過し，このたび改訂第4版の刊行の運びとなった．改訂第4版では，これまで多くの支持を得ている本シリーズの基本方針はそのままに，古い記述を見直し，「理学療法士作業療法士国家試験出題基準令和6年版」に対応して現場の需要に沿った教科書であり続けるよう努めている．

　教科書の概念を刷新した本シリーズが，学生の自己研鑽に活用されることを切望するとともに，理学療法士の養成教育のさらなる発展の契機となることを期待する．

　最後に，発刊・編集作業においてご尽力をいただいた諸兄に，心より感謝の意を表したい．

令和4年11月　　　　　　　　　　　　　　　　　　　　　　　埼玉県立大学名誉教授　細田　多穂

改訂第4版の序

　私が担当するコミュニケーション論という科目で学生諸君の自己紹介を兼ねたプレゼンテーションを聞く機会がある．彼らがいうメディアが新聞やテレビ・ラジオでないことは知っていたつもりだが，「推し」しかもそれが2.5次元で，そのことが当たり前に共有される情報空間があることは私の概念を飛び越えている．

　「時代とともに変わる地域リハビリテーションのニーズに応える」，「ケアの常識を疑い，今求められるものを創る」と意気込んでいる私にとってこの経験は衝撃的で，ややもすると立ち止まりがちな私の思考を蹴飛ばして目覚めさせてくれる．

　地域リハビリテーションを学び実践するためには，歴史を知り，普遍的な知識や技術を身につけることが欠かせない．ただしそのことに固執した途端，地域リハビリテーションを必要とする個々人の顔や，取り巻く環境の多様性が見えなくなって（見なくなって）しまい，結果的に役に立たないばかりか，ときに人の暮らしに不要な制限を加えることにさえなりかねない．

　生命科学の知識・技術を不可欠としながら，人文科学に根ざした思考を必須とする地域リハビリテーションを学ぶことの奥深さにあらためて思いをいたすところである．

　本書はこの度の改訂にあたり，地域リハビリテーションを推進するために必要な歴史や普遍的な事柄，制度（変更）に基づく実際のサービス提供に関する事柄，個々の対象や環境に対する視点の持ち方などについて丁寧に示すことを心がけた．また，教科書であることから国家試験への対応についてもあらためて検討した．

　これらを受けて今版では，理学療法士の活動が具体化し定着するにいたった「災害時の理学療法」を新たに章立てし，理学療法士作業療法士国家試験出題基準令和6年版に則した「安全管理の基礎知識」を加えた．また，通所・訪問リハビリテーション実習に対応する「通所リハビリテーション（デイケア）」と「訪問リハビリテーション」の項目を加えることとした．

　本書を世に出し改訂を重ねるたびに，ご執筆いただく先生方の教育・研究・実践に対する情熱を実感する．編集者としてその熱量を少しでも多くの方々にお伝えできることを願うばかりである．

　令和4年12月

編者を代表して　　備酒　伸彦

初版の序

「地域リハビリテーション」という言葉は使い古された感がある一方で，人口構成や経済などといった社会状況の変化，社会を支える法・制度の改変とともに新しい考え方や具体的な手法が求められ，その意味では常に新しく，定説化されにくい領域と言うことができる．

また，世界に例をみない速度で高齢化が進むわが国において，高齢者に対するリハビリテーションや介護予防の取り組みは，国の根幹にさえ影響を及ぼす重要なテーマで，保健・医療・福祉の分野はもとより，社会・経済の領域からも注目されており，これに対応できる地域リハビリテーションの実現が強く求められている．

本書では，このような状況の中で，理学療法士がどのように地域リハビリテーションにかかわるべきか，どのような技術を発揮すべきかということについて，「具体的であること」という軸を守りながら，高齢者に限らず，障害児・者に関する項にも充分な紙数をもって解説を進めている．また，訪問リハビリテーション，通所リハビリテーション等といったサービス別にも理解を進めることができるように配意している．

さらに本書では，「対人援助技術」，「認知症・精神領域・知的障害に対するケア」に関する章を設け，臨床で多く遭遇する課題でありながら，従来の教科書ではその対応策を修得することが難しかった事柄についても，具体的な指針を示し，これにケーススタディを加えることによって，より実践的な力が得られるような構成を行っている．

「シンプル理学療法学シリーズ」に含まれる本書は，良い教科書でありたいというシリーズの特長を守りながら，現場感覚の豊かな執筆者に参加いただき，臨場感あふれる内容とすることができた．それだけに本書は，シリーズ各書で示される知識・技術を集大成する形で，理学療法士の力を必要とする人の「生活機能」を支えるための方法を学んでもらえる教科書となったと信じている．

本書を手に取る学生諸氏が，地域リハビリテーションを通して，これからの日本を支えるという気概をもってくれるよう祈りを込めて序文としたい．

平成 20 年 5 月

編者を代表して　備酒　伸彦

目　次

総　論

1 地域リハビリテーションの考え方
備酒伸彦　1

- A　ノーマライゼーション normalization（等生化） ………………………… 1
  - ① 成り立ち ………………………………… 1
  - ② 定　義 …………………………………… 2
  - ③ 世界・わが国への展開 ………………… 2
- B　地域リハビリテーションの定義 ………… 2
- C　理学療法士が担う役割の範囲 …………… 3
- D　時代とともに変わる高齢者リハビリテーションと介護 ………………………………… 4
- E　地域リハビリテーションで求められる考え方と姿勢 …………………………………… 6
  - ① 正解は1つではないことを知る，他者と相談をする（連携とリーダーシップ） … 6
  - ② 生活支援のためには身体機能以外の要素の重要性を認識して活用する ……… 7
  - ③ 寄り添うということ …………………… 10
- F　まとめ ……………………………………… 12

2 制度の変遷
長野　聖　13

- A　制度を知ることの意義 …………………… 13
  - ① 何のために制度を知る必要があるのか？ … 13
- B　制度の変遷 ………………………………… 15
  - ① 第二次世界大戦前から戦後，1950年代まで ……………………………………… 15
  - ② 1960年代 ………………………………… 16
  - ③ 1970年代 ………………………………… 16
  - ④ 1980年代 ………………………………… 17
  - ⑤ 1990年代 ………………………………… 19
  - ⑥ 2000年代 ………………………………… 20
  - ⑦ 2010年代 ………………………………… 23
- C　まとめ ……………………………………… 24

3 介護保険サービス概論（介護保険の仕組み）
冨永　淳　25

- A　保険者と被保険者 ………………………… 25
- B　申請から受給まで ………………………… 25
  - ① 申請から1次判定まで ………………… 25
  - ② 要介護認定（2次判定） ……………… 26
  - ③ 介護サービス利用計画（ケアプラン） … 26
  - ④ サービスの利用 ………………………… 27
  - ⑤ 利用期間 ………………………………… 27
- C　制度の現状と今後 ………………………… 31
- D　福祉用具と介護保険 ……………………… 31

4 地域包括ケアシステムのなかでの理学療法士の役割
川越雅弘　37

- A　人口構造の変化と社会保障への影響 …… 37
  - ① 人口構造の変化 ………………………… 37
  - ② 超高齢化が社会保障に及ぼす影響とは … 37
- B　地域包括ケアシステムと地域リハビリテーション ……………………………………… 40
  - ① 地域包括ケアシステムとは …………… 40
  - ② 地域包括ケアシステムのなかで地域リハビリテーションに期待される役割とは … 41
- C　地域リハビリテーションに関連する主な政策の動向 ………………………………… 41
  - ① 入退院支援の機能強化 ………………… 42
  - ② 多職種協働の推進　―ケア職との連携・協働

　　　　　の推進― ……………………………… 43
　　③ ケアマネジメントの機能強化 ……………… 44
　　④ 生活期リハビリテーションマネジメントの
　　　　機能強化 ………………………………… 45
　　⑤ 介護予防の機能強化 ………………………… 50
D　地域リハビリテーションにかかわるリハ
　　ビリテーション職に期待される役割 ……… 51
　　① 入退院支援プロセスへの関与の強化　―適切な
　　　　リハビリテーション継続の実現に向けて―
　　　　……………………………………………… 51
　　② 多職種協働による自立支援型ケアの推進 … 52
　　③ ケアマネジメントの機能強化支援　―課題
　　　　解決に向けた適切な助言の実施― ……… 52
E　おわりに ……………………………………… 53

5

地域支援事業のなかでの理学療法士の役割　　川越雅弘　55

A　地域支援事業創設の背景と見直しの方向性
　　………………………………………………… 55
　　① 地域支援事業創設の背景（2006［平成18］年～）
　　　　……………………………………………… 55
　　② 地域支援事業（創設当時）の主な内容 …… 56
　　③ 地域支援事業の見直しの方向性 …………… 56
B　総合事業の概要と理学療法士の役割 ……… 57
　　① 総合事業とは ………………………………… 57
　　② 総合事業新設の背景と見直しの方向性 …… 60
　　③ 通いの場を活用した介護予防・重度化防止の
　　　　推進 ………………………………………… 63
　　④ 総合事業における理学療法士の役割とは … 64
C　地域ケア会議推進事業の概要と理学療
　　法士の役割 …………………………………… 65
　　① 地域ケア会議（地域ケア個別会議＋地域ケア
　　　　推進会議）とは …………………………… 65
　　② 地域ケア個別会議（多職種による事例検討会）
　　　　が導入された背景 ………………………… 66
　　③ 地域ケア個別会議における理学療法士の役割
　　　　……………………………………………… 66
D　在宅医療・介護連携推進事業の概要と理学

　　療法士の役割 ………………………………… 68
　　① 在宅医療・介護連携推進事業とは ………… 68
　　② 先進事例の紹介（千葉県柏市） …………… 68
　　③ 在宅医療・介護連携推進事業における理学
　　　　療法士の役割 ……………………………… 69
E　おわりに ……………………………………… 69

6

事業企画に携わる理学療法士　　備酒伸彦　71

A　本章の趣旨 …………………………………… 71
B　企画に携わる理学療法士に求められるもの
　　………………………………………………… 72
　　① 説明する能力 ………………………………… 72
　　② 広い概念をもつこと ………………………… 73
C　具体的事業の実例 …………………………… 76
　　① 高齢者の能力を活用した福祉用具供給事業 … 76
　　② 失語症キャンプ ……………………………… 76
D　ケア論が制度論を築く ……………………… 77

7

地域リハビリテーションにおける関連職種の紹介　　金沢善智　79

A　定義からみた連携の重要性 ………………… 79
B　連携する主な専門家 ………………………… 80
　　① 介護支援専門員 ……………………………… 80
　　② 医　師 ………………………………………… 81
　　③ 歯科医師 ……………………………………… 81
　　④ 看護師（訪問看護師） ……………………… 81
　　⑤ 保健師 ………………………………………… 82
　　⑥ 作業療法士 …………………………………… 82
　　⑦ 言語聴覚士 …………………………………… 82
　　⑧ 社会福祉士 …………………………………… 82
　　⑨ 介護福祉士 …………………………………… 83
　　⑩ 訪問介護員 …………………………………… 83
　　⑪ 薬剤師 ………………………………………… 83
　　⑫ 栄養士（管理栄養士） ……………………… 84
　　⑬ 歯科衛生士 …………………………………… 84

⑭ 福祉用具専門相談員 …………………… 84
⑮ 健康運動指導士 ………………………… 84
⑯ 機能訓練指導員 ………………………… 84

各論

8

安全管理の基礎知識 …………… 森本陽介 85

A リスク管理の考え方 ………………………… 85
B 標準的な感染対策 ………………………… 86
　① 手指衛生 ………………………………… 86
　② 個人防護具の使用 ……………………… 87
C 急変時対応 ………………………………… 89
　① 一次救命処置（BLS） ………………… 89

9

介護保険サービス下（生活支援場面）での理学療法（士） …………… 91

9-1 │ 生活支援にかかわる理学療法士の役割
…………………………………… 備酒伸彦 91

① ケアのコーディネーターとしての役割 ……… 91
② 身体機能・動作の評価者としての役割 ……… 91
③ 身体機能・動作を改善する者としての役割 … 91
④ ケアの質を高めるための役割 ……………… 92
⑤ 理学療法士が生活支援の役割を担う場面 …… 92

9-2 │ 介護老人保健施設 ………… 今岡真和 95

A 介護老人保健施設の機能 ………………… 95
　① 概　要 ………………………………… 95
　② 施設サービスと居宅サービス …………… 95
　③ 医療機能に特化した機能 ……………… 97
B 理学療法士の役割，業務 ………………… 97
　① 理学療法士としての立場 ……………… 97
　② 地域リハビリテーションを担う立場 …… 100
C 今後の課題 ……………………………… 101

9-3 │ 介護老人福祉施設（特別養護老人ホーム） ……………… 原田浩史 102

A 介護老人福祉施設（特別養護老人ホーム）の機能 ……………………………………… 102
　① 概　要 ………………………………… 102
　② 暮らしを支えるための機能 …………… 103
　③ 看取りの場としての機能 ……………… 103
B 理学療法士の役割，業務 ………………… 104
　① 理学療法士としての立場 ……………… 104
　② 地域リハビリテーションを担う立場 …… 109
　③ まとめ ………………………………… 110

9-4 │ 訪問リハビリテーション … 赤羽根誠 111

A 訪問リハビリテーションの機能 ………… 111
　① 訪問リハビリテーションに関係する制度 …… 111
　② 訪問リハビリテーションの事業運営 …… 112
B 訪問リハビリテーションのサービスの実際
　……………………………………………… 112
　① サービス提供前の流れ（事前訪問）の5つの段階 ………………………………… 112
　② サービス提供時の流れ（初回訪問，定期訪問）の5つの段階 ……………………… 114
　③ サービス提供に必要な5つの専門技術 …… 116
C 訪問リハビリテーションの目的再考 …… 121

9-5 │ 通所リハビリテーション（デイケア）
…………………………………… 野尻晋一 123

A 通所リハビリテーション（デイケア）の機能 ……………………………………… 123
　① 通所リハビリテーションの歴史と機能の変遷
　……………………………………………… 123
　② 通所リハビリテーションの機能 ……… 125
B 理学療法士の役割，業務 ………………… 126
　① 理学療法士としての立場 ……………… 126
　② 地域リハビリテーションを担う立場 …… 131
C まとめ …………………………………… 131

9-6 │ 通所介護（デイサービス） … 眞藤英恵 132

A 通所介護の機能 ………………………… 132

- 1 通所介護とは……………………………… 132
- 2 通所介護の法的な要件………………… 132
- 3 通所介護のサービス提供の意義……… 134
- 4 通所介護のサービス提供の実際……… 137

B 通所介護における理学療法士の役割，業務
　………………………………………………… 138
- 1 理学療法士としての立場……………… 138
- 2 地域リハビリテーションを担う立場… 139

10 介護予防と健康増進 …………… 141

10-1 介護予防と健康増進の概念
　………………………………… 樋口由美 141

A 介護予防………………………………………… 141
- 1 介護予防の概念………………………… 141
- 2 要支援・要介護状態となる原因……… 142
- 3 2次予防の対象者像…………………… 143
- 4 介護予防の効果的な取り組み………… 147
- 5 介護予防の評価指標…………………… 149

B 健康増進………………………………………… 152
- 1 健康増進の概念………………………… 152
- 2 健康日本21（第二次）………………… 153

10-2 これまでの介護予防事業のあり方
　………………………………… 樋口由美 154

A 介護予防事業…………………………………… 154
- 1 介護予防事業における1次予防，2次予防の対象者とは……………………………… 154
- 2 1次予防事業…………………………… 155
- 3 2次予防事業…………………………… 155
- 4 「予防重視型システム」から「地域包括ケアシステム」へ………………………… 156

10-3 介護予防・日常生活支援総合事業の実際 ……………………… 畑山浩志 158

A 介護予防・日常生活支援総合事業について
　………………………………………………… 158

- 1 これからの介護予防…………………… 158
- 2 新しい介護予防事業…………………… 159
- 3 介護予防・日常生活支援総合事業…… 159
- 4 地域リハビリテーション活動支援事業… 160
- 5 地域づくりによる介護予防推進支援事業（2014［平成26］年～）……………… 161
- 6 新しい総合事業………………………… 163

B 介護予防の推進と生活支援の充実………… 165

10-4 ［事例］兵庫県洲本市の取り組み
　………………………………… 畑山浩志 167

A 洲本市いきいき百歳体操（住民主体の通いの場）………………………………… 167
- 1 取り組みにいたった背景……………… 167
- 2 洲本市におけるいきいき百歳体操とは… 168
- 3 洲本市のいきいき百歳体操の支援…… 169
- 4 事業の具体的内容……………………… 171
- 5 国の取り組み状況……………………… 171

B 洲本市自立支援型地域ケア個別会議……… 171
- 1 取り組みにいたった背景……………… 171
- 2 自立支援型地域ケア個別会議の目的… 173
- 3 自立支援型地域ケア個別会議の中身… 173

10-5 健康増進を目指す取り組み
　………………………………… 浅田史成 173

A 理学療法士の健康増進へのかかわり……… 174
B 青・壮・中年期について…………………… 174
- 1 生活習慣病対策の必要性……………… 175
- 2 生活習慣病に対する運動効果………… 176
- 3 評価方法………………………………… 176
- 4 介入方法………………………………… 178
- 5 実際の介入のアドバイス……………… 178
- 6 指導の注意点…………………………… 179
- 7 運動セルフエフィカシーの活用……… 179
- 8 今後の健康増進における理学療法について………………………………………… 180

11 リハビリテーション介入の効果判定
対馬栄輝　181

- A 何をもって効果判定とするか ………… 181
  - 1 運動機能の評価 ………………………… 181
  - 2 介入効果としてのエンドポイントとアウトカムを考える ………………………… 181
- B 介入効果を調べる ……………………… 182
  - 1 研究デザイン …………………………… 182
  - 2 データの考え方 ………………………… 187
- C 効果の判定 ……………………………… 187
  - 1 データの観察 …………………………… 187
  - 2 統計解析 ………………………………… 189
- D 具体的な効果判定の解釈例 …………… 192
  - 1 効果判定例① …………………………… 192
  - 2 効果判定例② …………………………… 194

12 住環境整備　197

12-1 福祉用具の導入による生活環境整備
金沢善智　197

- A 理学療法士養成における生活環境学 … 197
- B 生活環境改善の手法 …………………… 198
  - 1 生活環境学を基盤とする具体的サービスとその効果 ………………………………… 198
- C 福祉用具導入の視点とポイント ……… 198
  - 1 移動にかかわる主な福祉用具 ………… 198
  - 2 睡眠環境整備にかかわる主な福祉用具 … 199
  - 3 トイレにかかわる主な福祉用具 ……… 200
  - 4 浴室にかかわる主な福祉用具 ………… 201

12-2 生活環境改善に必要な建築用語の知識
岡村英樹　202

13 障がい者スポーツ
奥田邦晴　207

- A 障がい者スポーツとは ………………… 207
- B パラスポーツの大きな特徴「障害区分 classification」 ……………………… 208
- C パラスポーツの紹介 …………………… 209
  - 1 アーチェリー …………………………… 209
  - 2 陸上競技 ………………………………… 209
  - 3 ボッチャ ………………………………… 210
  - 4 自転車競技（トラック，ロード） …… 210
  - 5 馬術 ……………………………………… 211
  - 6 5人制サッカー ………………………… 211
  - 7 ゴールボール …………………………… 211
  - 8 柔道 ……………………………………… 212
  - 9 カヌー …………………………………… 212
  - 10 トライアスロン ………………………… 212
  - 11 パワーリフティング …………………… 212
  - 12 ボート …………………………………… 212
  - 13 射撃 ……………………………………… 213
  - 14 水泳 ……………………………………… 213
  - 15 卓球 ……………………………………… 213
  - 16 シッティングバレーボール …………… 213
  - 17 車いすバスケットボール ……………… 214
  - 18 車いすフェンシング …………………… 214
  - 19 車いすラグビー ………………………… 214
  - 20 車いすテニス …………………………… 215
  - 21 バドミントン …………………………… 215
  - 22 テコンドー ……………………………… 215
  - 23 フライングディスク …………………… 216
  - 24 車いすツインバスケットボール ……… 216
  - 25 電動車いすサッカー …………………… 217
  - 26 アルペンスキー ………………………… 217
  - 27 クロスカントリースキー ……………… 217
  - 28 車いすカーリング ……………………… 217
  - 29 バイアスロン …………………………… 218
  - 30 スノーボード …………………………… 218
  - 31 アイスホッケー ………………………… 218

目次

  D パラスポーツと地域リハビリテーション ……………………………………… 218

14 災害時の理学療法（JRATの活動）
         大垣昌之 221

A JRATとは ……………………………… 221
  1　災害と理学療法 ………………………… 221
  2　JRATとは ……………………………… 221
  3　災害時の生活不活発病 ………………… 222
B 災害時の支援活動の実際 ……………… 223

15 対人援助技術
         阪田憲二郎 227

A 対人援助とは ………………………… 227
  1　ソーシャルワークの種類 ……………… 228
B ケースワークとは …………………… 228
  1　ケースワークの援助関係 ……………… 228
  2　リハビリテーションの専門職業的援助関係の特殊性 ………………………………… 228
  3　専門職業的対人関係（ラポール） …… 229
  4　援助者の自己覚知 ……………………… 229
C ケースワークの原則 ………………… 230
  1　個別化 …………………………………… 230
  2　意図的な感情表現 ……………………… 230
  3　受　容 …………………………………… 231
  4　統制された情緒的関与 ………………… 231
  5　非審判的態度 …………………………… 232
  6　クライエントの自己決定 ……………… 232
  7　秘密保持 ………………………………… 233
D エンパワメント ……………………… 233
  1　エンパワメントとは …………………… 233
  2　対人援助におけるパワーの理解 ……… 233
  3　エンパワメント・アプローチの方法 … 234
E コミュニケーション技法 …………… 235
  1　コミュニケーション実施の配慮 ……… 235
  2　コミュニケーションの種類と留意点 … 235

F 対人援助における面接技法 ………… 237
  1　面接の構造化 …………………………… 237
  2　面接技法 ………………………………… 237
  3　効果的な面接技法 ……………………… 237
G マッピング技法 ……………………… 239
  1　マッピング技法とは …………………… 239
  2　ジェノグラム …………………………… 239
  3　エコマップ ……………………………… 239

生活場面での疾患・状態像の理解

16 認知症
         沖田裕子 243

A 認知症とは …………………………… 243
  1　認知症の定義 …………………………… 243
  2　診　断 …………………………………… 244
  3　原因疾患 ………………………………… 245
  4　中核症状と行動・心理症状（BPSD） … 245
  5　認知症のステージ ……………………… 251
B 疾患の特徴と治療および対処法 …… 253
  1　血管性認知症（VD） …………………… 253
  2　アルツハイマー型認知症（AD） ……… 256
  3　レビー小体型認知症（DLB） ………… 257
  4　前頭側頭葉変性症（FTLD） …………… 258
C 認知症の本人どうしの支え合い（ピアサポート） ……………………………… 261
D 家族の介護負担の軽減 ……………… 262
E 地域の協力 …………………………… 263
  1　安心して住める地域づくり …………… 263
  2　見守りセーフティネットワーク ……… 265

17 精神領域（統合失調症，双極性障害）
         山本大誠 267

A 精神疾患とは ………………………… 267
  1　精神疾患の歴史 ………………………… 267
  2　精神疾患の概念 ………………………… 268

③ 精神疾患の分類……………………268
④ 精神疾患の評価……………………269
⑤ 精神機能の概要……………………270
B 精神疾患の状態像と治療
 ① 統合失調症…………………………274
 ② 双極性障害…………………………276
C 精神疾患に対する適切なリハビリ
  テーション………………………………277
D 精神疾患における日常生活の障害……278
E 精神領域における理学療法の役割……279

18

発達障害 ……………………津田祐輔 281

A 発達障害とは……………………………281
 ① 発達障害の定義……………………281
 ② 発達障害の概念……………………282
 ③ 発達障害の種類・分類……………282
B 発達障害の特性と二次障害……………283
 ① 自閉スペクトラム症/自閉症スペクトラム
   障害（ASD）………………………283
 ② 注意欠陥多動障害/注意欠如症（ADHD）……284
 ③ 学習障害（LD）……………………285
 ④ 発達障害の二次障害………………286
C 発達障害の支援—運動療法を中心に……286
 ① 発達像を把握するための発達検査……286
 ② 発達障害に伴う身体機能障害……287
D 児童発達支援・放課後等デイサービスに
  おける理学療法士の実際………………292
 ① 児童発達支援・放課後等デイサービスとは……292
 ② 個別支援の強み……………………292
 ③ 理学療法士のかかわり方…………292
 ④ 保育所等訪問支援事業……………293

19

慢性呼吸不全 ………………石川 朗 295

A 慢性呼吸不全とは………………………295

B 疾患の概説………………………………296
 ① 慢性閉塞性肺疾患（COPD）……296
 ② 間質性肺炎…………………………297
 ③ 肺結核後遺症………………………297
 ④ 神経筋疾患…………………………297
C 呼吸リハビリテーション………………297
D 呼吸理学療法……………………………298
 ① 定　義………………………………298
 ② 評　価………………………………298
 ③ 基本手技……………………………298
 ④ 在宅でのポイント（身体活動・他）……299
E 在宅酸素療法（HOT）…………………299
 ① 在宅酸素療法（HOT）とは………299
 ② HOTで用いられる機器……………300
 ③ 理学療法介入のポイント…………301
F 在宅人工呼吸療法（HMV）……………301
 ① 在宅人工呼吸療法（HMV）とは…301
 ② HMVで用いられる機器……………302
 ③ 理学療法介入のポイント…………303

20

口腔・嚥下機能低下 ………森下元賀 305

A 嚥下の仕組み……………………………305
 ① 正常な摂食嚥下……………………306
 ② 異常な嚥下…………………………307
B 加齢による口腔・嚥下機能の低下……307
 ① 姿勢による影響……………………307
 ② フレイルとオーラルフレイル……308
 ③ 口腔・嚥下機能低下と理学療法の関連……309
C 口腔・嚥下機能の評価…………………311
 ① 基礎的情報の把握…………………311
 ② 自覚的・他覚的症状の把握………311
 ③ 身体所見……………………………312
 ④ 理学療法評価………………………312
D 口腔・嚥下機能低下に対する理学療法……312
 ① 姿勢に対するアプローチ…………312
 ② 頸部，体幹機能に対するアプローチ……313
 ③ 口腔に対するアプローチ…………313

④ 全身に対するアプローチ ……………………… 313

21

ターミナルケア ………………… 辻　真人　315

A　ターミナルケアとは ……………………… 315
B　日本人の死因と亡くなる過程 …………… 315
C　がん患者のターミナルケア ……………… 316
　① がんの疼痛 …………………………………… 317
D　非がん患者のターミナルケア …………… 317
E　リスク管理 ………………………………… 318
F　在宅ターミナルケアを取り巻く現状と課題
　　……………………………………………… 318

演習・ケーススタディ

22

実際の事例 ……………………………… 321

22-1 ｜ 訪問リハビリテーション … 梶家慎吾　321

A　事例紹介 …………………………………… 321
　① 一般情報 ……………………………………… 321
　② 身体機能 ……………………………………… 322
B　本事例への介入 …………………………… 322
　① 問題点の抽出 ………………………………… 322
　② 介入内容 ……………………………………… 322
　③ 考　察 ………………………………………… 325

22-2 ｜ 通所リハビリテーション
　　　　 （デイケア） ……………… 野尻晋一　326

A　事例紹介 …………………………………… 326
　① 一般情報 ……………………………………… 326
B　本事例への介入 …………………………… 326
　① 評価と目標達成のための課題 ……………… 326
　② 介入内容 ……………………………………… 328

22-3 ｜ 脳卒中 ……………… 竹内さをり，備酒伸彦　331

A　事例紹介 …………………………………… 331
　① 一般情報 ……………………………………… 331
　② 身体機能 ……………………………………… 331
　③ ADL …………………………………………… 332
　④ 1日の生活状況 ……………………………… 332
　⑤ 住環境 ………………………………………… 332
B　本事例への介入 …………………………… 333
　① 問題点とその要因 …………………………… 333
　② 評価とその方法 ……………………………… 334
　③ 介入内容 ……………………………………… 334

22-4 ｜ 進行性の難病 …………… 金沢善智　335

A　事例紹介 …………………………………… 335
　① 一般情報 ……………………………………… 335
　② 住環境 ………………………………………… 335
　③ 在住地域の特性 ……………………………… 335
　④ ADL …………………………………………… 336
B　本事例への介入 …………………………… 336
　① 問題点の抽出 ………………………………… 336
　② 介入ポイント ………………………………… 337
　③ 介入内容 ……………………………………… 338
　④ 考　察 ………………………………………… 340

22-5 ｜ 精神疾患 ………………… 山本大誠　341

A　事例紹介 …………………………………… 341
　① 一般情報 ……………………………………… 341
B　本事例への介入 …………………………… 342
　① 問題点の抽出 ………………………………… 342
　② 介入のポイント ……………………………… 342
　③ 介入内容 ……………………………………… 342

22-6 ｜ 認知症 …………………… 沖田裕子　344

A　事例紹介 …………………………………… 344
　① 一般情報 ……………………………………… 344
　② ADL …………………………………………… 344
　③ IADL ………………………………………… 345
　④ 記憶とコミュニケーション ………………… 345
　⑤ 住環境 ………………………………………… 345

B	本事例への介入 ………………………… 345	
	① 問題点の抽出 ……………………… 345	
	② 介入ポイント ……………………… 346	
	③ 介入内容 …………………………… 346	

22-7 ｜ 重症心身障害 ………………… 南　哲 348

A	事例紹介 ………………………………… 348	
	① 一般情報 …………………………… 348	
	② 身体機能 …………………………… 348	
	③ ADL ………………………………… 348	

B	本事例への介入 ………………………… 349	
	① 問題点の抽出 ……………………… 349	
	② 介入ポイント ……………………… 349	
	③ 介入内容 …………………………… 349	
	④ 考　察 ……………………………… 350	

参考文献 ……………………………………… 351

索　引 ………………………………………… 355

総論 1 地域リハビリテーションの考え方

一般目標
1. 地域リハビリテーションの理念を理解する．
2. 地域リハビリテーションの概要を理解する．
3. 地域リハビリテーションにかかわる理学療法士の役割を理解する．

行動目標
1. 地域リハビリテーションの理念を説明できる．
2. 地域リハビリテーションの概要を説明できる．
3. 地域リハビリテーションにおける理学療法士の役割を説明できる．
4. 地域リハビリテーションにかかわる将来展望に言及することができる．

調べておこう
1. 高齢者像（経済状況，嗜好，家族形態など）について調べよう．
2. 介護保険による介護度認定項目と ADL，IADL 検査を比較してみよう．
3. 地域リハビリテーション（介護）にかかわる職種について調べよう．

A　ノーマライゼーション normalization（等生化）

ADL：activities of daily living
IADL：instrumental activities of daily living

　ノーマライゼーションは，リハビリテーションにかかわる者に限らず，広く市民に認知されるべき理念（概念）である．そうした上で，とくに，地域リハビリテーションにかかわる者は，日々の臨床現場で常に意識をしておくべきものであるので本章で解説する．

1 成り立ち

　ノーマライゼーションは 1960 年代に北欧諸国で生まれた社会福祉をめぐる社会理念である．この理念は，デンマークのバンク-ミケルセン（N. E. Bank-Mikkelsen）がはじめて提唱した「障害者を排除するのではなく，障害をもっていても健常者と均等にあたり前に生活できるような社会こそがノーマルな社会である」という考え方*に源流をみるもので，スウェーデンのベングト・ニィリエ（Bengt Nirje）により広められた．

*この考え方は，障害者保護の立場からおかれた障害者施設に象徴される「障害者の隔離施策」に対する明確な反論として位置づけられるもので，ノーマライゼーションの理念は，世界の障害者施策に大きな影響を与えることとなる．

2 定　義

ノーマライゼーションは次のように定義，説明されることが一般的である*.

「障害者と健常者とは，お互いが区別されることなく，社会生活をともにするのが正常なことであり，本来の望ましい姿であるとする考え方．またそれに向けた運動や施策なども含まれる」

ニィリエは，ノーマライゼーションを「知的障害者の日常生活様式や条件を，社会の普通の環境や生活方法に可能な限り近づけることを意味する」と定義づけ，①1日のノーマルなリズム，②1週間のノーマルなリズム，③1年のノーマルなリズム，④ライフサイクルにおけるノーマルな体験，⑤ノーマルなニーズの尊重，⑥異性と暮らす生活，⑦ノーマルな経済水準の保障，⑧ノーマルな環境基準という8つの原則を示している．

また，ノーマライゼーションを北米に導入したヴォルフ・ヴォルフェンスベルガー（Wolf Wolfensbergér）は，「少なくとも，平均的な市民と同じ生活状態（収入・住居・保健サービス）を可能にするために，また障害者の行動を可能な限り豊かにしたり，高めたり，支持したりするために，文化的に通常となっている諸手段（価値ある技術・道具・方法）を利用することである」と定義づけている．

3 世界・わが国への展開

ノーマライゼーションの理念は北欧から欧米，わが国などに広がっている．

国連（国際連合）においては，1971年「知的障害者の権利宣言」，1975年「障害者の権利宣言」，1979年「国際障害者年行動計画」，1981年「国際障害者年」の開催，1982年「障害者に関する世界行動計画」，1993年「障害者の機会均等に関する標準規則」，1993年〜2002年「アジア太平洋障害者の10年」，2003年〜2012年「第二次アジア太平洋障害者の10年」などで，ノーマライゼーションが基本理念の1つとして承認されている．

わが国においては，1995（平成7）年「障害者プラン〜ノーマライゼーション7ヵ年戦略〜」が決定され，2002（平成13）年には，「リハビリテーション」と「ノーマライゼーション」の理念に基づく「新障害者基本計画」が閣議決定され，国民誰もが相互に個性を尊重し，支え合う「共生社会」の実現が目指されることとなった．

このような流れのなかで，いまやノーマライゼーションの理念は周知のものとなり，地域リハビリテーションの目指す方向もこれに従うものとなっている．

B　地域リハビリテーションの定義

地域リハビリテーションについて，わが国では次の定義に従うことが一般的である．

■「地域リハビリテーションとは，障害のある人々や高齢者およびその家族が住

*ノーマライゼーションは，ノーマルという語感から往々にして「障害がある状態を障害のない状態に戻す」という，全く異なる意味に誤解されることがあるので注意を要する．

み慣れたところで，そこに住む人々とともに，一生安全に，いきいきとした生活が送れるよう，医療や保健・福祉および生活にかかわるあらゆる人々や機関・組織がリハビリテーションの立場から協力し合って行う活動のすべてをいう．その活動は，障害をもつ人々のニーズに対して先見的で，しかも身近で素早く，包括的，継続的そして体系的に対応するものでなければならない．また，活動が実効あるものとなるためには，個々の活動母体を組織化する作業がなければならない」（日本リハビリテーション病院・施設協会，2001）

この定義からわかるように，地域リハビリテーションは人々の暮らしを支えるために，①保健・医療・福祉に限らずあらゆる社会資源を活用して，②人の全ライフステージにわたって適応されるものである．また，定義後半の「個々の活動母体を組織化する」，すなわち個々の活動の連携が不可欠であるという点も重要な部分である．

このように広範な定義がなされる地域リハビリテーションの対象はすべての年齢層に及ぶものであるが，本章では，主に高齢者の地域リハビリテーションに焦点をあて，今後，ますます理学療法士への期待が高まる介護分野を念頭において解説する．障害者に関しては，第2章B 7 を参照されたい．

C 理学療法士が担う役割の範囲

理学療法士は人の**身体機能**と**動作機能**，さらには**生活機能**にまで及ぶ知識と技術をもつ専門職である．また，客観的な測定・評価の技術を有する職種である．

理学療法士は地域リハビリテーションにおいて広範な役割を担うことができるが，「理学療法士は何をすべき職種なのか」という疑問が常に語られていることも事実である．まずこの疑問に対する明確な答えを以下のように示す．

■「地域リハビリテーションにおいて理学療法士がかかわる範囲は，疾病・障害の予防と治療，機能の回復と再建，対象者が生活に適応するための支援，対象者が円滑に生活することへの支援である」

わが国の理学療法（士）教育においては，障害の治療や機能の回復と再建などに重きがおかれ，予防や生活へのかかわりは，少なくとも卒前教育においては緒についたばかりである．このことがときとして，生活機能にかかわる介護現場から「医療の出前だけでは不満である」という批判を受けることとなり，理学療法士自身が医療なのか介護なのかと戸惑うゆえんでもある．そこで再度，理学療法士の専門性について考えてみる．

図1-1は「歩行」という基本動作を生活のなかに位置づけるとともに，要素還元的にとらえたものである．明らかなように，理学療法士は，骨や筋，関節可動域や筋力という還元された要素への働きかけについては核としての知識，技術を有しており，基本動作として歩行をみる目も他職種より優れた能力をもっている．さらに，歩行をADL（日常生活動作［活動］）やIADL（手段的日常生活動作）のなかでみる目も備えている．この能力を発揮する場面を間違わないようにするこ

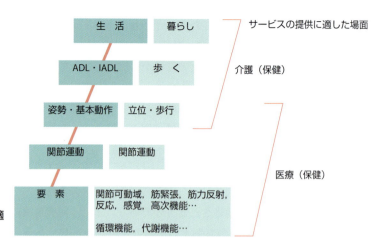

図 1-1　理学療法士がかかわる仕事と適した場面

とが大切である．

図1-1に併せて示したように，要素還元された部分に最も効果的にかかわることができるのは医療の場面であり，その際には，当然，深い医療的な知識と技術が求められる．一方，生活の手段として歩行をとらえる際は，周辺の環境までを視野に入れた生活に対する知識と技術の発揮が求められ，それに適しているのは現に生活が行われている介護の場面である．

また，生活の場面では何よりも当人が動こうという意識をもてるような，エンパワメントを意識した対応が求められる．エンパワメントについては第15章を参照されたい．

このように整理をしておくと，1人の理学療法士が医療，介護の両面にまたがって仕事をする際に自らがとるべき位置が理解できる．また，医療，介護それぞれの専門性をきわめようとする際の指針にもなる．

D　時代とともに変わる高齢者リハビリテーションと介護

物事の本質をとらえるためにはその歴史を知っておく必要がある．地域リハビリテーションや介護のように，社会的な動きと連動するものであればなおさらである．そこで，本項では高齢者リハビリテーションと介護の歴史を概観する．

1900年代半ばから2000年代にいたるまでの大きな流れを図1-2に示した．

第二次世界大戦が終わってわずか20年ほどの間にわが国は，①急激に高齢化社会への道をたどったこと，②社会的介護という概念がなく，すべてが家族の世話にゆだねられていた時代があったこと，③老人専門病院が期待されながら結果的にはうまく機能しなかったこと，④住民に身近な市町村*が，高齢者介護の担い手として登場してきたこと，⑤介護保険というかたちで社会サービスとしての介護が生まれたことなどが，とくに理解しておくべき点である．

このような変遷を現場に近い視点で考えてみる．

1980年代，地域リハビリテーションの現場では，図1-3のような重度の褥瘡を

*市町村　本書で「市町村」と記す場合は特別区を含む．

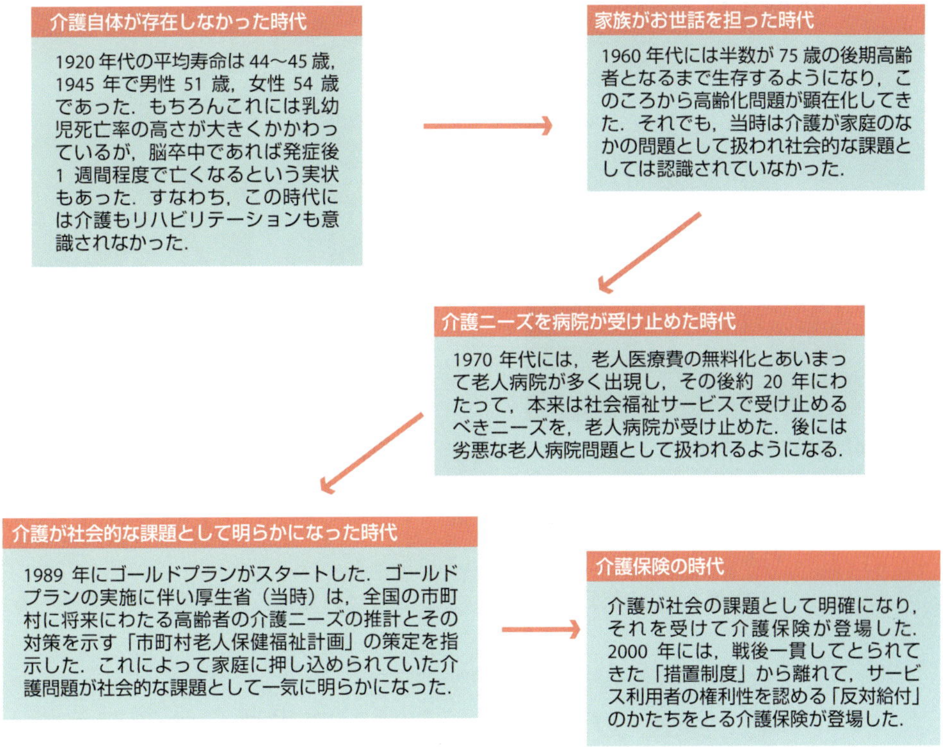

介護自体が存在しなかった時代

1920年代の平均寿命は44～45歳，1945年で男性51歳，女性54歳であった．もちろんこれには乳幼児死亡率の高さが大きくかかわっているが，脳卒中であれば発症後1週間程度で亡くなるという実状もあった．すなわち，この時代には介護もリハビリテーションも意識されなかった．

家族がお世話を担った時代

1960年代には半数が75歳の後期高齢者となるまで生存するようになり，このころから高齢化問題が顕在化してきた．それでも，当時は介護が家庭のなかの問題として扱われ社会的な課題としては認識されていなかった．

介護ニーズを病院が受け止めた時代

1970年代には，老人医療費の無料化とあいまって老人病院が多く出現し，その後約20年にわたって，本来は社会福祉サービスで受け止めるべきニーズを，老人病院が受け止めた．後には劣悪な老人病院問題として扱われるようになる．

介護が社会的な課題として明らかになった時代

1989年にゴールドプランがスタートした．ゴールドプランの実施に伴い厚生省（当時）は，全国の市町村に将来にわたる高齢者の介護ニーズの推計とその対策を示す「市町村老人保健福祉計画」の策定を指示した．これによって家庭に押し込められていた介護問題が社会的な課題として一気に明らかになった．

介護保険の時代

介護が社会の課題として明確になり，それを受けて介護保険が登場した．2000年には，戦後一貫してとられてきた「措置制度」から離れて，サービス利用者の権利性を認める「反対給付」のかたちをとる介護保険が登場した．

図 1-2 リハビリテーション，介護の変遷
[岡本祐三：高齢社会の医療と福祉，全労済協会，2002より改変]

みることは珍しくなかった．それが2000年代に入ると，地域によって多少のばらつきはあったものの，在宅ではまずみないものとなっていった．いまや，たとえば脳血管障害で重度の障害があっても，退院した翌日には車いすで庭先に座り，その横には訪問看護師や訪問介護員（ホームヘルパー）が寄り添っているという光景があたり前のものとなっている（**図 1-4**）．

この事実から2つのことを解説しておきたい．

1つ目は，いかに困難に思えることであっても適切な対応をすれば解決できるということである．「高齢者が脳血管障害になれば寝たきりになり褥瘡ができる」ということがあたり前であった時代を，当時の地域リハビリテーションや介護の担い手たちは，明らかに変えたわけである．それを引き継ぐ次代の担い手たちにもその可能性を理解しておいてもらいたい．もう1つは，褥瘡があたり前であった時代とは全く別のかたちのサービスが，現在の地域リハビリテーションや介護に求められているということである．

端的にいえば，1980年代は傷を治すこと，すなわち**生物レベル**のサービスに焦点があてられていた．それが現在では，そもそもサービス利用者に傷はなく，いかにして彼らの生活を支え，自己実現をはかるかという**人の生活レベル**に焦点があてられているわけである．このように，時代とともにケアに求められる中味が変遷していること，そしてこれからも必ず移り変わっていくことをよく認識しておく必要がある．さらに将来に向かっていかに地域リハビリテーションサービス

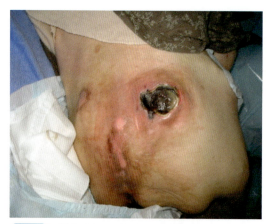

図 1-3 褥瘡があたり前であった時代
[大村健二（編）：栄養管理でみるみる治る 褥瘡治療のコツ—基礎がわかるとこんなに違う，南江堂，2012より許諾を得て転載]

図 1-4 重度の障害高齢者が退院直後から庭先に座っているのがあたり前の時代

を構築していけばよいかということについては，第4章で詳しく述べる．

E　地域リハビリテーションで求められる考え方と姿勢

1 正解は1つではないことを知る，他者と相談をする（連携とリーダーシップ）

　図1-5は，雪道を二本杖で歩く高齢者の姿である．たとえばこの写真を10人のケアスタッフにみせて感想を聞けば，「危ない」という答えや「たくましい」という答えがあるだろう．なかには「どこに行くのかな」ということを思いつく人もいるだろう．

　「危ない」と「たくましい」という回答は対極にあるがいずれも正解である．一方で，どのような回答も単独では不完全なものであるといえる．地域リハビリテーションにかかわる際は，このような「正解」をできる限りたくさん集め，そのなかから具体的なプランを導き出していくという姿勢が大切である．ところがこれがなかなか難しく，つい自分自身のアイデアに固執してしまうことがある．

　なぜわれわれは自らのアイデアに固執してしまうのか，その理由について考えてみる．

　図1-6は，人がある問いに関する答えをみつけたところを描いたものである．
　人が，ある問いに対して1つの答えをみつけた．もちろんそれは正解である．ただし，みつけたところ以外にも正解があること，すなわち正解に幅があるというイメージを絵にしたものである．

　1つの真理を求めるようなタイプの研究ではありえないことだろうが，人の生活機能を支援するという場面では，この図のように正解に幅があることが多い．一方で，それにかかわるスタッフは，1つの正解をみつけると，それ以外のもの

図1-5 雪のなかを歩く高齢者をどうみるか

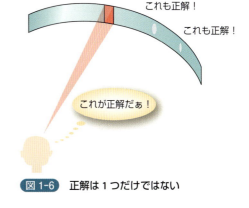

図1-6 正解は1つだけではない

はあたかも間違いであるかのような錯覚にとらわれがちである．このような状態に陥ると，その人がみつけたものも正解であるだけに始末が悪く，他の正解部分を認めず，たくさんの正解が集まって幅の広い対応ができるせっかくの機会を自ら壊してしまうことにもなりかねない．

このように順番に考えていくと次のような結論が明確になる．

立場がさまざまに異なっていても，互いに正解を認め合う姿勢というのはとても大切なものである．ましてや，人の生活機能向上などというテーマに立ち向かおうとする地域リハビリテーションの分野では，独善に陥らず多様な正解を認める姿勢は不可欠なものである．

多職種の連携という言葉はすでに使い古された感さえあるが，それが実現されることはまだまだ少ない．「連携」を本物にするためには，まず何よりも自分自身が他者の意見を聞く姿勢をもつことが重要で，実はそのような姿勢をもつ理学療法士こそがリーダーとしての要件を備えているわけである．連携を抽象的にとらえただけでは決して実現することはできない．むしろ，「話を聞く」というごくあたり前の具体的な姿勢が，自然と連携の扉を開いていくものである．

memo

プライドとメンツという言葉がある．
プライドのある人は自らの専門性に責任をもち，他者の力量を見極めて譲り合うことができる．メンツにこだわる人は自らの専門性に責任をとらず，結果的に他者も認めないという解釈がある．本物の連携をかたちづくるために最も重要なことは，役に立たないメンツを捨てて，自らの仕事にプライドをもつことであるといえるかもしれない．

2 生活支援のためには身体機能以外の要素の重要性を認識して活用する

表1-1に示すような身体状況のケースはどのような生活を送っているかを想像してみてほしい．たとえばこの人の生活範囲はどうだろう．中枢神経障害による

表 1-1　ケースを通して考えてみよう

女性 82 歳	
多発性脳梗塞	
パーキンソン症候群	全身に中程度の麻痺
心疾患	動悸，易疲労性
2 型糖尿病	食事の制限
変形性膝関節症	痛み，起居動作に障害*

＊床から立ち上がることも容易ではなく，歩行時には壁にすがりながら歩く．

a　　　　　　　　　　　　　b　　　　　　　　　　　　　c

図 1-7　堂々とした 1 人暮らし

運動機能の低下，内部障害による体力の低下，痛みを伴う疾患による行動の制限などから，決して広い生活範囲はイメージできないだろう．

このケースの実際が図 1-7 である．図 1-7a は，来意を告げて数分待っても姿のみえないケースを心配して家に上がり込んだ保健師に「勝手に上がったらだめじゃない」と冗談交じりに話している様子である．図 1-7b は「ホームヘルパーさんが磨いてくれた台所で，私は自分で料理をするのよ」とその様子をみせてくれているところである．血圧を測った保健師に「私の体はどうなの？」と主体的に問いかけている様子が図 1-7c である．すなわちこのケースは，いくつかの介護保険サービスを使いながら，堂々と自立した 1 人暮らしを送っていたのである．表 1-1 に示した内容は事実に基づくもので，そのような身体状況であれば，寝たきりに近い生活や，家族に依存した生活形態であっても不思議ではない．ところが現にこのケースは自立した 1 人暮らしを送っていた．

このことから地域リハビリテーションで生活場面にかかわる際に知っておくべきことを 2 つあげておきたい．

a．介入（者）は常に善であるとは限らない

もしこのケースが家族と同居していたら，これほど自立度の高い生活を送っていただろうか．もちろんその可能性がないとはいえないが，写真のような姿は想像しにくいだろう．極論すれば，家族（介入者）の存在が当事者の ADL を阻害する可能性もあり，介入者はサービス利用者にとって絶対的な善であるとはいえ

図1-8 人の生活機能は何によって決まるか

[Kane RL, et al : Essentials of Clinical Geriatrics, 5th ed, McGraw-Hill Professional Publishing, 2003より一部改変]

人の生活機能は身体機能のみによって決まるものではない

$$生活機能 = \frac{身体機能 \times 適切なケア \times 動機（意欲）}{社会的・身体的環境阻害因子}$$

ない．

　もちろん，家族の存在を否定したり，当事者がただ1人で頑張ることを「よし」としているわけではない．ここで述べたいのは，われわれサービス提供者の姿勢である．プロの介入者としてサービス利用者の暮らしにかかわるわれわれは，常に「自らの存在や行動が当事者にどのような影響を与えているか」について，過敏ともいえる注意深さをもっておく必要がある．

b. 生活機能は身体機能のみによって決まるものではない

　人の生活機能を構成する要素と，その関係を端的に整理した「式」を引用して示す（図1-8）．

　この式は，たとえば10の身体機能がある高齢者に，適切なケア10を掛け合わせられれば100に，そこに10の動機（意欲）が掛け合わせられると1,000の生活機能が発揮されるというものである．逆に，10の身体機能があっても，ケアが0.5，動機（意欲）が0.5なら2.5の機能になってしまうという考え方で，高齢者ケアの現場ではきわめて受け入れやすい感覚を表している．

　先述したように，地域リハビリテーションのあり方は時代とともに変わっていくものである．褥瘡に対する取り組みが主であった時代は，「身体機能」に対する取り組みが重視され，サービス資源の多くがそこに投入された．つまり地域リハビリテーションのかたちが「生物モデル」であった時代は，式の「身体機能」にほとんどの焦点が合わせられていたということになる．

　しかしその時代はいまや過去となった．これからの地域リハビリテーションにかかわる者は，職種の別なく「人の生活モデル」を支えるために，身体機能・適切なケア・動機（意欲）すべてを動員して高齢者の生活支援に向かっていかなければならないということを十分に認識しておく必要がある．

c. 動機（意欲）の重要性

　図1-8の式で「動機（意欲）」は人の生活支援を考える際にとくに重要なもので，地域リハビリテーションにかかわるときに決して忘れてはならないものである．本項では実例をあげながら解説する．

　80歳で脳血管障害を発症し，右片麻痺となり，自宅生活を送ることになった男性である．初回訪問時の評価で，寝返り，起き上がり，端座位保持，立ち上がり，介助歩行が可能なことがわかり，この結果に基づき，屋内生活については自立を目指したプランニングを行った．ところがこのケースは一切の自動運動を拒み，食事さえベッドの上で寝たままという状況に陥り，当初のプランは大幅に下方修正せざるをえなくなった．

目の前で廃用性の機能低下を示すケースについて，カンファレンスでは徹底的な討論が行われた．そのなかで，この男性が50年来牛を飼うこと一筋に生きてきたという生活歴から，「牛小屋に行ってみよう」というアイデアが生まれた．①この男性にとって過度の身体的負担にならないか，②介護負担を増やしてしまわないか，③ケアチームが行うこのようなかかわりによって，家族と男性の間に溝を生じさせないか，④われわれのサービス提供に継続性が担保されているかなどについて十分な検討をした上で，男性に対して「牛小屋に行ってみませんか」という提案を行った．

　当日，家から数百メートル離れた牛小屋に車いすでたどり着いた男性は，自ら立ち上がり，捨ててしまいたいといっていた麻痺した手で牛の身体を撫でて歩いた．6ヵ月寝たきりであった男性がである．これを契機にこの男性の生活は一変し，毎日が活気あふれるものになっていった．

　「人は動けるから動くのではなく，動きたいと思うから動く」ということを端的に教えてくれる事例である．まさに「動機（意欲）」である．このことは地域リハビリテーションにかかわるに際して決して忘れてはならないことである．

> 1年以上，ベッドの上でほとんど左側を向いて寝たきりであった女性に出会ったことがある．この女性の生活を大きく変えたのはベッドの右側にあった窓ガラスである．
> ある日，家族が窓ガラスを工夫して外の景色がみえるようにした途端，自ら右側に寝返り，起き上がり，ときを経てついには窓ガラスを自ら開け，道を歩く子どもを呼び止めてお菓子をあげるようにまでなった．ただ左を向いて寝ていた人がである．
> 地域リハビリテーションの現場には，本人が自ら変わることのできる材料が，みつけられないままたくさん埋まっているのかもしれない．

3 寄り添うということ

　地域リハビリテーションにおいて，理学療法士としての客観性が求められることはいうまでもない．その上で，サービス利用者に寄り添うという態度や視点も重要である．

　図1-9aのように，サービス利用者と理学療法士が対面的な位置に立って，客観的なかかわりをもつことは当然として，図1-9bのようにときには横に並んで（寄り添って）同じ方向を眺めながら，あるいは探しながら，リハビリテーション・ケアの方向性が決まっていくという構図を理解しておく必要がある．

　さて，この寄り添うという態度を理解するために，スウェーデンにおけるオムソーリの概念を説明したい．

　図1-10に示すように，人に対するヘルプを3つの類型に分けて考えると，サービス（tjänsten*）は対価に基づくヘルプ，ヴォードは慈悲に基づくヘルプを意味し，この概念はわが国にもある．一方，その両者の間にあるオムソーリ（omsorg）はわが国のリハビリテーション・ケアの領域で明確に概念化されていないものである．

*スウェーデン語でサービスserviceの意

a. 対面的　　b. 寄り添う

図 1-9　サービス利用者と理学療法士の関係

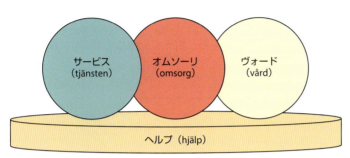

図 1-10　スウェーデンにおけるオムソーリの概念
[斉藤弥生：スウェーデンにみる高齢者介護の供給と編成，大阪大学出版会，2014 より引用]

　オムソーリは，元来，寄り添うという意味をもつ言葉である．ただし，対人援助などの場面で使われる場合は，それに「専門性をもって」という意味が付加される．たとえば，何らかのケアを必要とする高齢者に，それにかかわる専門性をもった人が寄り添った場合に限りオムソーリという言葉（概念）が用いられるわけである．

　理学療法士の卒前教育では，患者に対して対面的に，客観性を重視する内容に重きをおかれることは必然といえる．ただし，そこで学んだ知識や技術を臨床の場面で，ことに生活支援の場面で発揮するためには，このオムソーリの概念を念頭においておく必要がある．

> **memo**
> 回復期リハビリテーション病棟に勤務する作業療法士から聞いた，不全脊髄損傷を負った 50 歳代男性の話である．この男性は急性期病院では理学療法・作業療法の機会を得られないまま転院してきたそうである．そのため，損傷レベルからは考えられないほど低い運動機能にとどまっていた．この男性に対して，作業療法士である彼は徹底して話を聞く姿勢を保ったそうである．男性がもつ不安，おそれ，願いにひたすら耳を傾けたわけである．その結果「ああ，夢物語だけど，もう一度，行きつけの喫茶店に行ってみたいな」という男性の言葉に出合った．そうした後に彼は，作業療法士としての客観的な評価にあたったわけである．結論は「喫茶店には歩いて行ける」であった．そうした評価結果をもとに，彼は男性に対して，「喫茶店には歩いていきましょう．そのためのプロセスはこうです」と説明し，ときを経てついに喫茶店行きは実現したそうである．まさにオムソーリのリハビリテーションといえる事例ではないだろうか．

F まとめ

　地域リハビリテーションの現場では，介護支援専門員（ケアマネジャー），訪問介護員（ホームヘルパー），ケアワーカー，訪問看護師，保健師，医師，もちろん作業療法士や理学療法士という多様な専門職が活躍している．また，それらの機能を有機的に統合するための法や制度，サービスの枠組みづくりなどのために，一見，保健・医療・福祉とはかかわりのない人たちの努力も続けられている．

　そのなかで，人の暮らしの支援に向けて中核的な役割を担いうる理学療法士には，まず自らの専門性に責任をもち，加えて，幅広く世の中の動きに目を配る態度を身につけてもらいたい．

学習到達度自己評価問題

1. ノーマライゼーションについて説明しなさい．
2. 地域リハビリテーションの定義について説明しなさい．
3. 地域リハビリテーションにかかわる理学療法士の役割について説明しなさい．
4. わが国の地域リハビリテーションと介護の歴史的変遷について説明しなさい．
5. 地域リハビリテーションにかかわる理学療法士に求められる姿勢と考え方について説明しなさい．

総論

2 制度の変遷

一般目標
1. 地域リハビリテーションに関する「制度を知ること」の意義を理解する．
2. 制度の変遷について，その概要を理解する．

行動目標
1. 地域リハビリテーションに関する「制度を知ること」の意義を説明できる．
2. 制度の変遷について，年代ごとの特徴を説明できる．

調べておこう
1. 制度の変遷と同時代の社会の出来事について，その概要を説明してみよう（**表2-1**参照）．
2. 1960年代から2030年にいたる総人口，高齢者人口，高齢化率および平均寿命の推移について調べよう．
3. 主要死因別の死亡率の推移（転倒・転落も含む）について調べよう．

A 制度を知ることの意義

1 何のために制度を知る必要があるのか？

わが国の理学療法士は，そのほとんどが医療保険，介護保険を主とするさまざまな制度に準拠することにより業務を遂行しており，これらの制度の改定が及ぼす理学療法業務への影響は決して少なくない．たとえば，理学療法士は各職場において制度改定のたびに勤務表を見直し，診療報酬が適切に請求できるように個人別の単位表を作成するなど，さまざまな工夫をしていることが常である．理学療法という「技術」を国民に提供するためには，技術の研鑽のみならず，その技術を活かす拠りどころとなる制度についても一定の理解がなければ，臨床業務は成り立たないのである．この点では，急性期におけるリハビリテーションに携わっている者も，地域リハビリテーションに携わっている者も同じであるといえる．このように日常の業務の視点でも制度を知ることは重要であるが，「何のために制度を知る必要があるのか」について理解を深めることが，次の3つの視点から求められる．

a. 理学療法（士）の価値を示すため

　中長期的に社会保障費の抑制が予測されている現状において，社会に対して理学療法（士）の存在意義やその価値を示すためには，制度を意識して業務に取り組む必要がある．具体的には，患者（対象者）にさまざまな理学療法技術を提供した結果，患者が「よくなった」ことを示すために用いる指標について考えてみる．この場合，筋力が向上した，筋緊張が低下した，バランスがよくなった，という理学療法評価をその根拠にすることはもちろん重要であるが，果たしてこれだけで十分であろうか．

　この例を介護保険制度にあてはめると，その保険者である市町村や，制度の運用に寄与する国に対して理学療法（士）のかかわりを示すためには，専門職固有の評価にとどまることなく，理学療法技術の提供により，「要介護度が改善した」あるいは「要介護認定時間が少なくなった」という帰結まで示すことが求められるのではないだろうか．要介護度，すなわち介護に要する認定時間の変化が得られることのない理学療法の提供や，そのような観点が全くない理学療法の提供は理学療法士の自己満足であり，理学療法士の世界で認められたとしても，社会的には全く評価されないといっても過言ではない．理学療法士が独善的な状態に陥らないためにも，介護認定がどのように行われ，いかなる基準で要介護度が決定され，制度が運用されているのかを知るという，制度の理解が欠かせないのである．このことにより，「サービス利用者の介護に要する時間を少なくするためには，理学療法を提供するにあたり，介護認定のいかなる基準に注目すればよいのか」を理解することにつながるのである．

b. 制度にとらわれない視点をもつため

　上記で述べた点と相反するが，制度を理解し，それに従うだけでは，制度に「縛られる」ことになりかねない．制度にとらわれすぎると，本来のニーズを見失うばかりか，既存のサービスを自らが発展させることができなくなるおそれがある．理学療法を提供するにあたり，制度の枠のなかで考えていく視点と，制度の枠をこえて考えていく双方のバランスが求められる．

c. 変遷を知るため

　制度のみならず，制度の変遷を知ることの意味は，保健医療福祉制度の変化について，過去から現在を通してみることにより，今後の方向性，すなわち「次にくる新たな制度は何か」を予測することである．新たな制度は連綿とした制度の推移のなかから成立するものであり，何の脈絡もなく開始されることはきわめて少ない．したがって，理学療法士自らが制度の変遷を知ることは，新たな制度に伴って生じる理学療法士への新たなニーズに対し，即座に対応していくために重要である．とりわけ，地域リハビリテーションに関連する制度の変化が絶えない今日の状況においては，制度を見通すことのできる視点をもつことが，理学療法士が他者に依存することなく自立的に進むべき道を決定し，職域を発展させることにつながるのである．

表 2-1 地域リハビリテーションに関する制度の変遷

年	主な制度	制度の区分	同時代の社会の主な出来事
1874	医制（漢方医から西洋医へ）	・近代の保健医療制度の始まり	西南戦争，勃発（1877）
1884	看護婦教育の始まり（高木兼寛らの看護婦教育所）		鹿鳴館開館（1883）
1915	看護婦規則		第一次世界大戦，勃発（1914）
1948	医療法，医師法，歯科医師法，保健婦助産婦看護婦法	・保健医療福祉制度の制定 ・高齢者施策，給付の拡大期 ・「措置」による福祉	湯川秀樹が日本人初のノーベル賞を受賞（1949）
1949	身体障害者福祉法制定		
1961	国民皆保険の実現（医療保険制度）		カラーテレビ放送開始（1960）
1963	老人福祉法制定		東海道新幹線開業（1964）
1965	理学療法士及び作業療法士法		名神高速道路開通（1965）
1973	老人医療費の無料化（老人福祉法改正）		円の変動相場制移行，オイルショック（1973）
1983	老人保健法施行	・高齢者施策，給付の「見直し」	東京ディズニーランドが開園（1983）
1987	老人保健施設の創設（老人保健法改正）		国鉄が分割・民営化，JRに（1987）
1989	高齢者保健福祉推進10ヵ年戦略（ゴールドプラン）		昭和天皇崩御「平成」に改元，消費税の導入（1989）
1990	老人保健福祉計画の法定化（老人保健法改正）		大学入試センター試験開始（1990）
1991	老人訪問看護制度の創設（老人保健法改正）		サッカーJリーグ開幕（1993）
1994	新・高齢者保健福祉推進10ヵ年戦略（新ゴールドプラン）		阪神・淡路大震災（1995）
2000	介護保険法の施行	・少子高齢化社会に対応した制度 ・「措置」から「権利」「契約」による福祉 ・権利と義務の明確化	米国同時多発テロ・9.11（2001）
2006	介護保険法改正（予防給付の開始）		欧州統一通貨・ユーロ導入（2002）
2006	障害者自立支援法の施行		個人情報保護法施行（2005）
2008	高齢者の医療の確保に関する法律の施行		第1回WBC（ワールド・ベースボール・クラシック）で日本優勝（2006）
2013	障害者総合支援法の施行	・利用者の費用負担の明確化 ・地域包括ケアシステムの推進 ・社会参加と共生	東日本大震災（2011）
2014	医療介護総合確保推進法の施行		特定秘密の保護に関する法律の成立（2013）
2016	障害者差別解消法の施行		社会保障・税番号（マイナンバー）制度の施行（2015）
2020	全国へ緊急事態宣言の発出（新型コロナウイルス感染症対策）		元号が「令和」に改元，消費税が10％に（2019）

B 制度の変遷

本項では，地域リハビリテーションに関連が深いと思われる保健医療福祉制度の変遷について，表2-1に示す制度をもとに，年代ごとに紹介する．

なお，法制度は常に変化しており，その内容を把握しておく必要がある．制度の変遷という点で，これらを得るためのきっかけとして，「国民衛生の動向」，「国民の福祉と介護の動向」（厚生労働統計協会編集・発行）を参考にされたい．

1 第二次世界大戦前から戦後，1950年代まで

明治時代の近代化に伴い，医師や看護師の教育が開始され，さらに戦後，現在の医療の根幹をなす**医療法，医師法，歯科医師法，保健婦助産婦看護婦法**が制定された時期である．地域リハビリテーションにおいて理学療法士のかかわり深い専門職である医師，看護師は，すでに100年以上前から存在する専門職であることを知り，彼らとの協調なしにはリハビリテーション分野の発展はなく，地域リ

ハビリテーションの分野においても理学療法士は決して独善的になってはならないことをまず念頭におきたい．

この時期は明治，大正，昭和と元号が変わり，二度の大戦を含む大きな社会的変革が生じたが，地域リハビリテーションの観点からは，現在のような大きな変化がなかった時代であるといえる．たとえば，平均寿命は戦後間もない1947（昭和22）年で男女それぞれ50.1歳，54.0歳であり，死因は結核，肺炎などの感染症が多かった．脳血管疾患（当時は脳出血が多い）を発症しても効果的な治療の方法がなく，死にいたることが少なくなかった．すなわち脳卒中の発症＝死亡であり，今日のように脳卒中の発症後，機能障害の軽減をはかるための理学療法や，介護の提供が必要となる状態にいたらなかったのである．福祉においては，1949（昭和24）年に**身体障害者福祉法**が制定されたが，当時は戦争による傷痍軍人に対する援助が主な目的であった．

したがって，現在のような「リハビリテーション」や「介護」の概念が社会的に普及しておらず，ほとんど存在しなかったといっても過言ではなかった時代である．

2 1960年代

わが国の医療保険制度は，国民健康保険制度が全国に普及した1961（昭和36）年に，**国民皆保険体制**が達成されて確立した．日本国民であれば誰でも医療が受けられることになり，これが現在に続いている医療制度の幕開けである．福祉についても1963（昭和38）年の**老人福祉法**の制定は，それまで救貧に主眼がおかれていた福祉施策から，特別養護老人ホーム，老人健康診査などを規定することで高齢者に対して総合的な福祉を推進する基盤になった．また，1965（昭和40）年には，理学療法士に最も関連の深い法律である**理学療法士及び作業療法士法**が制定された．

1960年代は，平均寿命が男性で65歳を，女性で70歳をこえ，高齢化の問題が少しずつ現れてきた時期である．また，当時の死因の第1位は脳血管疾患であったが，医療制度の充実とともに救命率も向上し，発症後のリハビリテーションが課題となってきた．しかし，それらを担う理学療法士はわずか1,000人をこえたばかりであり，脳血管疾患発症後のリハビリテーションを担うことのできる専門職はきわめて少なかった．さらに，5人以上の世帯が全体の約4割を占め（図2-1），核家族や単身者の世帯が少ない時代であった．したがって，家族が介護を担う役割として機能しており，介護が必要な状態にいたっても退院後は自宅で家族が介護をすることが多く，現在のように介護は社会が担うべきという認識はきわめて低かった．

3 1970年代

1973（昭和48）年に老人福祉法の改正により，**老人医療費の無料化（老人医療費支給制度）**が実施された．これは70歳以上の高齢者が医療を受けた場合，自己負担分がすべて公費で支払われる制度である．この背景には高度経済成長の恩恵

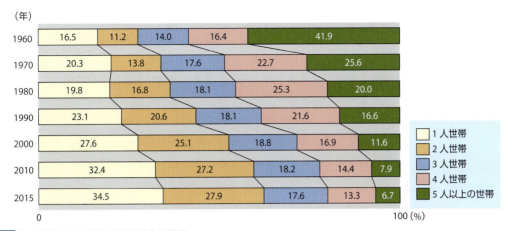

図 2-1 1世帯あたり人数の構成割合の推移
［総務省：「国勢調査」を参考に作成］

図 2-2 高齢者人口の割合の推移
［総務省：「国勢調査」を参考に作成］

を受けて社会保障関連の予算額が飛躍的に増大した影響があるが，経済成長優先から福祉優先に転換がはかられた「福祉元年」と呼ばれる画期的な試みであった．

1970年代は人口に占める65歳以上の高齢者の割合が7%をこえる**高齢化社会**を迎え（**図 2-2**），核家族の増加も伴って高齢化および高齢者の医療，介護に関する問題が顕在化してきた．しかし，前述のように高齢者の医療費が無料化されたことで医療機関への受診が容易となった背景から，これらの受け皿はいわゆる**老人専門病院**が担うことになった．また，このことは後の**寝たきり老人**問題の発端になるなど，高齢者のケアに対する制度上のさまざまな歪みを生むことになった．

4 1980年代

a. 老人保健法の実施

1973年末に起こった石油危機（オイルショック）による急激な物価の上昇により高度経済成長は完全に終わりを告げ，これまで予算上の拡大を続けていた保健

医療福祉関連の制度も大きな転換期を迎えることになった．

まず，老人医療費支給制度による老人医療費の無料化が高齢者の行きすぎた受診を招いたとされ，病院の老人サロン化や，必ずしも医療的管理を必要としない**社会的入院**などに代表される老人医療費の増大が問題視されることになった．また，死因の多くが悪性新生物，心疾患，脳血管疾患のような生活習慣病（当時の名称は成人病）に変化しているなかで，高齢者の健康という観点から，疾病の予防や早期発見を含めた総合的な保健医療対策が求められるようになった．これらの背景を踏まえ，①老人医療費支給制度を廃止し，高齢者にも一部の負担を求める，②老人医療費を国，自治体，医療保険者が共同で担う，③壮年期（40歳以降）からの疾病予防や健康づくり対策，の3点が主な柱となる**老人保健法**が1983（昭和58）年から実施された．

さらに，1987（昭和62）年の老人保健法改正により，老人保健施設が創設された．これは，入院治療は必要でないが，家庭に復帰するために機能訓練や看護，介護が必要な寝たきり老人などのための施設であり，現在の介護老人保健施設の前身である．それまでは高齢者の施設介護の受け皿が老人専門病院の他に存在しなかったが，医療機関から家庭への橋渡しとして**中間施設**という位置づけがなされた．1986年にわが国の平均寿命が男性74.8歳，女性80.4歳となり，世界一の長寿国となった背景を合わせて考えると，まさに1980年代は老人保健法を軸とした地域ケアの幕開けの時期であった．

老人保健法は理学療法士にとってもきわめて関係の深い制度であった．この制度における事業の1つである機能訓練事業，および老人保健施設は，理学療法士が医療機関以外で高齢者の機能向上にかかわるケアに携わることを法的に位置づけた最初の制度事業であった．この制度の開始により，理学療法士の地域リハビリテーション領域での活動が本格的に始まったといえる．

b．CBRの考え方

CBR：community based rehabilitation
WHO：World Health Organization
ILO：International Labour Organization
UNESCO：United Nations Educational, Scientific and Cultural Organization

CBRは1980年代後半に障害のあるすべての人々の権利や平等な社会参加を推進する戦略として紹介され，1989年に世界保健機関（WHO）によりCBRマニュアル「Training in the Community for People with Disabilities」が出版された．その後，1994年にWHO，国際労働機関（ILO），ユネスコ（UNESCO）によりCBRの概念（Concept of CBR）が次のように示された．

「CBRとは障害を有するすべての人々のリハビリテーション，機会の均等や社会的統合を得るための地域展開の戦略である．CBRは障害者自身とその家族，組織や地域社会，そして関連する政府・非政府の保健，教育，職業，社会的サービスなどの結びつきにより遂行される」．

近年ではその目的に人権の重視，貧困の軽減なども言及されている．世界中のすべての地域において絶対的尺度で測ることの困難な「人権」「貧困」という観点が触れられているためCBRを端的に指し示すものは，極論であるが，「途上国における広義のリハビリテーション」といえるのではないだろうか．

わが国の「地域リハビリテーション」はcommunity based rehabilitationなのか?

本書のタイトル「地域リハビリテーション」の英訳は，community based rehabilitation（CBR）で適切だろうか．「地域」という言葉の英訳はcommunity, regional, localなどさまざまだが，community rehabilitation, regional rehabilitationという言葉も英文で散見する．地域ケアの英訳はcommunity careとされるが，community based careではない．

また，先に触れた「貧困」1つ取り上げても，世界の国々のなかには貨幣経済社会が成り立っていないような，わが国の「ものさし」で測ることができないほどの「貧困」が満ち溢れているのが現実であり，わが国のcommunityと他の国のcommunityとをCBRの名の下に1つの概念でとらえるのは無理があるといわざるをえない．

5 1990年代

a．ゴールドプランの策定

老人保健法の改正に伴い，より総合的な対応が求められることになった高齢者対策が，福祉財源に充当するとされていた**消費税の導入**（1989［平成元］年）後に実施されることになった．これが1989年12月に策定された「**高齢者保健福祉推進10ヵ年戦略（ゴールドプラン）**」である．ゴールドプランは，ホームヘルパー10万人，ショートステイ5万床などの在宅福祉対策や，寝たきり老人ゼロ作戦における保健師，看護師の計画的配置などのように，具体的な目標値を掲げることにより保健，医療，福祉サービスを効果的に提供する基盤となった．

その後，1990（平成2）年に老人保健法を含む福祉関連8法の改正が行われ（老人福祉法，身体障害者福祉法，知的障害者福祉法，児童福祉法，母子及び寡婦福祉法，社会福祉事業法，老人保健法，社会福祉・医療事業団法），その内容は，①福祉サービスは市町村が担う，②在宅における福祉を重視する，③市町村は**老人保健福祉計画**の策定を義務づけられる，というものであった．老人保健福祉計画では全国の市町村ごとに寝たきりの患者，認知症の患者に関する人数・期間，介護者の状況，サービスの利用状況などのニーズに関する調査も実施され，これによりゴールドプランを大幅に上回るニーズが明らかになった．このことを踏まえ，ゴールドプランが全面的に見直されることになり，1994（平成6）年に「**新・高齢者保健福祉推進10ヵ年戦略（新ゴールドプラン）**」に改定された．これは市町村の老人保健福祉計画に適合するよう施設整備やマンパワーの養成，確保の目標が引き上げられたものである．

このように，老人保健福祉計画において「市町村ごとに」「在宅の」観点でニーズを調査した結果，それまで家庭から表面化することのなかった介護問題が，社会的な課題として一気に明らかになった．リハビリテーションについても，在宅におけるニーズが明確にされた．

1994年には65歳以上の人口が14%をこえ（**図2-2**），本格的な**高齢社会**を迎えたのである．

b. 訪問看護，リハビリテーションの基盤整備

1991（平成3）年の老人保健法改定により，老人訪問看護制度が創設された．これは，在宅の寝たきり老人などが，住み慣れた家庭，地域社会で療養できるように**訪問看護ステーション**から訪問看護サービスを受けた場合に，老人訪問看護療養費を支給する制度である．訪問看護ステーションは医師の指示のもとに看護職が独立して営む事業所であり，専門の有資格者（看護師，保健師，理学療法士，作業療法士など）が配置された．サービスは褥瘡，カテーテルなどの処置，入浴介助などの看護サービスとともに，リハビリテーションも実施され，訪問リハビリテーションの機能も併せもっていた．

現在，介護保険において訪問看護（Ⅰ-5）や**訪問リハビリテーション**が実施され，さまざまな問題を抱えながらも訪問に携わる理学療法士の数は増加している．この老人保健法の改正により，現在につながる理学療法士の在宅における診療上のサービス提供が法的に認められた．

6 2000年代

a. 介護保険法の成立

従来の高齢者介護は，家族による無償労働，および老人福祉法の**措置制度**と呼ばれる仕組みによる介護サービスで担われてきた．措置制度とは，自治体（市町村）が介護サービスの費用を負担する代わりに，サービスを受ける対象者を特定した上で，サービス内容や事業者までを決定する仕組みである．しかし，ゴールドプランの策定以降，以下の3つの観点からこれまでの高齢者介護の仕組みに問題のあることが顕在化し，21世紀に向けた高齢者介護制度の設立が本格的に議論されてきた．

第一は急速な**少子高齢化**の進行であり，これは介護を必要とする高齢者が増えるだけではなく，従来その介護を担ってきた配偶者，子どもなども高齢化していくことを意味する．さらに，高齢者を取り巻く家族構成は，単身世帯や夫婦2人世帯が増加し，1世帯あたりの人数が減少してきた（**図2-1**）．もはや家族が無償の労働力として介護を担うことはできなくなり，介護を行う主体を家族から社会に移行する必要が生じてきた．

第二は福祉による措置制度の問題である．福祉は生活保護に代表されるように，人間にとって生きていく上で最低限必要な生活を保障することが原点にある．したがって，老人福祉法による措置制度下の高齢者介護は，貧困老人の救済を基盤とした制度であり，そのサービスは法規制に縛られた「施し」的な色彩が強かった*．これらはサービス利用者のニーズに適切に対応することが困難であっただけではなく，制度を利用し介護施設に入所することは，福祉すなわち「お上」の「世話になる」として敬遠されてきた．

また，特別養護老人ホームなど介護施設への入所は，「行政処分」として実施され，施設数が大幅に不足していたため利用者が施設を選択することはきわめて困難であった．さらに，福祉は各市町村の業務であったため市町村ごとに整備状況が異なり，入所していた施設のある市町村から，別の市町村に居住地が変わる

*措置制度の問題　たとえば，訪問介護員（ホームヘルパー）の利用は，まず行政の福祉担当機関である市町村の福祉事務所に利用を申し込み，そこで申込者の世帯の状況，経済的状態が調査され，所得に応じて利用料が決定された後にサービスが開始されていた．サービス開始まで時間がかかるという問題もあった．

図 2-3　主な「予防」のターゲットの推移

（引っ越しなど）と，サービスを受けられなくなるという事態が発生していた．また，サービス内容もその財源が公費（税金）で規定されていたため，サービス提供者間での競争も皆無に近く，きわめて画一的であった．

　第三は**社会的入院**の解消である．社会的入院とは，医学的管理は必ずしも必要ではないが，介護を主な目的として病院へ長期入院することである．これは高齢化とともに介護を必要とする高齢者が増加していくなかで，高齢者が入所できる介護施設が圧倒的に不足していたために，本来介護の場ではない病院が介護の受け皿になっていることであるが，医療費の効率的利用の観点からみても望ましくない．その背景には老人医療費の無料化以降，措置制度における介護施設への入所は，「お上の世話になるので世間体が悪い」という stigma* が生じるため，より抵抗感が少なくなった病院への入院が急増していったことがあげられる．

*stigma　スティグマ：社会的恥辱．

　こうした背景を踏まえ，社会（国）が「施し」として介護サービスを提供するのではなく，誰でも介護サービスを受ける「権利」があるという発想の大きな転換がなされ，福祉である措置制度から社会保険である介護保険法が 2000（平成12）年に施行された．

b．介護予防　—予防のターゲットの推移—

　介護保険制度の発足後も急速な高齢化に伴い，要介護認定者数は 2000 年の 218 万人から 5 年間で 410 万人になり，約 190 万人増加した．このことは介護保険制度が国民の間に一定の定着を示したものであるといえるが，その結果要支援，要介護 1 の認定を受けた軽度の要介護者が急増したことにより，これらの対象者への予防的な取り組みが急務の課題となった．

　わが国の保健医療福祉制度にみる予防の取り組みは，1983（昭和58）年の老人保健法の施行から本格的に始まった**（図 2-3）**．これは死亡というリスクを回避することを目的に，壮年期から死亡の直接的な原因となる病気，とりわけ悪性新生

物，心疾患，脳卒中，糖尿病などのような生活習慣病の早期発見，早期治療の予防対策に重点をおいてきたといっても過言ではない．これらの予防対策の結果，21世紀初頭（2005年）には65歳以上の人口が2割をこえ，75歳以上でもおよそ1割を占める**（図2-2）**長寿の国となり，死亡というリスクを回避する目標は一定の成功を得ることができたのである．

しかし，老人保健法施行から介護保険制度の実施を経て，新たな問題も明らかになってきた．高齢化が進み高齢者が急増した結果，もはや死亡のリスクのみならず，いわゆる年をとることそのものがリスクになってきたのである．すなわち老年症候群と呼ばれる転倒，閉じこもり，低栄養，口腔の問題など病気とはいえないが，何らかの介護が必要な状態に陥る高齢者が急増してきた．そこで，**生活機能 functioning の障害**を予防し，生活行為を高めるための予防対策へ，そのターゲットが移行されたのである．これらの観点から2006（平成18）年に運動機能向上，口腔機能向上，栄養改善などのプログラムの充実をはかった介護予防重視型の介護保険制度に改正された．

c. 障害者の福祉施策

高齢者の福祉が措置制度からサービス利用者の権利重視に姿を変え，介護保険が開始されたことに続き，障害者の福祉も同様に，そのあり方が見直されることになった．

まず，2000（平成12）年に実施された身体障害者福祉法，知的障害者福祉法，児童福祉法の改正により，障害福祉サービスは一部を除いて，それまでの措置制度から**支援費制度**へ移行した．これは障害者の自己決定を尊重し，障害者自らサービスを選択し，事業者との「契約」によりサービスを利用する制度であり，2003（平成15）年から施行された．この制度の導入により，サービスの利用者が増加し障害者の地域生活が改善した．しかし，サービス内容の自治体間の格差，利用者の増加に伴う財源の確保，支援費制度の対象にならない精神障害者への支援などへの対策が必要となり，身体，知的，精神それぞれ障害種別ごとに異なる福祉サービスを一元化した**障害者自立支援法**が2006（平成18）年から施行された．

d. 高齢者の医療の確保に関する法律

1983（昭和58）年からおよそ四半世紀続いた老人保健法は，2008（平成20）年から高齢者の医療の確保に関する法律として姿を変えた．この法律を構成する制度のうち，社会に対する影響が最も大きかったものは**後期高齢者医療制度（長寿医療制度）**であろう．

老人保健法による医療では，保険料の負担が世帯主に求められ，75歳をこえる被扶養者（世帯主の妻，母親など）の支払い義務はなかった．しかし，後期高齢者医療制度では，75歳以上のすべての国民に支払い義務が生じ，介護保険制度と同様に保険料を個人が負担しなければならない仕組みになった．年齢を問わず，「個人」に負担が求められる時代が到来したと同時に，保険料を支払う「義務」とサービスを受ける「権利」との関係が，介護保険制度の実施以降，よりいっそう明確になったといえる．

知っていますか？　健康寿命の算定方法

日常生活に支障なく生活できる期間である「健康寿命」を延伸することが，介護予防においても重要視されている．平均寿命と健康寿命の差は男性8.73年・女性12.06年であり（2019年），この差を短縮することができれば社会保障負担の軽減にもつながるとされている．

健康寿命は「日常生活に制限のない期間の平均」を主な指標としているが，これは国民生活基礎調査の質問項目「あなたは現在，健康上の問題で日常生活に何か影響がありますか」に対する「ない」の回答を「日常生活に支障なし」と定め，性・年齢階級別にその割合を得て，サリバン（Sullivan）法（広く用いられている健康寿命の計算法）をもとに算定されている．

7 2010年代

a. 障害者の社会参加と共生　—障害者総合支援法と障害者差別解消法の制定—

障害者自立支援法はその対象者が身体・知的・精神障害者に規定されていたが，いわゆる「制度の谷間」への支援の観点から，2013（平成25）年に難病患者を対象者として追加した**障害者総合支援法**に改正施行された．

この法に基づく障害者へのサービス支給内容は，介護給付・訓練給付・補装具費の支給などを行う**自立支援給付**と，相談支援や日常生活用具の給付や貸与を行う**地域生活支援事業**からなる．また，サービス支給は，市町村に申請し**障害支援区分**の認定を受けることにより決定され，施設から就労への移行など社会参加に資するものである．これらは介護保険の要介護認定の流れと比較的類似しているが，その詳細は全国社会福祉協議会のホームページ「障害者総合支援法のサービス利用説明パンフレット（2021年4月版）」を参照されたい．

また，すべての国民が障害の有無によって分け隔てられることなく，相互に人格と個性を尊重し合いながら共生する社会の実現に向け，障害を理由とする差別の解消を推進することを目的に**障害者差別解消法**が2013（平成25）年に策定された（施行は2016［平成28］年）．これらの一連の障害者に対する制度改革により，2014（平成26）年に（国連）**障害者権利条約**を締結，国連のなかでわが国は141番目の締結国となった．

b. 介護予防を取り巻く制度の変遷——地域包括ケアシステムの推進と医療介護総合確保推進法

2006（平成18）年から実施された介護予防重視型の介護保険制度において，運動機能向上に資する運動プログラムの実施などに代表される介護予防事業が実施された結果，いくつかの市町村では要介護認定率の伸びの抑制が示されるなど介護保険の基本理念である自立支援につながった．しかし，全国的にみると介護サービス費用が増大し，その効果には課題を残すこととなった．

これらを踏まえ，2012（平成24）年に**地域包括ケアシステム**の推進を趣旨として介護保険制度が改正された．地域包括ケアシステムとは，住み慣れた地域で暮

らし続けることができるよう，**住まい・医療・介護・予防・生活支援サービスを一体的に提供**するものであり，団塊の世代が75歳以上となる2025年までに市町村や都道府県が地域の特性に応じてつくりあげることとされている．地域包括ケアシステムの姿を図4-2に示す．

さらに，2014（平成26）年には**医療介護総合確保推進法**による介護保険の制度改正がなされ，介護予防に関する内容としては，要支援1・2と認定された者に対する介護予防・生活支援サービス事業（通所介護・訪問介護など）とすべての高齢者が対象となる一般介護予防事業を合わせた**介護予防・日常生活支援総合事業**が開始された．

従来から理学療法士は介護予防に関与していたが，この事業を構成している新規事業「**地域リハビリテーション活動支援事業**」では，通所，訪問，地域ケア会議などへ，リハビリテーション専門職などの関与が促進されることとなっている（詳細は第5章参照）．

自立生活（IL）
ADLの観点では多くの介助を要する重度の障害者でも，電動車いすや環境制御装置などの福祉用具を用い，人的介助を受けることで職業的・社会的役割を果たすことができれば「自立」とする考え方．これは1970年代に米国で始まった思想・運動であり，ICFの観点では，活動制限は著しくとも参加制約が少ない状態を示す．

IL：independent living
ICF：International Classification of Functioning, Disability and Health

学校保健
・特別支援教育：発達障害なども含めたさまざまな障害のある幼児・児童・生徒に対し，自立や社会参加に必要な能力を育むために，すべての学校・学級において個々の教育的ニーズに沿った適切な指導・支援を行うこと．
・スポーツ支援：スポーツを通じた共生社会の実現のため，障害の有無にかかわらずスポーツに親しめる環境を整え，障害者がスポーツに関心をもつ・実施する機会を妨げない社会づくりを進めていくこと．

C まとめ

制度の変遷を通してみると，地域リハビリテーションにかかわる制度は，行政が税金を使ってサービスの提供を決定する措置制度から，権利や契約というサービス利用者の自己決定が求められる方向に変化してきたといえる．これは，サービス利用者が一定の権利を得ると同時に，自己負担という義務を生じたものであり，サービス利用者にとってはメリットも大きい反面，費用の自己負担という点で，厳しい現実も生じたことは否定できない．したがって，サービス利用者の視点は，無料のサービスを受け身で利用していた「利用者」から，選択する視点をもった「消費者」に変化しているのである．

また，こうした制度は従来のようにそれぞれの制度が「縦割り」に存在しているのではなく，地域包括ケアシステムや医療介護総合確保推進法にみられるように，まさに包括的に，制度間のつながりが求められる内容に変化している．

理学療法士が引き続き「消費者」のニーズを適切にとらえ，その期待に沿えることのできる職種であり続けるためにも，その役割は固定概念に縛られることなく，制度の変遷に対して柔軟に適応しなければならない．

学習到達度自己評価問題
1. 制度の変遷について，地域リハビリテーションの観点から年代ごとの特徴を説明しなさい．
2. 介護保険制度が成立した経緯について説明しなさい．
3. 介護予防（事業）の始まりから現在までの経緯を説明し，これに理学療法士がどのように携わっていくのか考えなさい．

総論 3 介護保険サービス概論（介護保険の仕組み）

一般目標
1. 介護保険制度の設立のきっかけは何かを考える．
2. 介護保険制度を理解し，給付の内容を理解する．
3. 介護保険における理学療法士のかかわり方や役割を理解する．

行動目標
1. 介護保険で提供される給付を大別できる．
2. 理学療法士が担う予防介護および介護サービスを説明できる．
3. 介護サービスにおける理学療法へのニーズをあげることができる．

調べておこう
1. 介護保険制度を調べよう．
2. 介護保険制度改定の経過を追って問題点を考えよう．
3. 理学療法士の介護保険下でのかかわりを調べよう．
4. 予防という観点から介護保険を考えてみよう．

A　保険者と被保険者

　介護保険の運営主体は，市町村（＝保険者）であり，保険料の徴収や要介護認定などを行っている．運営は，前述の保険者以外に国や都道府県が重層的に支えていく仕組みとなっている．

　介護保険の給付（サービス）を受けることのできる者（＝被保険者）は，65歳以上の第1号被保険者と40〜64歳までの医療保険加入者である第2号被保険者である（表3-1）．

B　申請から受給まで

1 申請から1次判定まで

　利用希望者本人または家族が，市町村の担当窓口に申請を行う．申請されると介護支援専門員（ケアマネジャー）が心身の状態や日常生活の状況などを訪問調

表 3-1 介護保険の給付を受けることのできる対象者

	第 1 号被保険者	第 2 号被保険者
対象者	65 歳以上の者	40 歳以上 65 歳未満の医療保険加入者
サービスを受けることのできる状態	要介護, または要支援と判定された者	下記の特定疾病に該当し, 左記の状態の者
保険料の納付	市町村が徴収（年金額一定以上は年金天引）	医療保険者が医療保険料と一括して徴収

介護保険法で定める特定疾病（2006［平成 18］年 4 月～）

①がん（医師が回復の見込みがない状態にいたったと判断したものに限る）
②関節リウマチ
③筋萎縮性側索硬化症
④後縦靱帯骨化症
⑤骨折を伴う骨粗鬆症
⑥初老期における認知症
⑦進行性核上性麻痺, 大脳皮質基底核変性症およびパーキンソン（Parkinson）病
⑧脊髄小脳変性症
⑨脊柱管狭窄症
⑩早老症
⑪多系統萎縮症
⑫糖尿病性神経障害, 糖尿病性腎症および糖尿病性網膜症
⑬脳血管疾患
⑭閉塞性動脈硬化症
⑮慢性閉塞性肺疾患
⑯両側の膝関節または股関節に著しい変形を伴う変形性関節症

査する（調査項目については**表 3-2** 参照）．その結果と利用希望者のかかりつけ医（主治医）の意見書を加えて認定審査資料が作成される．コンピューター処理による介護に必要と思われる基準時間が算出され，要介護度が自動的に決定されて 1 次判定が行われる．

2 要介護認定（2 次判定）

1 次判定で示された情報に，訪問調査で聴取・確認した情報（特記事項）および主治医意見書で示された情報を加え，介護認定審査会において最終的に要介護度が決定される（2 次判定）（介護認定審査会における事例は**表 3-3**，各要介護度の心身状態の目安は**表 3-4** 参照）．判定された要支援・要介護度に納得できない場合には，区分変更の申請ができる．

この介護認定審査会は，保健・医療・福祉の各分野の専門職および学識経験者らと事務局として市町村担当者から構成されている．理学療法士は保健の専門職として現在配置されている（**図 3-1**）．

3 介護サービス利用計画（ケアプラン）

利用希望者またはその家族らが自らの意思に基づいて利用するサービスを選択し決定することが原則となっている．しかし，介護認定の決定に伴いその要介護または要支援の程度により利用できるサービスの上限が定められており，その限度額内での利用を計画立案する必要がある．多くの場合は，利用限度と希望，機能面での効果判断の難しさ，経済面での負担など，さまざま複雑な事項を総合的に考慮して立案しなければならず，一般的には介護支援専門員（ケアマネジャー）

表3-2 要介護認定調査項目の概要

群	名称	内容
第1群	身体機能・起居動作（13項目）	麻痺などの有無 拘縮の有無 寝返り 起き上がり 座位保持 両足での立位保持 歩行 立ち上がり 片足での立位 洗身 つめ切り 視力 聴力
第2群	生活機能（12項目）	移乗 移動 嚥下 食事摂取 排尿 排便 口腔清潔 洗顔 整髪 上衣の着脱 ズボンなどの着脱 外出頻度
第3群	認知機能（9項目）	意思の伝達 毎日の日課を理解 生年月日や年齢を言う 短期記憶 自分の名前を言う 今の季節を理解する 場所の理解 徘徊 外出すると戻れない
第4群	精神・行動障害（15項目）	物を盗られたなどと被害的になる 作話　　など15項目
第5群	社会生活への適応（6項目）	薬の内服 金銭の管理 日常の意思決定 集団への不適応 買い物 簡単な調理
その他	過去14日間に受けた特別な医療について（12項目）	点滴の管理 中心静脈栄養 透析 ストーマ（人工肛門）の処置 酸素療法 レスピレーター（人工呼吸器） 気管切開の処置 疼痛の看護 経管栄養 モニター測定（血圧，心拍，酸素飽和度など） 褥瘡の処置 カテーテル（コンドームカテーテル，留置カテーテル，ウロストーマなど）

が立案し，利用希望者や家族の了承を得て代理で行っている場合が多い．また，介護サービスの受給対象に判定されなかった者は介護保険以外の各事業への参加を検討する．

4 サービスの利用

要支援1・2の認定を受けた者は，ケアプランに基づき予防給付を利用する．要介護1～5の認定を受けた者は，介護サービス利用計画に基づき介護給付を利用できる（**図3-2**）．

5 利用期間

介護保険の初回利用者は，認定後6ヵ月または最長12ヵ月で再度要介護認定を受ける．継続の申請の際には，対象者の状態が安定し急変が予想されない場合には，検討の上期間は延長される．要介護1において状態の不安定が認められた場合には6ヵ月後に認定を申請することとなる．

表 3-3 　介護認定審査会における事例

群	項目	ケース A	B	C	D	E
1	麻痺の有無		あり	あり	あり	あり
	拘縮の有無					あり
	寝返り			つかまって可	つかまって可	できない
	起き上がり	見守りあり		つかまって可	できない	つかまって可
	座位保持			支えが必要	支えが必要	支えが必要
	立位保持	支えが必要	支えが必要	支えが必要	支えが必要	支えが必要
	歩行	つかまって可	つかまって可	つかまって可	つかまって可	つかまって可
	立ち上がり	つかまって可	つかまって可	つかまって可	つかまって可	つかまって可
	片足立ち	支えが必要	支えが必要	できない	できない	できない
	洗身				全介助	していない
	つめ切り	全介助		一部介助	全介助	全介助
	視力			1m先までみえる		
	聴力	大声は聞える	大声は聞える			やっと聞える
2	移乗	一部介助	一部介助	一部介助	一部介助	一部介助
	排尿・排便	便意ときどきあり	便意ときどきあり			
	排便後の片付け	直接援助	直接援助		間接援助	
	洗顔・整髪				一部介助	
	上衣の更衣				全介助	
	下衣の更衣				全介助	
	ボタン				全介助	
	外出頻度	週2回程度	週2回程度	月1回程度	月1回未満	週1回程度
3	意志の伝達	ときどきできる	ときどきできる			
	日課の理解	できない	できない			
	生年月日を言う	できる	できない			
	短期記憶	できない	できない			
	季節・場所の理解	できない	できない			
4	被害的・作話					
	同じ話をする	あり	あり			
	ひどい物忘れ	あり	あり	ときどきあり		
5	金銭の管理	一部介助	一部介助		全介助	
	薬の内服	見守りあり	一部介助	全介助		
	集団への不適応			ときどきあり		
	日常の意思決定	できない	できない			
	買い物	見守りあり	一部介助	一部介助	全介助	全介助
	簡単な調理	一部介助	一部介助	一部介助	できない	見守りあり
その他	特別な医療					
1次判定の基準時間		24分	48分	71分	110分	53分
1次判定での要介護度		非該当	要介護1	要介護3	要介護5	要介護2
介護認定審査会（2次判定）で検討され決定された事項		身体機能は維持されているが，認知症のため常に見守りが必要と判断される．	移乗の際に，転倒の危険性があり見守りが必要と判断される．	日常生活全般に介助が必要と判断される．	寝たきりに近い状態で，日常生活の全般に介助が必要と判断される．	ベッドでの介助のみ必要とされるが，排泄など機会が多いため要介護2と判断される．
2次判定での要介護度		要支援2	要介護1	要介護3	要介護5	要介護2

表 3-4 各要介護度の心身状態の目安

要介護度		おおよその心身状態	要介護度		おおよその心身状態
要支援	1	日常の生活は自立している．（食事，排泄や入浴など）一部の身の回り動作で見守りや援助が必要な場合がある．また，立ち上がりや片足立ちなどの動作時に支えが必要なことがある．	要介護度	1	起き上がりや立ち上がりが不安定で，支えが必要となる．手段的日常生活動作の低下が目立つ．（電話を使う，買い物をする，金銭の管理，薬の内服管理など）認知機能の低下を認める．（多少の混乱や理解力の低下など）
	2	日常生活では，食事と排泄は自立している．身の回りの動作で見守りや援助が必要となる．歩行時に支えが必要となる．		2	1人での立ち上がりや歩行は困難となる．日常生活において常に一部介助を要する．
				3	立ち上がりや歩行は1人でできない．日常生活で全面的な介助が常に必要となる．
				4	介助なしでは日常の生活は送れない．常時，車いすを使用する．理解力が低下し，問題行動がみられる．
				5	寝たきりの状態が多い．日常生活全般で全介助状態．理解力，判断力が乏しく，意思の疎通が困難な状態．

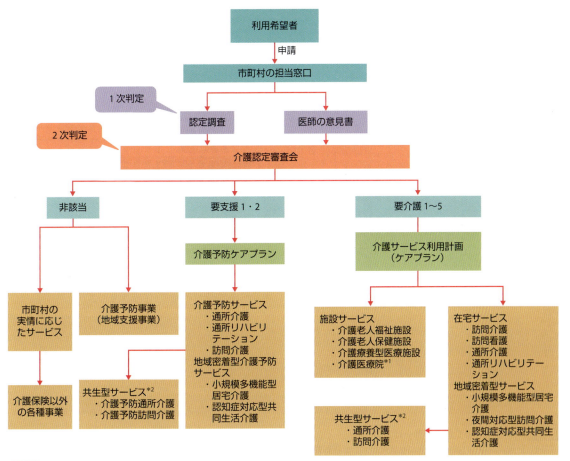

図 3-1 介護保険サービスの利用の流れ

[1] 2018（平成30）年に介護療養病床の転換先として，介護医療院が設立され，介護保険法が改正されたことに伴い，住まいと生活を医療が支えるモデルとして新たな介護保険施設として創設された．

[2] 高齢者と障害者（児）が同一の事業所で，さまざまなサービスを受けやすくするため，介護保険と障害福祉双方の制度に新たに「共生型サービス」を位置づけた．

〔厚生労働省：介護給付費単位数等サービスコード表〔https://www.wam.go.jp/gyoseiShiryou-files/documents/2021/0331152949837/20210331_003.pdf〕（最終確認 2022年8月30日）を参考に作成〕

	予防給付＝要支援1・2	介護給付＝要介護1〜5
都道府県が指定・監督するサービス	**介護予防サービス** 訪問サービス 　介護予防訪問介護 　介護予防訪問介護入浴介護 　介護予防訪問看護 　介護予防訪問リハビリテーション 　介護予防居宅療養管理指導 通所サービス 　介護予防通所介護 　介護予防通所リハビリテーション 短期入所サービス 　介護予防短期入所生活介護 　介護予防短期入所療養介護	**居宅介護サービス** 訪問サービス 　訪問介護 　訪問介護入浴介護 　訪問看護 　訪問リハビリテーション 　居宅療養管理指導 通所サービス 　通所介護 　通所リハビリテーション 短期入所サービス 　短期入所生活介護 　短期入所療養介護
	共生型サービス*2 　介護予防訪問介護　介護予防通所介護 　　介護予防短期入所生活介護	訪問介護　通所介護 　　短期入所生活介護
	介護予防特定施設入所者生活介護 介護予防サービス 　介護予防福祉用具貸与 　特定介護予防福祉用具販売	特定施設入所者生活介護 介護サービス 　福祉用具貸与 　特定福祉用具販売
		居宅介護支援 施設サービス 　介護老人福祉施設 　介護老人保健施設 　介護療養型医療施設 　介護医療院*1
市町村が指定・監督するサービス	地域密着型介護予防 介護予防支援 地域密着型介護予防サービス 　介護予防小規模多機能型居宅介護 　介護予防認知症対応型通所介護 　介護予防認知症対応型共同生活介護（グループホーム）	地域密着型介護 地域密着型サービス 　小規模多機能型居宅介護 　認知症対応型通所介護 　認知症対応型共同生活介護（グループホーム） 　地域密着型特定施設入居者生活介護 　地域密着型介護老人福祉施設入所者生活介護
他	住宅改修	住宅改修
市町村が実施するサービス	地域支援事業 介護予防事業 包括的支援事業 　総合相談支援事業 　権利擁護事業 　包括的・継続的ケアマネジメント支援事業 　介護予防ケアマネジメント事業 任意事業	

図 3-2　対象となる介護保険サービスの一覧

*1 2018（平成30）年に介護療養病床の転換先として，介護医療院が設立され，介護保険法が改正されたことに伴い，住まいと生活を医療が支えるモデルとして新たな介護保険施設として創設された．

*2 高齢者と障害者（児）が同一の事業所で，さまざまなサービスを受けやすくするため，介護保険と障害福祉双方の制度に新たに「共生型サービス」を位置づけた．

[厚生労働省：介護給付費単位数等サービスコード表（https://www.wam.go.jp/gyoseiShiryou-files/documents/2021/0331152949837/20210331_003.pdf）（最終確認 2022年8月30日）を参考に作成]

C 制度の現状と今後

　前述のように，2000（平成12）年の制度創設以来，数回にわたり制度の見直しや改革を行ってきたが，少子高齢化に歯止めがきかず現役世代の負担が増加し，まだ働ける高齢者が急増するなか，介護のあり方自体，または社会全体で支える制度内容の見直し，対象者の介護ニーズの多様化やサービス提供側のさまざまな問題など複雑な解決を強いられているのが現状である．以下に，現状の問題点と今後に向かっての対応策を示す．

①軽度者（要支援，要介護1）の大幅な増加

　認定者の約50％となっている．内容は，転倒による骨折や関節疾患などにより徐々に生活機能が低下していく「廃用症候群」状態やその予備軍的な高齢者が多い．いわゆるロコモティブシンドロームである．対応策としては，予防重視型システムを確立することで，要支援1・2の者を対象とする新しい予防給付の体制の確立である．

②在宅と施設の給付負担に公平性を欠く

　施設に入所すると日常生活全般にわたりサービスを受けることができるのに対し，在宅療養の場合には日常生活において必要と判断されるサービスをそれぞれ申請し受給する．介護負担に加えサービス利用料の負担も重なってくるため，施設利用の場合にも，居住費，食費が自己負担となり在宅療養との費用格差の是正がはかられている．

③低所得者への配慮

　基本的人権の理念に基づき低所得者への配慮も必要であり，考慮されるべきである（図3-3に例示する）．

④認知高齢者や独居高齢者（1人暮らし）の増加

　できる限り住み慣れた地域での生活が継続できるよう，地域密着型サービスや居住系サービスの充実をはかる．これに伴って，地域包括支援センターの設置による地域包括ケア体制の整備推進をはかっている（表3-5，図3-4，5に概要を示す）．

⑤サービスの格差

　住んでいる地域の違いによって生ずる提供されるサービスが違ったり，その地域内における各事業所間のサービスの内容に違いが認められたりする．これらの格差の是正が必要である（図3-6）．

D 福祉用具と介護保険

　介護保険は，介護を必要とする状態になっても自立した日常生活が送れるように高齢者介護を国民全体で支える制度としてスタートしたが，現在では介護を必要としない者にも介護予防を通じて自立を支援する仕組みとなっている．高齢者の生活を自立に導くあるいは維持する目的で用いられるものに介護保険制度の居

居住費に関する見直しのポイント

「居住費」の範囲	多床室（相部屋）	光熱水費相当
	従来型個室	室料 ＋ 光熱水費相当
	ユニット型準個室	室料 ＋ 光熱水費相当
	ユニット型個室	室料 ＋ 光熱水費相当

食費に関する見直しのポイント

利用者負担となるのは「食材料費」と「調理費」．介護保険から給付されるのは，「栄養管理費用」

低所得者への配慮および自己負担額の見直し

年金収入など	負担割合
340万以上*1	3割
280万以上	2割
280万未満	1割

*1：単身世帯で，年金収入＋その他の合計所得金額．または，2人以上世帯で，463万以上の合計所得金額の場合．

図3-3 低所得者への配慮と自己負担額に関する見直し

2018（平成30）年に，介護保険料における第1号被保険者と第2号被保険者との世代間格差，および第1号被保険者内で現役世代と同等の高額所得者と低所得者との負担格差の公平性を確保する目的で，所得によって負担割合を最大で3割に引き上げられた．
[厚生労働省：介護保険制度改革の概要（https://www.mhlw.go.jp/topics/kaigo/topics/0603/dl/data.pdf）（最終確認2022年8月30日）/厚生労働省：介護給付費単位数等サービスコード表（https://www.wam.go.jp/gyoseiShiryou-files/documents/2021/0331152949837/20210331_003.pdf）（最終確認2022年8月30日）を参考に作成]

表3-5 地域包括支援センターの概要

運営主体	市町村，在宅介護支援センターの運営法人（社会福祉法人，医療法人など），その他の市町村から委託を受けた法人
エリア	市町村ごとに担当エリアを設定．小規模市町村の場合，共同設置も可能
職員体制	保健師（または地域ケアに経験のある看護師），主任ケアマネジャー，社会福祉士の3つの専門職種またはこれらに準ずる者 65歳以上の高齢者3,000～6,000人ごとに3人の専門職種を配置

共通的支援基盤構築	地域に，総合的，重層的なサービスネットワークを構築すること
総合相談支援・権利擁護	高齢者の相談を総合的に受け止めるとともに，訪問して実態を把握し，必要なサービスにつなぐこと．虐待の防止など高齢者の権利擁護に努めること
包括的・継続的ケアマネジメント支援	高齢者に対し包括的かつ継続的なサービスが提供されるよう，地域の多様な社会資源を活用したケアマネジメント体制の構築を支援すること
介護予防ケアマネジメント	介護予防事業，新たな予防給付が効果的かつ効率的に提供されるよう，適切なケアマネジメントを行うこと

[厚生労働省：介護保険制度改革の概要（https://www.mhlw.go.jp/topics/kaigo/topics/0603/dl/data.pdf）（最終確認2022年4月4日）より引用]

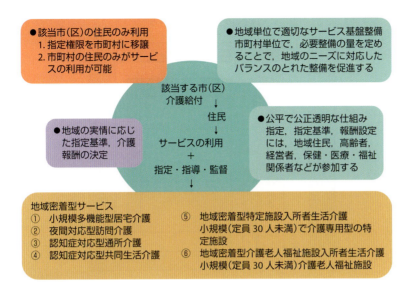

図 3-4 地域密着型サービスの仕組み

[厚生労働省：介護保険制度改革の概要（https://www.mhlw.go.jp/topics/kaigo/topics/0603/dl/data.pdf）（最終確認 2022 年 6 月 30 日）を参考に作成]

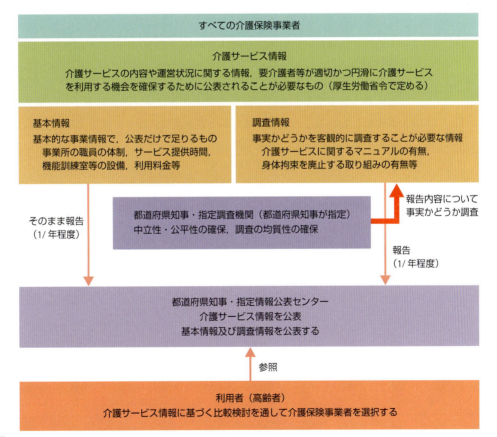

図 3-5 提供サービスの格差是正の試み

介護保険のサービスが利用者に適切かつ円滑に選択され，利用されるよう，事業者・施設に対し，必要な情報の公表を義務づけることにより，良質なサービスが提供されるようにする．これに伴い事業者間，地域間での格差の是正がはかられる．

[厚生労働省：介護保険制度改革の概要（https://www.mhlw.go.jp/topics/kaigo/topics/0603/dl/data.pdf）（最終確認 2022 年 6 月 30 日）を参考に作成]

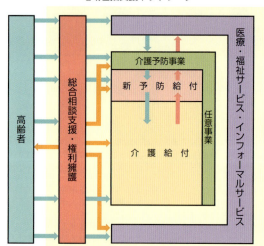

図 3-6 地域包括支援センターの機能イメージ

[厚生労働省：介護保険制度改革の概要（https://www.mhlw.go.jp/topics/kaigo/topics/0603/dl/data.pdf）（最終確認 2022 年 6 月 30 日）を参考に作成]

宅サービスの 1 つとして位置づけられている福祉用具貸与・販売サービスがある（表 3-6）．

また，福祉用具が必要とされる場合には，医師の意見書に基づき判断されサービス担当者会議などを経て適切なケアマネジメントの結果より保険者（市町村）が確認していることが条件で，かつ要介護度によって使用できる品目（種類）に制限があるため注意が必要である．

例外給付となる場合を以下に示す．

①パーキンソン病の治療薬によるオン-オフ現象など疾患その他の原因により，状態が変動しやすいとき．

②末期がんの急速な状態悪化など，疾患その他の原因により短期のうちに要介護状態が悪化するとき．

③喘息発作などによる呼吸不全や心疾患による心不全，嚥下障害による誤嚥性肺炎など，疾患その他の原因により身体への重大な危険性または症状の重篤化の回避など医学的判断から必要と認められたとき．

表 3-6　代表的な福祉用具

① 福祉用具貸与の対象品目一覧

対象介護度	要支援 1・2　要介護 1
手すり	取り付けに工事を伴わないもの
スロープ	段差解消目的，工事を伴わないもの
歩行器	体の前・左右を囲む把手を有する車輪つき，上肢で保持し移動させることができる四脚のもの
歩行補助杖	松葉杖，カナディアン杖，ロフストランド杖，前腕支持杖など
自動排泄処理装置	要支援 1・2，要介護 1・2・3 が対象　尿が自動的に吸引されるもの

2018（平成 30）年に大幅な見直しが行われ，取り扱う業者に対して以下の項目が義務づけられた．
1. 福祉用具の全国平均価格の提示
2. 福祉用具の貸与価格の上限の提示
3. 利用希望者に選択できるように複数の福祉用具の提示

対象介護度	要介護 2〜5
車いす	自走用標準型，普通型電動車いす，介助用標準型
車いす用具	クッションなど一体的に使用するもの
特殊寝台	背部，脚部の傾斜角度調整機能，床板高無段階調節機能
特殊寝台付属品	マットレス，サイドレールなど一体的に使用するもの
床ずれ防止用具	送風装置・空気圧調整装置つきマット　水などの減圧による体圧分散効果のあるマット
体位変換装置	体位を容易に変換できるもの
認知症老人徘徊感知器	屋外に出ようとした際にセンサーにより感知し，通報するもの
移動用リフト	住宅改修を伴わない床走行式，固定式，据置式
自動排泄処理装置	要介護 4・5 のみ，排便機能つき

② 福祉用具購入　対象介護度＝要支援 1〜要介護 5

対象用具	上限 10 万円/年で 1〜3 割負担，事前の申請が必要
腰掛け便座	和式便器を腰掛け式にかえるもの　洋式便器の上に置き高さを補うもの　電動式またはスプリング式で便座から立ち上がる際の補助機能があるもの　ポータブルトイレ（水洗式含む）
自動排泄処理装置の交換可能部品	レシーバー，チューブ，タンクなどのうち尿や便の経路となるものであって，本人や介護者が容易に交換できるもの
入浴補助用具	入浴用いす，入浴用手すり，浴槽内いす，入浴台，浴室内すのこ，浴槽内すのこ入浴介助ベルト
簡易浴槽	簡単に移動できる空気式や折りたたみ式で，取水・排水のための工事が必要ないもの
移動用リフトの吊り具	貸与可能な移動用リフトの吊り具の部分

③ 住宅改修　対象介護度＝要支援 1〜要介護 5

対象部分	上限 20 万円で，1〜3 割負担，事前の申請が必要
手すりの取り付け	廊下，トイレ，浴室などに取り付ける
段差の解消	居室，廊下，トイレ，浴室，玄関など各部屋の間の段差をなくす
床や通路の材質の変更	畳からフローリングやビニール材への変更，階段や通路の滑り止め加工など
扉の取り替え	開き戸を引き戸やアコーディオンカーテンなどに取り替える
便器の取り替え	トイレを使う際の負担を軽くするため和式便器を洋式に取り替え，便器の向きや位置の変更
その他付帯工事	上記の改修を行うために必要な工事

＊負担割合については図 3-3 参照

学習到達度自己評価問題

1. 介護保険サービスを受けるための申請からサービス受給までの流れをまとめよう．
2. 介護保険サービスを予防給付と介護給付に分け，さらに在宅サービスと施設サービスに分類してまとめよう．
3. 理学療法士が関与できる介護保険サービスをあげてみよう．
4. 要介護状態にならないように，または要支援状態にならないように，予防を目的とした理学療法プログラムを立案してみよう．

総論

4 地域包括ケアシステムのなかでの理学療法士の役割

一般目標
1. 高齢者人口の増加が社会保障に及ぼす影響を理解する．
2. 地域包括ケアシステムの構築が進められている背景を理解する．
3. 地域包括ケアシステムのなかでの理学療法士の役割を理解する．

行動目標
1. 地域包括ケアシステムについて説明できる．
2. 地域包括ケアシステムのなかでの理学療法士の役割について説明できる．

調べておこう
1. わが国の人口構造の変化について調べよう．
2. ケアマネジメントについて調べよう．

A　人口構造の変化と社会保障への影響

団塊の世代が90歳代に入る2040年にかけて，年少人口（0〜14歳），生産年齢人口（15〜64歳）は年々減少する一方で，85歳以上の高齢者は急増し続ける．本章では，こうした人口構造の変化が社会保障に及ぼす影響について解説する．

1 人口構造の変化

わが国の総人口は，戦後一貫して増加し続けてきたが，1970年代の後半以降，少子高齢化の影響によりその伸び率は鈍化し，現在，人口減少局面に入っている．

図4-1に人口動態の変化を示すが，今後，とくに85歳以上人口の増加が，医療・介護提供体制にさまざまな影響を及ぼすこととなる．

2 超高齢化が社会保障に及ぼす影響とは

a. 入院への影響

厚生労働省の2017（平成29）年患者調査によると，年齢階級別入院受療率は「85歳以上」が6.3％と最も高く，次いで「75〜84歳」3.0％，「65〜74歳」1.5％，「40〜64歳」0.6％の順となっている（表4-1）．今後，入院受療率が高い85歳以上人口の増加に伴い，入院治療を必要とする高齢者は増加すると予想される．

こうした状況に対し，病床数を増やす対策も考えられるが，国や地方の財政状

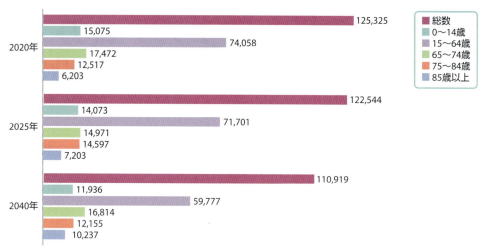

図 4-1 年齢階級別にみた人口構造の変化
[国立社会保障・人口問題研究所：日本の将来推計人口（出生中位（死亡中位）推計（平成29年推計））〔https://www.ipss.go.jp/pp-zenkoku/j/zenkoku2017/db_zenkoku2017/db_s_suikeikekka_1.html〕（最終確認2022年12月21日）を参考に作成]

表 4-1 年齢階級別にみた外来/入院受療率（医科，%）

	0～14歳	15～39歳	40～64歳	65～74歳	75～84歳	85歳以上
外来受療率	3.9	2.1	3.5	7.1	10.4	9.6
入院受療率	0.2	0.2	0.6	1.5	3.0	6.3

外来受療率とは，年齢階級別人口に占める調査日の外来患者数の割合のこと．入院受療率も同様．
[厚生労働省：平成29年（2017）患者調査の概況〔https://www.mhlw.go.jp/toukei/saikin/hw/kanja/17/index.html〕（最終確認2022年7月25日）を参考に作成]

況．高齢者の保険料負担面を考慮すると，このような政策はとられにくい．そのため，病床の回転率を高める「平均在院日数の短縮化政策」が推進されることとなる．

ADL：activities of daily living

平均在院日数が短くなると，医療依存度の高い高齢者や日常生活動作（ADL）が回復過程にある高齢者の退院が増加する．そのため，円滑な退院を実現するための，入退院時における病院と在宅ケア関係者の連携強化がよりいっそう求められることとなる．

b. 外来への影響

年齢階級別外来受療率をみると，「75～84歳」が10.4%と最も高く，次いで「85歳以上」9.6%，「65～74歳」7.1%の順となっている（**表4-1**）．2020～2025年の間は，外来受療率が高い75～84歳，85歳以上の両方の人口が増加するが，2025年以降，75～84歳人口も減少に転じていくため，外来患者総数は将来的に減少していく可能性が高い．

c. 在宅医療への影響

表4-1をみると，85歳以上の外来受療率は75～84歳よりも低い．これは，85歳以上の場合，75～84歳に比べて入院・入所リスクが高いこと，通院がより困難化することが原因と考えられる．そのため，通院困難者への対応として，在宅医療に対する需要は増大する．

表 4-2　年齢階級別にみた介護サービス受給率（％）

	40〜64歳	65〜69歳	70〜74歳	75〜79歳	80〜84歳	85歳以上
介護サービス受給率	0.3	2.0	4.0	8.5	18.1	47.8

介護サービス受給率とは，年齢階級別人口に占める調査月の介護サービス受給者数の割合のこと．
[厚生労働省：介護給付費等実態統計月報（令和4年3月審査分）（https://www.mhlw.go.jp/toukei/saikin/hw/kaigo/kyufu/2022/03.html）（最終確認2022年12月21日）/総務省統計局：人口推計（2022年［令和4年］7月報）2022年（令和4年）2月1日現在（確定値）（https://www.stat.go.jp/data/jinsui/pdf/202207.pdf）（最終確認2022年12月21日）を参考に作成]

また，前述したように，平均在院日数短縮化政策によって，いままで入院中に実施していた治療，看護やリハビリテーションの一部が在宅側にシフトすることとなる．そのため，必要な在宅医療が退院直後から提供できる体制の構築が求められることとなる．

d. 介護への影響

年齢階級別介護サービス受給率をみると，「85歳以上」が47.8％と最も高く，次いで「80〜84歳」18.1％，「75〜79歳」8.5％の順となっている（**表4-2**）．85歳以上の場合，約半数が介護保険サービスを受給していることになるが，この年齢層の人口が急増するため，介護サービス受給者数は急増すると見込まれている．

また，年齢が高いほど認知症の有病率は高いため，85歳以上人口の急増に伴い，認知症高齢者も急増すると見込まれている．こうした背景から，認知症対策が重要な政策課題となっているのである．

e. 保険料への影響

介護保険制度では，介護給付費の半分を公費で，半分を保険料で賄う仕組みとなっている．そのため，介護給付費の増加に伴い，介護保険料も増加する．厚生労働省の推計によると，65歳以上の介護保険料は，介護サービス受給者数の増加に伴い，2018年度の月額約5,900円から2040年度には月額8,800円に増加すると見込まれている（**表4-3**）．

ここで，人口構造の変化と社会保障への影響をまとめると，以下のようになる．

- 85歳以上人口は2040年まで急増する．その結果，独居高齢者や認知症高齢者が増加する．
- 85歳以上の介護サービス受給率は約5割に達する．そのため，85歳以上の人口増に伴い，介護サービス受給者数も増加する．一方，介護サービス従事者である15〜64歳の人口は減少していく．その結果，①介護予防の推進（要支援・要介護者の増加の抑制），②元気高齢者の社会参加の促進（支え手の人材確保），③マネジメントの機能強化（資源の有効活用）が展開される．
- 85歳以上高齢者の多くが医療サービスを受けている．また，半数が介護サービスを受給している．生活支援（見守り，買い物支援など）に対するニーズも高い．医療・介護・生活支援に対する包括的ニーズが高い85歳以上が増加することから，包括的なサービス提供（包括ケア）が推進される．
- 85歳以上高齢者の場合，健康面，心身機能面，活動面（ADL/IADL）など多領域に生活課題を有している場合が多い．そのため，生活課題の解決をはかるた

IADL：instrumental activities of daily living

表 4-3　第 1 号被保険者の月額介護保険料の将来推計（現状維持の場合）

	2018 年度	2025 年度	2040 年度
65 歳以上月額介護保険料	約 5,900 円	約 6,900 円	約 8,800 円

［厚生労働省：2040 年を見据えた社会保障の将来見通しについて，第 62 回社会保障審議会医療部会，資料 1（https://www.mhlw.go.jp/file/05-Shingikai-12601000-Seisakutoukatsukan-Sanjikanshitsu_Shakaihoshoutantou/0000210416.pdf）（最終確認 2022 年 12 月 21 日）を参考に作成］

めには多職種連携・協働が必須となる．
- 介護費用も 10 兆円をこえ，第 8 期（令和 3～5 年度）の 65 歳以上の介護保険料も月額 6,014 円（実績ベース）にまで上昇している．また，15～64 歳の人口が減少しているため，医療・介護専門職の確保が今後難しくなる．そのため，効果的なサービス提供，専門性をより活かすための機能分化と連携強化が推進される．

　ただし，高齢化の進展度合いは市町村で大きく異なる．そのため，地域内のさまざまな資源（医療・介護サービス，近隣の助け合いなど）を総動員して，必要な人に必要な支援が，地域特性に応じて包括的に提供される仕組み，いわゆる地域包括ケアシステムの構築が現在求められているのである．

B　地域包括ケアシステムと地域リハビリテーション

1 地域包括ケアシステムとは

　地域包括ケアシステムを，厚生労働省の研究会として最初に定義したのが「高齢者介護研究会（2013 年 3 月設置）」である．同研究会は，その報告書のなかで，地域包括ケアシステムを，「要介護高齢者の生活をできる限り継続して支えるためには，個々の高齢者の状況やその変化に応じて，介護サービスを中核に，医療サービスをはじめとする様々な支援が継続的かつ包括的に提供される仕組み」と定義した．
　その後，地域包括ケアの実現に向けた論点整理のために設立されたのが「地域包括ケア研究会」である．同研究会では，住宅の整備も加えたかたちで，地域包括ケアシステムを「ニーズに応じた住宅が提供されることを基本とした上で，生活上の安全・安心・健康を確保するために，医療や介護のみならず，福祉サービスを含めた様々な生活支援サービスが日常生活の場（日常生活圏域）で適切に提供できるような地域での体制」と再定義している．同定義に含まれる 4 つの要素（医療，介護，生活支援，住まい）に，介護予防を加えた 5 つが，地域包括ケアシステムの構成要素となっている（図 4-2）．
　地域包括ケアシステム構築に向けては，これらサービスの量的・質的確保が必要となるが，医療・介護にかかわる人材の確保や財源面での制約があるなかで，すべての高齢者に対して十分なサービス量を確保することは現実的に困難である．

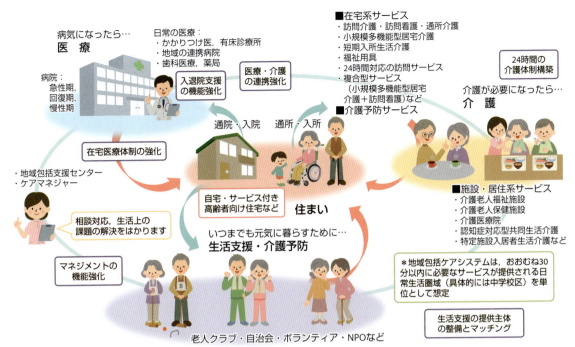

図 4-2　地域包括ケアシステムの概念図
[厚生労働省：介護保険制度をめぐる最近の動向について，第92回社会保障審議会介護保険部会　資料1（https://www.mhlw.go.jp/content/12300000/000917423.pdf）（最終確認 2022 年 12 月 5 日）を参考に作成］

したがって，利用者の特性やその人がおかれた状況に応じて，必要なサービスや支援が適切に提供されることを保障する「ケアマネジメント」の機能強化が重要テーマの1つとなる．また，地域の特性に応じた地域包括ケア提供体制を構築するためには，保険者である市町村の地域マネジメント力の強化も重要なテーマとなる．

② 地域包括ケアシステムのなかで地域リハビリテーションに期待される役割とは

　地域包括ケアシステムは，前述したように，医療，介護，生活支援，住まい，介護予防の5つの要素で構成されるが，各要素の関連性を含め，地域リハビリテーションに主に期待されているのが，①入退院支援の機能強化，②多職種協働の推進，③ケアマネジメントの機能強化，④生活期リハビリテーションマネジメントの機能強化（生活課題の解決能力の向上），⑤介護予防の機能強化への貢献である．

C　地域リハビリテーションに関連する主な政策の動向

　ここでは，地域リハビリテーションに関連する主な政策動向のポイントを整理する．

1 入退院支援の機能強化

　現在，入院患者の約半数を75歳以上が，約1/4を85歳以上が占めている．超高齢者の退院に関しては，病院側，利用者・家族側，地域の受け皿，病院と在宅ケア関係者をつなぐシステムなどの複数要因が絡むため，在宅への移行が円滑に進まない場合も多い．こうした状況のもと，円滑な退院と退院後の必要サービスの継続性を確保するための支援，いわゆる「退院支援」の重要性が高まっている．さらに，入院前にかかわっていた専門職と入院医療機関間の入院時連携に関しても，その重要性が指摘されている．

　一方，入院医療費の適正化，医療提供体制の効率化の観点から，入院期間の短縮化が推進されている．超高齢者の入院の増加，家族機能の低下が進むなか，入院期間を短縮しながら円滑な退院を実現しようというのが，制度見直しの基本的な方向性となっている．

memo

　効率化を目指した医療機関間の機能分化の推進は，サービスの質の低下（不本意な転院や退院，予期しない退院後早期の再入院など）を招く危険性がある．そこで，退院後の円滑な在宅生活への移行と定着を促すため，機能分化と同時に，連携の強化も進められることになる．
　こうしたなか，2016（平成28）年の診療報酬改定で，患者が安心・納得して退院し，早期に住み慣れた地域で療養や生活を継続できるように，保険医療機関における退院支援の積極的な取り組みや医療機関間の連携などを推進する観点から，退院支援加算が新設された．
　さらに，2018（平成30）年の診療報酬改定では，入院前にかかわっていた関係者との連携を推進するため，退院支援という名称を入退院支援に変えるとともに，入院時支援加算の新設や退院時共同指導料の見直しなどが行われた．
　他方，ケアマネジャーの業務見直しもはかられた．具体的には，①入院早期からの情報提供の促進（入院時情報連携加算（I）の要件見直し），②退院前ケアカンファレンスへの参加の促進（退院・退所加算の点数見直し），③医療機関と総合的に連携している居宅介護支援事業所のさらなる評価（特定事業所加算（Ⅳ）の新設）などである．また，入院医療機関とケアマネジャー間の連携だけでなく，認知症グループホームや介護保険施設からの入院患者に対する入退院支援も機能強化された．
　2022（令和4）年の診療報酬改定では，質の高い入退院支援を推進する観点から，入退院支援加算1の評価および要件の見直しが行われた．また，入退院支援加算1・2の対象者の見直しも行われ，ヤングケアラーなどが追加された．
　こうして，急性期入院から自宅・多様な住まいへの退院までの一連のプロセスにおける，関係者間の連携強化の仕組みがほぼ完成したのである．今後問われるのは「入院医療機関と各種サービス事業所（在宅・居住系・介護保険施設）間の連携の質」となる．

C 地域リハビリテーションに関連する主な政策の動向

表 4-4 入退院支援加算 1 の主な算定要件・施設基準

	算定要件・施設基準
退院支援プロセス ①退院困難な患者の抽出 ②・患者・家族との面談 　・退院支援計画の着手 ③多職種によるカンファレンスの実施	①原則入院後 3 日以内に退院困難な患者を抽出 ②・原則として，患者・家族との面談は 　　一般病棟入院基本料等は 7 日以内に実施 　・入院後 7 日以内に退院支援計画作成に着手 ③入院後 7 日以内にカンファレンスを実施
入退院支援部門の設置	入退院支援及び地域連携業務を担う部門の設置
入退院支援部門の人員配置	入退院支援及び地域連携業務の十分な経験を有する専従の看護師又は社会福祉士が 1 名以上かつ，①もしくは② ①専従の看護師が配置されている場合は，専任の社会福祉士を配置 ②専従の社会福祉士が配置されている場合は，専任の看護師を配置
病棟への入退院支援職員の配置	各病棟に入退院支援等の業務に専従として従事する専任の看護師又は社会福祉士を配置（2 病棟に 1 名以上）
連携機関との面会	連携機関（保険医療機関，介護保険法に定める居宅サービス業者等）の数が 20 以上かつ，連携機関の職員と面会を年 3 回以上実施
介護保険サービスとの連携	相談支援専門員との連携等の実績

[厚生労働省：入院（その 3）について，第 496 回中央社会保険医療協議会総会，資料総-2-2（https://www.mhlw.go.jp/content/12404000/000853842.pdf）（最終確認 2022 年 7 月 25 日）を参考に作成]

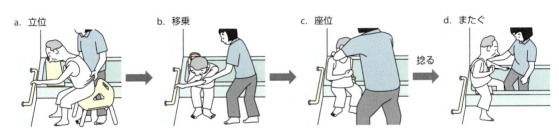

図 4-3 生活行為の観察・評価とケア職への指導・助言（入浴行為の場合）

2 多職種協働の推進 —ケア職との連携・協働の推進—

利用者の在宅における生活機能の向上をはかるためには，リハ職*とケア職の協働が重要となる．これを推進するため，2012（平成 24）年の介護報酬改定で新設されたのが「生活機能向上連携加算（訪問介護事業所が算定）」，「訪問介護連携加算（訪問リハビリテーション事業所が算定）」である．

同点数は，訪問リハビリテーションを実施する際に，訪問介護サービス提供責任者とリハ職が同時に利用者宅を訪問し，両者が連携して，ADL などのアセスメントおよび訪問介護計画の作成を行う行為を評価したものである．具体的には，図 4-3 に示すように入浴介助を目的に訪問介護が入る場合に，一連の入浴行為を構成するさまざまな動作をリハ職が観察し，利用者ができる動作とできない動作に分けた上で，できない動作に対して支援をするよう，ケア職に指導・助言することが求められている．現在，生活機能向上連携加算算定事業所は，通所介護や認知症グループホームなどにも拡大されている．ただし，同加算が算定できるの

*リハ職　リハビリテーション専門職（以下，リハ職）

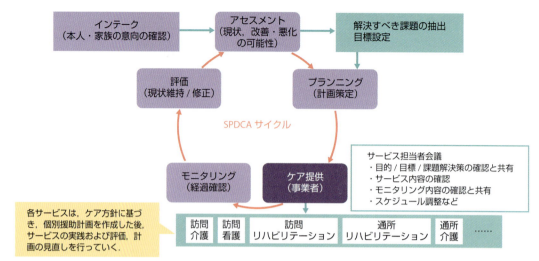

図 4-4 ケアマネジメントプロセスの概念図
SPDCA：survey plan do check action

はこれら事業所であり，連携する訪問・通所リハビリテーション事業所などに対しては，契約を結んで協力金として委託料を支払う形式となる．

3 ケアマネジメントの機能強化

地域包括ケアシステムを実現するためには，「必要なサービスを量的・質的に確保すること」が重要であるが，それと併せて，利用者特性やおかれた状況に応じて，これらサービスや支援が適切に配分されるためのケアマネジメントの質が重要となる．

そこで，厚生労働省は，2012（平成24）年に「介護支援専門員（ケアマネジャー）の資質向上と今後のあり方に関する検討会」を立ち上げ，質の向上策を検討したが，そこでの主たる論点は「マネジメントプロセスの機能強化」である．これは，アセスメントに基づく日常生活上の課題の抽出→解決すべき課題の絞り込み→課題分析→課題解決に向けた対策の検討→サービス提供→モニタリング→評価→対策の再検討といった一連のマネジメントプロセスの機能強化をはかろうというものである（図4-4）．

この一連のプロセスのなかで，とくに重要となるのが，「課題認識」と「課題分析」である．さまざまな領域に課題を抱える高齢者の場合，多面的なアセスメントとそれに基づく課題認識が必要とされるが，これは介護支援専門員単独で実施しうるものではない．関係職種によるアセスメント情報を集約した上で，解決すべき課題を設定することが介護支援専門員には求められる．また，解決すべき課題を改善・解決するためには，それら生活上の障害を引き起こした根本原因を追及した上で，対策を検討する必要があるが，それを実現するためには，医療職をはじめとした関係者との協働が必須となる．

本来，事業所ベースで，多職種による事例検討会を開催し，課題認識や課題分析，課題解決策に対する専門職からの指導・助言を受ける仕組みがあればマネジ

C 地域リハビリテーションに関連する主な政策の動向

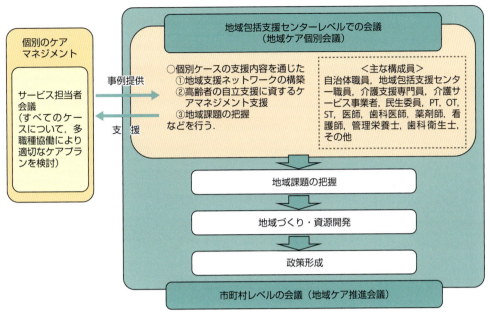

図 4-5　地域ケア会議の概念図
[厚生労働省老健局振興課：介護保険制度の改正と地域ケア会議の位置づけについて（https://www.mhlw.go.jp/file/05-Shingikai-12301000-Roukenkyoku-Soumuka/shinkouka_1.pdf）（最終確認 2022 年 7 月 1 日）を参考に作成]

メントスキルは向上すると思われるが，規模の小さい事業所，医療職がいない事業所も多く，現実にはこのような多職種による事例検討はほとんど実施されていない．そこで，包括的・継続的ケアマネジメント支援業務の一環として，2015（平成 27）年度から全市町村で開始されたのが「地域ケア会議」である（図 4-5）．

これは，個別ケースの支援内容の検討とそれに基づく地域課題の抽出を目的とした「地域ケア個別会議」と，地域資源の開発や地域づくり，ならびに政策を立案・提言していく「地域ケア推進会議」に大別される．

地域ケア個別会議には，3 つの機能（個別課題解決，ネットワーク構築，地域課題発見）が期待されているが，最も重要な機能が，多職種が協働して個別ケースの支援内容を検討することによって，高齢者の課題解決を支援するとともに，介護支援専門員の自立支援に資するケアマネジメントの実践力を高める個別課題解決機能である．地域ケア個別会議に参加するリハ職には，事例提供者の説明や資料内容をみた上で，①課題のとらえ方（現状および生活機能予後に対する評価），②課題が生じた原因の分析，③課題を解決するための方法論に対する助言，を行うことが求められることとなる．

PT：physical therapist
OT：occupational therapist
ST：speech language hearing therapist

4 生活期リハビリテーションマネジメントの機能強化

a. 生活期リハビリテーションの現状（2015（平成 27）年の改正前）

ここでは，生活期リハビリテーションに関する各種調査結果をもとに，主な現状を整理する．

①リハビリテーションに対する高齢者のニーズ

通所リハビリテーションの利用者に対するアンケート（$n=2,725$）から，リハ

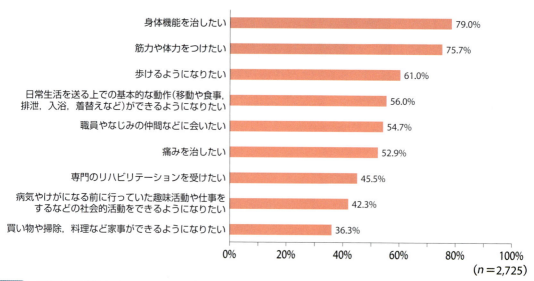

図 4-6 通所リハビリテーションでのリハビリテーション継続の理由（複数回答）

[厚生労働省：平成 24 年度介護報酬改定の効果検証及び調査研究に係る調査（平成 26 年度調査）の結果【速報版】，第 111 回介護給付費分科会（https://www.mhlw.go.jp/file/05-Shingikai-12601000-Seisakutoukatsukan-Sanjikanshitsu_Shakaihoshoutantou/0000062117.pdf）（最終確認 2022 年 7 月 1 日）より引用］

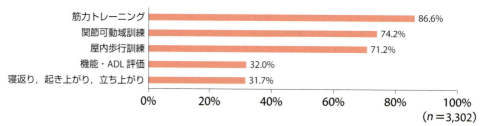

図 4-7 通所リハビリテーションでのリハビリテーション内容別実施率

[厚生労働省：平成 24 年度介護報酬改定の効果検証及び調査研究に係る調査（平成 26 年度調査）の結果【速報版】，第 111 回介護給付費分科会（https://www.mhlw.go.jp/file/05-Shingikai-12601000-Seisakutoukatsukan-Sanjikanshitsu_Shakaihoshoutantou/0000062117.pdf）（最終確認 2022 年 7 月 1 日）より引用］

ビリテーション継続の理由をみると，身体機能に対するニーズが高いものの，ADL や IADL，社会参加に対するニーズも 4～6 割程度存在するなど，ニーズは多様であった（図 4-6）．

②通所リハビリテーションにおけるリハビリテーション内容

　通所リハビリテーションで実施されているリハビリテーションの内容をみると，筋力トレーニングや関節可動域訓練などは高いものの，IADL 練習や社会参加練習，患者・家族に対する介護指導などはほとんど実施されていなかった（図 4-7）．

　なお，こうした傾向は，IADL が低下しやすい要支援者でも同様であった．

③要支援者に対するリハビリテーションサービスの終了状況

　介護予防訪問・通所リハビリテーションの月間利用者に占める終了者割合をみると，通所リハビリテーション（$n=7,636$）では 1.2%，訪問リハビリテーション（$n=2,843$）では 4.2% であった．

b. 生活期リハビリテーションの課題と見直しの方向性

　厚生労働省は，2014（平成26）年9月に「高齢者の地域におけるリハビリテーションの新たな在り方検討会」を立ち上げ，生活期リハビリテーションの現状と課題の整理，今後の在り方を検討した．

　そのなかで，現行の生活期リハビリテーションに関する問題点として，㋐高齢者の状態像，ニーズが多様であるにもかかわらず，画一的なリハビリテーションが提供されている，㋑身体機能に偏ったリハビリテーションが実施され，「活動」や「参加」などの生活機能全般を向上させるためのバランスのとれたリハビリテーションが提供されていない，㋒訪問リハビリテーションや通所リハビリテーションなどの居宅サービスが一体的・総合的に提供されていない，㋓高齢者の気概や，より高い生活機能を実現したいとする高齢者の主体性を引き出し，これを適切に支える取り組みができていないなどと整理した上で，これら4課題の改善を目指して以下の具体的な対応を実施した．

①リハビリテーションの基本理念の明確化

　リハビリテーションは，「心身機能」「活動」「参加」といった生活機能の維持・向上をはかるものでなければならないという基本理念を明確化し，これを訪問・通所リハビリテーションの基本方針として運営基準事項に規定した．

②生活期リハビリテーションマネジメントの再構築

　上述した諸課題を改善するためには，利用者主体の日常生活に着目した目標を設定し，多職種の連携・協働の下でその目標を共有し，利用者本人や家族の意欲を引き出しながら，適切なサービスを一体的・総合的に組み合わせて計画的に提供していくといった，マネジメント力が重要となる．そこで，2015（平成27）年の介護報酬改定において，ニーズ把握・アセスメント（Survey）〜計画策定と多職種間での目標の共有（Plan）〜リハビリテーションの実施（Do）〜モニタリング（Check）〜計画の見直し（Action）といった一連のマネジメントプロセスに沿った運用見直しが行われた．具体的には，㋐利用者ニーズ把握票（興味・関心チェックリスト）の導入，㋑目標や計画を関係者間で共有するためのリハビリテーション会議の導入などである．

　ここで，「料理の自立」という短期目標の達成に向け，通所リハビリテーションと訪問介護の担当者が協働を進めて行く場合のイメージを示す．「料理の自立」という共通目標の達成に向け，実施すべき内容（握力向上練習，料理の段取りを考える練習，包丁操作練習，運搬練習，自宅環境下での料理練習など）を共有した上で，互いの役割分担を決めて協働作業を推進するというものである（図4-8）．こうした協働プロセスを通じて，個別援助計画である通所リハビリテーション計画と訪問介護計画間の整合性，介護支援専門員が策定する全体計画（ケアプラン）と個別援助計画間の整合性がはかられ，その結果，課題解決に向けた一体的・総合的なサービス提供が推進されることとなる．

③リハビリテーション機能の特性を活かしたプログラムの充実

　2015年の介護報酬改定において，㋐退院・退所後間もない者に対する身体機能の改善に集中的に取り組む個別のリハビリテーション（短期集中リハビリテー

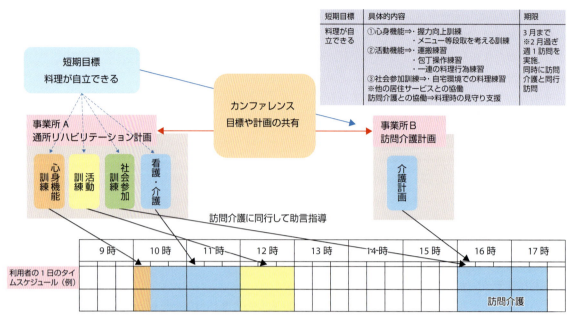

図 4-8 通所リハビリテーション事業所と訪問介護事業所の協働のあり方の例
[厚生労働省：通所リハビリテーション・訪問リハビリテーションの報酬・基準について（案），第114回介護給付費分科会，資料2（https://www.mhlw.go.jp/file/05-Shingikai-12601000-Seisakutoukatsukan-Sanjikanshitsu_Shakaihoshoutantou/0000065195.pdf）（最終確認2022年7月25日）を参考に作成]

ション），㋑認知症高齢者に対する認知症の特徴に合わせたリハビリテーション（認知症短期集中リハビリテーション），㋒歩行・排泄動作などのADL/IADL，社会参加などの生活行為の向上に焦点をあてたリハビリテーション（生活行為向上リハビリテーション：新設）など，利用者の状態像に応じた多様な機能をもつリハビリテーションアプローチを評価する方向性を示した．

④社会参加を維持できるサービスなどへの移行の促進

リハビリテーション導入によってADLやIADLの向上を達成した後，社会参加が維持できる他のサービスなどに移行する（通所リハビリテーション終了後，地域の通いの場（サロン）に移行する）など，質の高いリハビリテーションを提供している事業所を評価する点数（社会参加支援加算）を新設した．

図4-9に，生活行為の向上を目指したリハビリテーション/リハビリテーションマネジメントの一例を示す．

c. VISITの開発

VISIT：monitoring & eValuation for rehabIlitation ServIces for long-Term care

厚生労働省は，2016（平成28）〜2017（平成29）年度に，「通所・訪問リハビリテーションの質の評価データ収集等事業」を立ち上げ，リハビリテーションの質改善に向けて必要となる客観的かつ標準化されたデータを効率的に収集するためのシステム（VISIT）を開発した．2018（平成30）年度介護報酬改定では，同システムを使って，アセスメント票やリハビリテーション計画書などのデータを厚生労働省に提出することを報酬上で評価するリハビリテーションマネジメント加算（Ⅳ）が新設され，国が継続的にデータを収集し，リハビリテーションの質を評価できる仕組みが導入された．

通所リハビリテーション	買い物に行きたいが不安で夫に依存していた方への訪問指導事例

通所リハビリテーション (介護予防) 事例	年齢：74歳，性別：女性，疾患名：パーキンソン病（発病より10年）	要支援1
	[介入までの経緯] 調理は自身の役割だが，食材の購入は宅配と夫．日頃から人の動きを気にするとすくみ足が出やすく，買い物は不可能と思っている．でも本当は生鮮食品は自分で選び調理したい． [本人・家族の生活の目標] 本人：生鮮食品など目でみて確認したいものを，自分自身でスーパーマーケットで選び購入したい．夫と一緒に買い物に行きたい．/家族：できることが増えればうれしいが，不安もある．料理は続けられるといい．	

	利用開始時	中間（6ヵ月）	終了（9ヵ月）
ADL・IADLの状態	・ADL自立 ・調理が自宅での役割（その他の家事は夫）	・スーパーマーケットで買い物（2回/月）（夫が付き添い，協力的となる） ・配膳・下膳で台車利用習慣化	・掃除はできる範囲で実施 ・週1回のスーパーマーケットへの買い物が習慣化（夫から誘われるようになる）
生活行為の目標	・カートによるスーパーマーケットでの買い物を経験する ・自宅内，配膳・下膳時の台車移動に慣れる	・スーパーマーケットの環境に慣れ，回数を重ねて自信をもつ ・陳列の配列を覚え，疲労度に配慮しながら移動できる	[考察] 実際場面で評価・介入を繰り返し「できる」ことと「課題」をその場で共有・フィードバックできたことが目標達成への近道であった． 買い物が習慣化したことは，単なる家事の拡大という自宅内での活躍にとどまらず，地域に出て行く習慣やかかわりを取り戻し，地域住民の1人として顔のみえるつながりへと変化したと考える．
介入内容	①自主トレーニング指導 ②スーパーマーケットで買い物評価 ③スーパーマーケットからカートを借り出し移動練習	①カート押しでのすくみ足対策 ②移動時の夫の立ち位置検討 ③商品棚へのリーチ位置確認 ④疲労度合いと役割分担検討	

同行者がいれば買い物が可能に　　スーパーマーケット内での役割を分担し生鮮食品選びは1人で可能に

スーパーマーケットを想定しての模擬的アプローチ

実際場面で活動参加を繰り返し習慣化へ向けたアプローチ

活動の習慣化役割の拡大へ地域とのつながり

結果　週1回：スーパーマーケットでの食材購入／月1回：街での買い物が習慣化，九州旅行への挑戦ができた

通所リハビリテーション課題：個別リハビリテーション加算20分/回ではなく，計画内容の必要量（頻度・時間）に基づき必要に応じた作業指導ができる仕組みが必要．通所の環境以外での指導（自宅や外部施設など）や終了後の継続後フォロー利用，自宅などへの訪問機能が強化される仕組みが必要．

図4-9　生活行為の向上を目指したリハビリテーション/リハビリテーションマネジメントの例
[厚生労働省：地域包括ケアシステムの実現に向けた作業療法士の提案，第108回介護給付費分科会ヒアリング3（https://www.mhlw.go.jp/file/05-Shingikai-12601000-Seisakutoukatsukan-Sanjikanshitsu_Shakaihoshoutantou/0000057550.pdf）（最終確認2022年7月1日）より引用］

　他方，成長戦略と構造改革の加速化により日本経済の再生を目指す「未来投資会議」においても，介護にかかわる科学的データの収集とそれに基づく有効なサービスの分析などの仕組みの構築が提唱され，自立支援・重度化防止に向けた科学的介護の実現が「未来投資戦略2017」に位置づけられた．

d．科学的介護情報システム（LIFE）の導入

　厚生労働省は，2017（平成29）年に科学的裏付けに基づく介護にかかわる検討会を立ち上げ，今後のエビデンス蓄積に向けて収集すべき情報の整理を実施し，介護に関するサービス・状態などを収集するデータベース（CHASE）を開発した（図4-10）．このCHASEとVISITを融合させたデータベースがLIFEである．
　2021（令和3）年度の介護報酬改定では，①全利用者の心身に関する基本情報

LIFE：Long-term care Information system For Evidence

CHASE：Care, HeAlth Status & Events

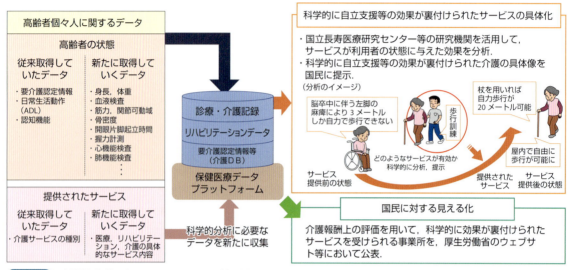

図 4-10 科学的介護の実現における VISIT の位置付けと活用イメージ
[厚生労働省：データヘルス改革―ICT・AI 等を活用した健康・医療・介護のパラダイムシフトの実現―，第 7 回未来投資会議資料〔https://www.kantei.go.jp/jp/singi/keizaisaisei/miraitoshikaigi/dai7/siryou5.pdf〕（最終確認 2022 年 12 月 21 日）より引用]

を LIFE に提供すること，②LIFE から得られるフィードバックを活用することなどを要件とした科学的介護推進体制加算が新設された．

リハ職は，自身が行うアセスメント情報と，LIFE に登録された他の事業所によるアセスメント情報を融合しながら，最適なリハビリテーションを提供することが求められることになる．

5 介護予防の機能強化

a. 介護予防の理念

介護予防は，高齢者が要介護状態などとなることを予防すること，または要介護状態などを軽減させ，もしくは悪化を防止することを目的として行うものである．とくに，生活機能の低下した高齢者に対しては，単に運動機能や栄養状態といった心身機能の改善だけを目指すのではなく，リハビリテーションの理念を踏まえて，「心身機能」「活動」「参加」のそれぞれの要素にバランスよく働きかけ，これによって日常生活の活動を高め，家庭や地域・社会での役割を果たす，それによって 1 人ひとりの生きがいや自己実現を支援して，QOL の向上を目指す必要がある．

QOL：quality of life

b. 介護予防の問題点

しかしながら，これまでの介護予防の手法は，①心身機能を改善することを目的とした機能回復練習に偏りがちであった，②介護予防で得られた活動的な状態

をバランスよく維持するための仕掛け（多様な通いの場の創出など）が必ずしも十分ではなかったという課題があった．

c．これからの介護予防の考え方

機能回復練習などを通じた高齢者本人へのアプローチだけではなく，生活環境の調整や，地域のなかで生きがいや役割をもって生活できるような居場所・出番のある地域づくりなど，高齢者本人を取り巻く環境へのアプローチも含めた，さまざまなアプローチが重要である．

自立支援に資する取り組みを地域ベースで推進するとともに，たとえ要介護状態になっても，生きがい・役割をもって生活できる地域づくりに関与していくことが，リハ職には期待されているのである．

D　地域リハビリテーションにかかわるリハビリテーション職に期待される役割

ここでは，地域リハビリテーションに期待される役割のなかから，①入退院支援プロセスへの関与の強化，②自立支援型ケアの推進，③ケアマネジメントの機能強化に着目し，同領域においてリハ職に期待されている役割と課題について述べる．

1　入退院支援プロセスへの関与の強化　―適切なリハビリテーション継続の実現に向けて―

筆者のチームが行った，介護支援専門員を対象とした自宅への退院事例調査から，
　ⅰ）急性期病床から直接自宅に退院する者が全体の約7割を占めていた．
　ⅱ）急性期病床を退院した要介護者への退院前訪問指導の実施率は約1割であった．
　ⅲ）退院前ケアカンファレンスへの病院のリハ職の参加率は，急性期病床で約3割程度と低かった．
　ⅳ）退院前ケアカンファレンスへの在宅のリハ職の参加率は，病床種類にかかわらず非常に低かった．
などがわかった．

急性期病床の場合，平均在院日数も短く，多忙なため，退院支援に十分な時間やスタッフを割く余裕がない．平均在院日数の短縮化がさらに進めば，これらの傾向が強まるだけでなく，入院中の看護やリハビリテーションの提供，退院指導などが完結しないままの退院が増加する可能性は高い．今後，①退院前訪問指導が実施できない場合は，担当の介護支援専門員から自宅環境や入院前の生活状況に関する情報を収集する，②病院の退院支援部門との連携を強化し，要介護者の退院の場合，退院前ケアカンファレンスにリハ職が必ず参加するようにする（院内連携の強化），③病院と在宅のリハ職間の連携を強化し，退院後のケアプランへの適切なリハビリテーション導入をはかる（リハ職どうしの縦の連携）を進め，退院支援の質を高めつつ，急性期病床のスタッフが安心して退院させられる環境を，

在宅ケア関係者が主導して構築していく必要がある．

2 多職種協働による自立支援型ケアの推進

　介護保険サービスおよびケアマネジメントに期待されている役割は，生活機能の維持・向上である．とくに，リハ職に対しては，「できる生活行為」と「している生活行為」の両者を評価した上で，自宅環境下での「している生活行為」を少しでも増やすような支援，いわゆる「生活行為向上支援」が求められている．

　通所リハビリテーションで算定可能なリハビリテーションマネジメント加算の要件では，事業所の理学療法士，作業療法士，または言語聴覚士が，利用者の居宅を訪問し，利用者の家族や事業者に対し，リハビリテーションに関する専門的な見地から介護の工夫に関する指導と日常生活上の留意点に関する助言を行うこととされているが，これは，通所でのADLなどの能力を高めることが通所サービスの目的ではなく，あくまで自宅環境下での実行状況を高めることが通所サービスに期待されている役割であることを明確にしたものである．

　生活行為を向上させるためには，できる生活行為を増やすとともに，高めた生活行為を日々繰り返し行い，自宅生活のなかで定着をはかることである．ただし，これはリハ職だけで達成できるものではない．リハ職が能力向上を，ケア職が実行性向上を担当するというかたちで両者の連携強化をはかることが重要となる（回復期リハビリテーション病床で行っているリハ職と看護・介護職の協働を，地域で展開するというイメージ）．

3 ケアマネジメントの機能強化支援 ―課題解決に向けた適切な助言の実施―

　ケアマネジメントの目的は，要介護高齢者が抱える日常生活上の「課題」を解決することである．ここでの課題とは，「今後のあるべき姿（予後）」と「現状」のギャップであり，介護支援専門員はこの両者を評価した上で課題を正しく認識する必要がある．

　このためには，現状評価だけではなく，改善の可能性（予後）もイメージしておく必要があるが，福祉系を中心とした現在の介護支援専門員ではそのイメージ化は実質的に困難である．したがって，リハ職がADLの予後予測を行い，介護支援専門員の課題認識を側面支援するとともに，より自立につながるケアプランの策定に貢献する必要がある．

　これを具現化するための方法の1つとして提案されているのが「地域ケア会議」である．同会議では，リハ職を含めた第三者の専門職が参加し，介護支援専門員が提出した事例に対し，アセスメント内容を共有した上で，多角的な課題分析とケア方針の策定方法への指導・助言を行うというものである．

　これまでは，訪問リハビリテーションや通所リハビリテーションといったかたちでの，リハ職による直接的なサービス提供が評価対象であったが，これに加えてリハ職に求められているのが，「多職種協働のなかでの指導・助言を中心とした間接的関与」である．

地域包括ケア研究会の報告書でも，リハビリテーションマネジメントの機能強化が求められている．介護支援専門員や地域包括支援センター職員との連携強化をはかり，より自立支援につながるケアプラン策定を支援すること，リハビリテーションサービスの適切な導入が自立支援につながることを，マネジメント担当者に体感してもらうことが，結果として，他の職種からのリハビリテーションに対する理解の促進にもつながるものと考える．

E おわりに

　生活期におけるリハビリテーション/リハビリテーションマネジメントを適切に行うためには，①アセスメント能力（生活機能の現状および予後評価），②分析能力（根本原因の同定，ICFの各要素間の相互作用の分析），③効果的な手段の選択能力（他の職種との連携・協働を含む），④コミュニケーション能力（利用者・家族・他の専門職との良好な関係性の構築，本人の本音を引き出す質問力など），⑤合意形成能力などが求められる．

　①～③は，事実を正確に把握するための科学性と，事実に基づく適切な選択を行うといった論理的思考に関連する能力であり，一方，④～⑤は，関係者（利用者，他の専門職など）の多様な価値観，関心領域，行動特性を感じ取りながら，目標達成のための最適な道筋を探求するといったマインドに関連する能力である．この相異なる能力を高めながら，利用者のQOL向上，自己実現を支援するという目標を達成することが，生活期リハビリテーション/リハビリテーションマネジメントでは求められているのである．

　ところで，今後急増する85歳以上の高齢者の場合，健康面だけでなく，心身機能面，活動面など，多領域に生活課題を有する場合が多い．したがって，生活課題を解決するためには多職種協働が必須となる．

　こうした多職種協働を円滑に進めるためには，他の職種の強みと弱み，リハ職としての強みと弱みを理解しておく必要がある．他の職種との差別化が可能な，リハ職が有する能力の特徴は，①自立を支援するための引き出しが多いこと（いろいろな手段をもっていること），②生活機能予後評価ができること，であろう．このような優位性を理解した上で，生活行為向上支援の観点から，多職種協働のなかでリーダーシップを発揮することが，今後のリハ職には期待される．

> **memo**
> **地域医療構想**
> 地域医療構想とは，都道府県と医療提供者などの連携のもと，地域の将来的な医療ニーズの見通しを踏まえながら，その地域にふさわしいバランスのとれた医療機能の分化と連携を適切に推進するためのビジョンのこと．同構想では，2025年に向け，病床の機能分化・連携を進めるために，医療機能ごとに2025年の医療需要と病床の必要量を推計し，定めることとされている．

学習到達度自己評価問題
1. 高齢者人口の増加が社会保障に及ぼす影響について説明しなさい．
2. 地域包括ケアシステムが必要とされる背景について説明しなさい．
3. 地域包括ケアシステムのなかで理学療法士に期待されている役割について説明しなさい．

総論 5 地域支援事業のなかでの理学療法士の役割

一般目標
1. 地域支援事業の概要を理解する．
2. 総合事業，地域ケア会議推進事業，在宅医療・介護連携推進事業の概要を理解する．

行動目標
1. 総合事業の概要と理学療法士の役割について説明できる．
2. 地域ケア会議推進事業の概要と理学療法士の役割について説明できる．
3. 在宅医療・介護連携推進事業の概要と理学療法士の役割について説明できる．

調べておこう
1. 地域支援事業の内容について調べよう．
2. 地域リハビリテーション活動支援事業の内容について調べよう．

A 地域支援事業創設の背景と見直しの方向性

1 地域支援事業創設の背景（2006［平成18］年～）

　介護保険制度創設時の要支援・要介護の認定者数は218万人（2000［平成12］年4月末）であったが，その数は年々増加し，2005（平成17）年4月末時点で411万人に達していた．とくに，軽度者（要支援，要介護1）の増加が顕著で，2000年の84万人が2005年には201万人に増加，2005年時点で，軽度者が認定者の約半数にも達していた．

　ここで，介護が必要となった原因を要介護度別にみると，軽度者では，転倒・骨折，関節疾患などにより徐々に生活機能が低下していく「廃用症候群」の状態の人が多く，適切なサービス利用により状態の維持・改善が期待できると考えられた．

　そこで，介護保険の基本理念である「自立支援」をより徹底する観点から，要支援者に対する予防給付の対象者，サービス内容，ケアマネジメントが見直され，新たな新予防給付へと再編された．また，要支援・要介護状態（以下，要介護状態など）になる前からの介護予防（1次予防・2次予防）を推進するとともに，地域における包括的・継続的マネジメント機能を強化する観点から，2006（平成18）年，市町村を実施主体とした「地域支援事業」が新設された．

2 地域支援事業（創設当時）の主な内容

地域支援事業は，介護予防事業，包括的支援事業，任意事業の3つに大別される．

①介護予防事業

介護予防事業とは，地域の高齢者のうち，要支援・要介護状態になるおそれの高い方（特定高齢者）を対象に行う2次予防事業（運動器の機能向上，栄養改善，口腔機能の向上，閉じこもり予防・支援，認知症予防・支援，うつ予防・支援）と，元気な高齢者を対象に行う1次予防事業（介護予防普及啓発事業［介護予防教室の開催など］，地域介護予防支援事業［ボランティア育成，自主グループ活動支援など］）のことをいう．

②包括的支援事業

包括的支援事業とは，地域のケアマネジメントを総合的に行うための4つの事業（㋐総合相談支援事業，㋑権利擁護事業，㋒包括的・継続的ケアマネジメント支援事業，㋓介護予防ケアマネジメント事業）のことをいう．なお，同事業は，市町村直営ないし委託先の地域包括支援センターが実施する．

③任意事業

任意事業とは，地域の実情に応じて，地域支援事業の理念に沿って市町村が独自に実施する事業のことをいう．具体的には，介護給付等費用適正化事業，家族介護支援事業などがあげられる．

3 地域支援事業の見直しの方向性

2015（平成27）年度介護保険法改正において，地域支援事業の見直しが行われた．主な改正ポイントは，

①地域支援事業で実施してきた介護予防事業の概念，サービス内容，提供方法などを見直した

②要支援者が利用している「介護予防訪問介護」「介護予防通所介護」を地域支援事業に移行させた上で，介護予防事業と一体化・多様化させた「介護予防・日常生活支援総合事業（以下，**総合事業**）」に再編成した

③包括的支援事業に，㋐在宅医療・介護連携の推進，㋑認知症施策の推進，㋒地域ケア会議の充実，㋓生活支援サービスの体制整備を追加し，機能強化をはかったことである（図5-1）．

以下，地域支援事業のうち，理学療法士にかかわる主たる3事業（総合事業，地域ケア会議推進事業，在宅医療・介護連携推進事業）について，その概要を解説する．

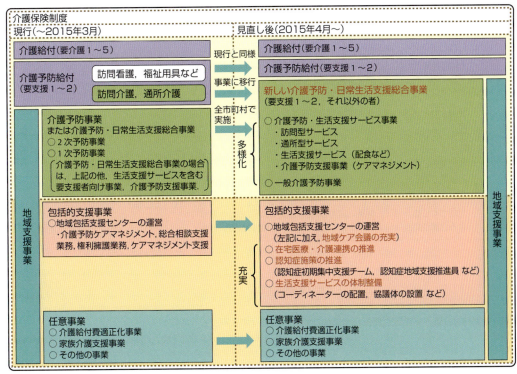

図 5-1　地域支援事業の再編成について
[厚生労働省老健局振興課：介護予防・日常生活支援総合事業ガイドライン（概要）〔https://www.mhlw.go.jp/file/06-Seisakujouhou-12300000-Roukenkyoku/0000088276.pdf〕（最終確認 2022 年 7 月 1 日）を参考に作成]

B　総合事業の概要と理学療法士の役割

1 総合事業とは

　総合事業とは，①住民主体の多様なサービスの整備促進により，要支援者らが選択できるサービス・支援を充実させ，状態などに応じた住民主体のサービス利用を促進すること，②高齢者の社会参加の促進や要支援状態となることを予防する事業の充実により，要介護・要支援認定にいたらない**元気な高齢者を増やすこと**，③効果的な介護予防ケアマネジメントと自立支援に向けたサービスの展開による要支援状態からの自立の促進や重度化予防の推進などにより，結果として介護費用の効率化，要介護認定率の減少をはかることを目指すものである（図 5-2）．

　総合事業とは，予防給付のなかの介護予防訪問介護と介護予防通所介護（以下，介護予防訪問介護等），地域支援事業のなかの介護予防事業を一体的に見直し，再編成したものである．

　なお，同事業は，①介護予防訪問介護等を移行した上で，要支援者らに対して必要な支援を行う介護予防・生活支援サービス事業と，②65 歳以上高齢者に対して体操教室などの介護予防を行う一般介護予防事業から構成される（図 5-3）．

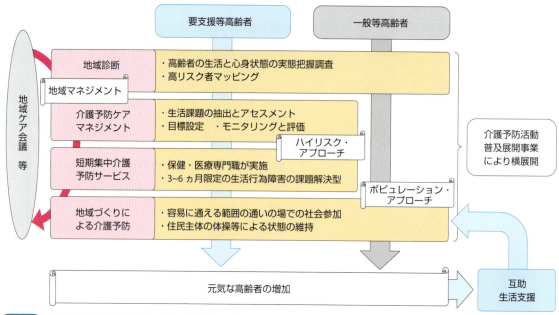

図 5-2 効果的な介護予防の取り組みと戦略的な組み合わせ（イメージ）

[厚生労働省老健局老人保健課：一億総活躍社会実現に向けた健康寿命の延伸〜効果的な介護予防の取組と戦略的な組み合わせの横展開，全国介護保険・高齢者保健福祉担当課長会議資料〔https://www.mhlw.go.jp/file/05-Shingikai-12301000-Roukenkyoku-Soumuka/0000115419_1.pdf〕（最終確認 2022 年 7 月 25 日）より引用］

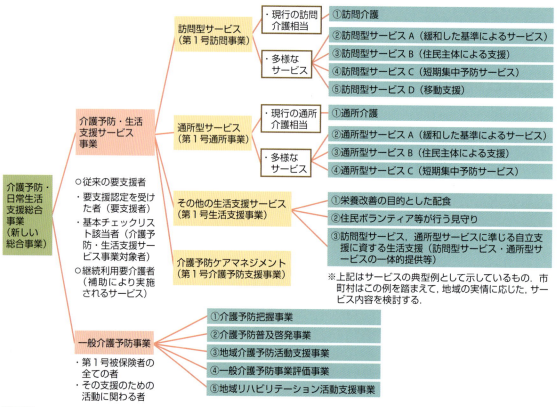

図 5-3 総合事業の構成例

［厚生労働省老健局：介護予防・日常生活支援総合事業ガイドライン〔https://www.mhlw.go.jp/content/12300000/000957652.pdf〕（最終確認 2022 年 12 月 5 日）より引用］

表 5-1 訪問型サービス

訪問型サービス A	主に雇用されている労働者により提供される緩和した基準によるサービス
訪問型サービス B	有償・無償のボランティアなどにより提供される，住民主体による支援
訪問型サービス C	保健・医療の専門職により提供される支援で，3～6ヵ月の短期間で行われる
訪問型サービス D	介護予防・生活支援サービスと一体的に行われる移動支援や移送前後の生活支援

表 5-2 通所型サービス

通所型サービス A	主に雇用されている労働者により提供される，または労働者とともにボランティアが補助的に加わったかたちにより提供される，緩和した基準によるサービス
通所型サービス B	有償・無償のボランティアなどにより提供される，住民主体による支援
通所型サービス C	保健・医療の専門職により提供される支援で，3～6ヵ月の短期間で行われるもの

a. 介護予防・生活支援サービス事業

介護予防・生活支援サービス事業は，要支援者らの多様な生活支援のニーズに対応するため，介護予防訪問介護等のサービスに加え，住民主体の支援なども含め，多様なサービスを事業対象として支援するものであり，4つのサービスなどから構成される*．なお，事業対象者としては，要支援者に相当する状態などの者を想定しており，こうした状態などに該当しない場合は，一般介護予防事業の利用などにつなげていくことになる．

以下，訪問型サービス，通所型サービス，その他の生活支援サービスの概要を示す．

*①訪問型サービス，②通所型サービス，③その他の生活支援サービス，④介護予防ケアマネジメント

①訪問型サービス

訪問型サービスとは，現行の介護予防訪問介護に相当するものと，それ以外の多様なサービスからなる（表 5-1）．これらのサービスのうち，とくに，短期間で行われる訪問型サービス C へのリハ職*の関与が期待されている．

*リハ職　リハビリテーション専門職（以下，リハ職）

②通所型サービス

通所型サービスとは，現行の介護予防通所介護に相当するものと，それ以外の多様なサービスからなる（表 5-2）．これらサービスのうち，とくに，短期間で行われる通所型サービス C へのリハ職の関与が期待されている．

③その他の生活支援サービス

その他の生活支援サービスは，地域における自立した日常生活の支援のための事業であって，訪問型や通所型サービスと一体的に行われる場合に効果があると認められるものとして厚生労働省令で定めるものと規定されている．具体的には，㋐配食，㋑定期的な安否確認および緊急時の対応などが想定されている．

表 5-3　一般介護予防事業の内容

事業	内容
介護予防把握事業	地域の実情に応じて収集した情報等の活用により，閉じこもり等の何らかの支援を要する者を把握し，介護予防活動につなげる
介護予防普及啓発事業	介護予防活動の普及・啓発を行う
地域介護予防活動支援事業	地域における住民主体の介護予防活動の育成・支援を行う
一般介護予防事業評価事業	介護保険事業計画に定める目標値の達成状況等の検証を行い，一般介護予防事業の事業評価を行う
地域リハビリテーション活動支援事業	地域における介護予防の取組を機能強化するために，通所，訪問，地域ケア会議，サービス担当者会議，住民運営の通いの場等へのリハビリテーション専門職等の関与を促進する

［厚生労働省老健局：介護予防・日常生活支援総合事業ガイドライン（https://www.mhlw.go.jp/content/12300000/000957652.pdf）（最終確認 2022 年 12 月 5 日）より引用］

b. 一般介護予防事業

①一般介護予防事業の構成

　一般介護予防事業とは，住民運営の通いの場を充実させ，人と人とのつながりを通じて，参加者や通いの場が継続的に拡大していくような地域づくりを推進するとともに，地域においてリハ職を活かした自立支援に資する取り組みを推進し，要介護状態になっても，生きがい・役割をもって生活できる地域の実現を目指すことを目的とした事業のことで，㋐介護予防把握事業，㋑介護予防普及啓発事業，㋒地域介護予防活動支援事業，㋓一般介護予防事業評価事業，㋔**地域リハビリテーション活動支援事業**の5事業で構成される（**表 5-3**）．

　事業対象者は，65歳以上の被保険者（第1号被保険者）のすべての者およびその支援のための活動にかかわる者である．なお，地域の実情に応じた事業の実施が求められているため，事業内容は市町村によって異なる場合がある．

　前述したように，総合事業は，従来の介護予防事業と予防給付の問題点を見直し，再編成したものである．以下，これまでの介護予防事業と予防給付の問題点と見直しの方向性について解説する．

2 総合事業新設の背景と見直しの方向性

a. 従来の介護予防事業の問題点と見直しの方向性

①介護予防の基本的考え方

　介護予防は，高齢者が要介護状態などとなることを予防すること，または要介護状態などを軽減させ，もしくは悪化を防止することを目的として行うものである．とくに，生活機能の低下した高齢者に対しては，単に高齢者の運動機能や栄養状態といった心身機能の改善だけを目指すのではなく，ICFの理念を踏まえて，「心身機能」「活動」「参加」のそれぞれの要素にバランスよく働きかけ，これによって日常生活の活動を高め，家庭や地域・社会での役割を果たす，それによって1人ひとりの生きがいや自己実現を支援して，QOLの向上を目指すことが求められている．

②介護予防の問題点と見直しの方向性

　利用者のQOL向上を目指すことが介護予防の理念であったが，これまでの介

ICF：International Classification of Functioning, Disability and Health

QOL：quality of life

護予防は，㋐その手法が，心身機能を改善することを目的とした機能回復練習に偏りがちであった，㋑介護予防終了後の活動的な状態を維持するための**多様な通いの場**を創出することが必ずしも十分でなかった，㋒介護予防の利用者の多くは，機能回復を中心とした練習の継続こそが有効だと理解し，また，介護予防の提供者の多くも，「活動」や「参加」に焦点をあててこなかった，などの課題があった．

そこで，機能回復練習などの高齢者本人へのアプローチだけではなく，生活環境の調整や，地域のなかに生きがい・役割をもって生活できるような居場所と出番づくりなど，高齢者本人を取り巻く環境へのアプローチも含めた，バランスのとれたアプローチへの転換がはかられた．

また，こうした効果的なアプローチを実践するため，地域においてリハ職を活かした自立支援に資する取り組みを推進し，要介護状態になっても，生きがい・役割をもって生活できる地域の実現を目指す方向性が示され，その結果，一般介護予防事業のなかに「**地域リハビリテーション活動支援事業**」が新設された．

b. 従来の予防給付の問題点と見直しの方向性

①要支援者の状態像の特徴

認定調査項目のデータ分析から，要支援者は，排泄，食事摂取などはほぼ自立だが，洗身や爪切り，掃除，買い物といった生活行為の一部が難しくなっていることが報告されている．

②予防給付の現状と課題

2014（平成26）年度の予防給付サービス受給者数は151.1万人で，これをサービス種類別にみると，「通所介護」が73.1万人と最も多く，次いで「訪問介護」61.6万人，「福祉用具貸与」48.4万人，「通所リハビリテーション」19.7万人の順であった．要支援者では，洗身，掃除，買い物といった生活行為に障害を有している割合が高いことから，入浴や家事援助に関連する訪問介護や通所介護が多く利用されていると考えられる．

ここで，予防給付サービスの効果を，要介護度の変化の視点からみる．

2014年4月時点で要支援1であった認定者のうち，1年間継続して予防給付サービスを受けていた者（37.2万人）の1年後の認定状況をみると，「要支援1（維持）」68.1％，「要支援2」20.0％，「要介護1」8.8％，「要介護2」2.1％と，約3割が重度化していたが，その多くは，要支援2〜要介護1への重度化であった．これらの結果から，要支援者の生活機能低下が徐々に進み，重度化していく様子が伺える．

③要支援者に対するサービスの在り方の検討と地域リハビリテーション活動支援事業の新設

2012〜2013（平成24〜25）年，厚生労働省は，2次予防対象者および要支援者の自立支援につながるような，効果的な支援方法を明らかにするため，市町村介護予防強化推進事業（予防モデル事業）を実施した．同モデル事業でのリハ職の役割は，㋐生活機能の評価と課題抽出，㋑生活障害の要因分析，㋒疾患特有の症状（疼痛，変形など）とADL/IADLの関連性分析，㋓生活機能の改善可能性の見立て，㋔身体機能や興味・関心に沿った運動プログラムや活動種目の提示，

ADL : activities of daily living
IADL : instrumental activities of daily living

○リハ職が，利用者の身体機能に応じた運動プログラムの提示や段階的進め方について，介護職員などにアドバイスを行うことにより，運動を主体とした集団プログラムを効果的に実施することができる．
○また，通所と訪問の双方に一貫してかかわり，支障をきたしている生活行為（風呂のまたぎや荷物をもった歩行など）の改善に必要な運動メニューを提示することにより，生活機能の向上を図ることができる．

■リハ職の役割：機能評価，疾患固有の症状（疼痛・変形など）に配慮した運動プログラムの提示（PT），興味・関心を引き出す活動種目の選定と導入（OT），運動指導員・介護職員・ボランティアなどへのプログラム実施上の助言，訪問で明らかになった動作上の課題について個別指導
■職種構成：通所スタッフ（介護職員・運動指導員など）＆理学療法士（作業療法士）
■対応の頻度：1クール3ヵ月（週2回×12週）の場合 ⇒ 利用者1人につき3回程度の評価（初回・中間・最終）
　＊利用者の状態に応じて，かかりつけ医に遵守事項を確認（心疾患などによる運動負荷の制限など）

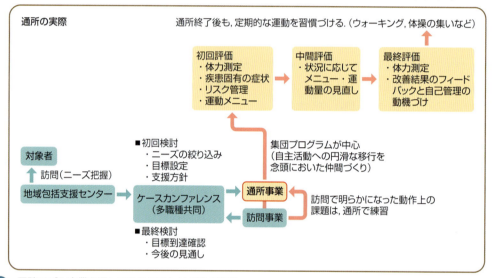

図 5-4 予防モデル事業を通してみえてきたリハ職の役割

［厚生労働省：生活支援，介護予防等について，第47回社会保障審議会介護保険部会，資料1（https://www.mhlw.go.jp/file/05-Shingikai-12601000-Seisakutoukatsukan-Sanjikanshitsu_Shakaihoshoutantou/0000021717.pdf）（最終確認 2022年4月27日）より引用］

㋕多職種カンファレンスにおける㋐～㋔に関する専門的意見の提示，㋖介護職員などへのアドバイスなどである．こうしたモデル事業を通じて，

　ⅰ）リハ職がケースカンファレンスに参加することにより，疾患の特徴を踏まえた生活行為の改善の見通しを立てることが可能となり，要支援者らの有する能力を最大限に引き出すための方法を検討しやすくなった

　ⅱ）利用者の身体機能に応じた運動プログラムの提示や段階的進め方について，リハ職が介護職員などにアドバイスすることにより，運動を主体とした集団プログラムを効果的に実施することができた

　ⅲ）通所と訪問の双方に一貫してかかわりながら，支障をきたしている生活行為（風呂のまたぎや荷物をもった歩行など）の改善に必要な運動メニューを提示することにより，生活機能の向上をはかることができた

　ⅳ）リハ職が要支援者らの自宅を訪問することにより，難しくなっている生活行為が明らかとなり，動きやすい住環境（家具の配置換え，物干し台の高さ調整などの生活上の工夫）に調整することができた

など，リハ職の関与の効果とその役割が具体化された（図5-4）．

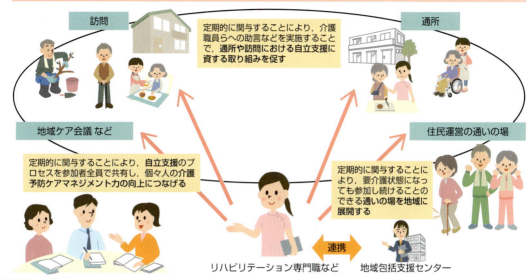

図 5-5 地域リハビリテーション活動支援事業の概要

リハビリテーション専門職などは，通所，訪問，地域ケア会議，サービス担当者会議，住民運営の通いの場などの介護予防の取り組みを地域包括支援センターと連携しながら総合的に支援する．

[厚生労働省老健局振興課：介護予防・日常生活支援総合事業ガイドライン（概要）（https://www.mhlw.go.jp/file/06-Seisakujouhou-12300000-Roukenkyoku/0000088276.pdf）（最終確認 2022 年 7 月 1 日）を参考に作成]

　こうして，リハ職が，地域包括支援センターと連携しながら，通所，訪問，地域ケア会議，サービス担当者会議，住民運営の通いの場などの介護予防の取り組みを総合的に支援するための「地域リハビリテーション活動支援事業」が新設されたのである（**図 5-5**）．

3 通いの場を活用した介護予防・重度化防止の推進

a. 通いの場の現状

　通いの場の数は 2013（平成 25）年以降増加傾向にあり，2018（平成 30）年現在，106,766 ヵ所，65 歳以上人口に占める参加率は 5.7％となっている．また，取り組み内容をみると，「体操」が 52.8％と最も多く，次いで「茶話会」19.0％，「趣味活動」16.9％，「会食」4.7％，「認知症予防」4.2％の順となっている（**図 5-6**）．

b. 通いの場を活用した介護予防・重度化防止の推進

　通いの場については，「健康寿命延伸プラン」や「認知症施策推進大綱」などにおいても，さらなる拡充をはかることとされているが，まだまだ利用率が低い状況にある．そこで，㋐通いの場をより魅力的なものにしていく，㋑通いの場に関する積極的な広報を進めていく，㋒介護予防に資する取り組みへの参加を促す，㋓アウトリーチにより，必要な支援につなげる取り組みを進める，㋔保健・医療・福祉などの専門職（リハ職・栄養士・保健師など）の関与により，生活習慣病対策と介護予防を一体的に展開していく，などの対策を強化する方向性となっている．

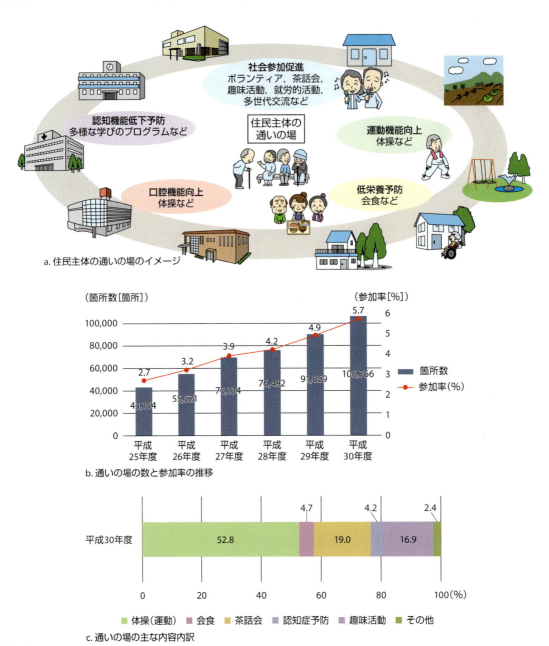

図 5-6　住民主体の通いの場の現状と今後の活用のイメージ
［厚生労働省：一般介護予防事業等の推進方策に関する検討会取りまとめ（参考資料）（https://www.mhlw.go.jp/content/12300000/000576582.pdf）（最終確認 2022 年 4 月 27 日），p.16 より引用］

　また，介護予防をさらに推進するためには「役割があること（社会参加）」が重要との指摘が多いことから，就労的活動の普及・促進に向けた支援を強化していく方向性も示されている．

4 総合事業における理学療法士の役割とは

　総合事業における理学療法士の主な役割としては，以下の 4 点があげられる．

1点目は，市町村からの委託を受けて，効果的な短期集中予防サービス（訪問型サービスC，通所型サービスC）を提供することである．

　2点目は，課題解決型ケアマネジメント力の向上につながるようなアドバイスを行うことである．具体的には，市町村が開催する地域ケア会議に出席して，㋐生活課題のとらえ方（現状および生活機能予後の評価を含む），㋑生活障害を生じさせている原因，㋒生活課題の解決策（本人への介入，環境因子への介入など）に対するアドバイスを行うことなどが期待されている．

　3点目は，ケア職などに対するアドバイスである．たとえば，リハ職が未配置の通所介護にて，㋐各種データの測定方法，㋑心身機能，ADL・IADLなどの現状と予後の評価，㋒生活行為の動作・行程分析（支援が必要な動作・行程の特定），㋓生活障害を改善するための方法に対するアドバイスなどが期待されている．

　4点目は，地域の通いの場づくりへの関与である．短期集中的なサービス提供により高めた生活機能や活動性を，地域のなかで継続するための通いの場をつくっていくことも期待されている．こうした通いの場は，利用者と定めた目標を，訪問・通所リハビリテーション提供で達成した後の地域の受け皿としても活用可能となる．

　総合事業に含まれる短期集中予防サービスにしても，地域リハビリテーション活動支援事業にしても，委託元は市町村となる．したがって，市町村といかに連携をはかるかが，リハ職団体・個人として非常に重要となる点を忘れてならない．

C　地域ケア会議推進事業の概要と理学療法士の役割

1 地域ケア会議（地域ケア個別会議＋地域ケア推進会議）とは

　地域ケア会議とは，個別のケースの検討に基づく自立支援型ケアマネジメント力の強化とそれに基づく地域課題の抽出を目的とした「地域ケア個別会議」と，地域課題の解決をはかることを目的とした「地域ケア推進会議」を合わせて「地域ケア会議」という（図4-5参照）．

　地域ケア個別会議には，3つの機能が期待されている．

①**個別課題解決機能**

　多職種で個別ケースの支援内容を検討することによって，高齢者の課題解決を支援するとともに，介護支援専門員の自立支援に資するケアマネジメントの実践力を高める「**個別課題解決機能**」．

②**ネットワーク構築機能**

　地域の関係機関などとの相互の連携を高めて，地域包括支援のネットワークを構築する「**ネットワーク構築機能**」．

③**地域課題発見機能**

　個別ケースの課題分析などの積み重ねにより，地域に共通した課題を浮き彫りにする「**地域課題発見機能**」．

一方，地域ケア推進会議とは，地域ケア個別会議やその他の方法で把握された地域課題に関係する専門職や住民団体などをメンバーに選定した上で，課題の共有化，課題解決に向けた対策の検討，役割分担の決定と実践を行い，一定期間後のモニタリングを通じて進捗状況の確認と計画の見直しなどを行うというものである．

市町村および地域包括支援センター職員には，地域課題の抽出と関係者間での共有（**課題のみえる化**），課題解決に向けた会議運営と合意形成，進捗管理に関する能力が求められることになる．

2 地域ケア個別会議（多職種による事例検討会）が導入された背景

超高齢者の生活機能をみると，健康状態だけでなく，心身機能，ADL/IADL，参加（家庭内・社会での役割）といった各領域に複数の課題を有する場合が多い．また，各領域の課題が相互に関連し合うことも多い．複数領域に課題を有する超高齢者に対して適切な対応を行うためには，得意領域が異なる多職種の協働が必須となる．

介護保険では，こうした多職種協働を機能させるキーパーソンの1人として介護支援専門員をおいたが，㋐自立支援の考え方が十分共有されていない，㋑アセスメント（現状・生活機能予後）に基づく課題認識が十分でない，㋒サービス担当者会議における多職種連携が十分には機能していないなど，さまざまな問題点が指摘されており，その機能強化をいかにはかるかが重要課題となっている．

ここで，ケアマネジメントプロセスの概念図については**図4-4**を参照のこと．

同プロセスのなかでとくに重要となるのが，「課題認識」と「課題分析」である．さまざまな領域に課題を抱える高齢者の場合，多角的なアセスメントとそれに基づく課題認識が必要となるが，これは介護支援専門員1人で実施しうるものではない．関係職種のアセスメント情報を集約した上で，解決すべき課題を設定することが介護支援専門員には求められることとなる．

また，解決すべき課題を改善・解決するためには，それら生活課題を引き起こした根本原因を考察し，対策を検討する必要があるが，これを実現するためには，各専門職が有する知識や観察のポイント，観察結果の判断方法を，介護支援専門員を含めた関係職種が互いに学び合う場が必要となる．

本来，事業所ベースで，多職種による事例検討会を開催し，課題認識や課題分析，課題解決策に対する専門職からの指導・助言を受ける機会があればマネジメントスキルは向上するが，小規模な事業所，医療職が不在の事業所も多く，現実にはこうした事例検討はほとんど実施されていない．そこで，市町村が中心となって多職種による事例検討会を開催し，同検討会を通じて介護支援専門員の自立支援型ケアマネジメント力の強化をはかることを目的に導入されたのが「地域ケア個別会議」である．

3 地域ケア個別会議における理学療法士の役割

図5-7に，大分県国東市で実施されている地域ケア個別会議の実施風景を示す．

図 5-7 地域ケア個別会議の実施風景（大分県国東市の例）

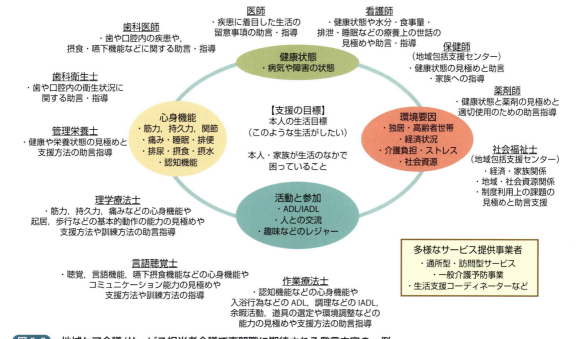

図 5-8 地域ケア会議/サービス担当者会議で専門職に期待される発言内容の一例

対象者の生活目標を達成するために，なぜうまくできないのか，困っているかの要因を分析する際に，さまざまな職種が得意とするアセスメント領域の自立の可能性について意見を参考とすることで，生活の目標を阻害している要因を特定することができる．また，自立に向けた具体的解決策についても提案していただくことで，効果的自立支援が実施できる．
［厚生労働省老健局振興課：介護予防・日常生活支援総合事業ガイドライン（https://www.mhlw.go.jp/content/12300000/000957649.pdf）（最終確認 2022 年 7 月 4 日），p.95 を参考に作成］

　居宅介護支援事業所の介護支援専門員，ないし地域包括支援センターの主任介護支援専門員が事例概要を報告した後，同会議に出席した理学療法士が，㋐課題のとらえ方（現状と生活機能予後の評価），㋑課題を生じさせている要因，㋒課題解決に対する質問（確認）やアドバイスを行うこととなる．

　図 5-8 に，地域ケア会議/サービス担当者会議で専門職に期待される発言内容の一例を示す．

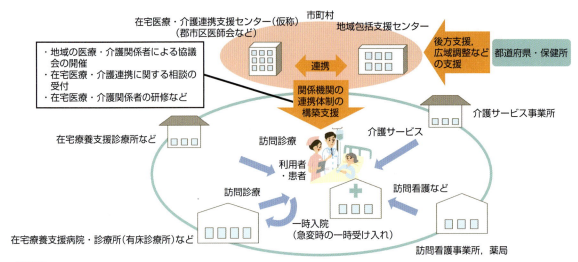

図 5-9 在宅医療・介護連携推進事業の概念図
[厚生労働省老健局老人保健課：在宅医療・介護連携推進事業について（https://www.mhlw.go.jp/file/05-Shingikai-10901000-Kenkoukyoku-Soumuka/0000131928.pdf）（最終確認 2022 年 7 月 4 日）を参考に作成]

　　同会議にリハ職が定期的に関与することにより，㋐生活障害を引き起こしている要因，㋑疾患の特徴を踏まえた生活行為の改善の見通し，㋒対象者が有する能力を最大限に引き出すための方法などについて検討しやすくなり，自立支援のプロセスを参加者全員で共有し，個々人の介護予防ケアマネジメント力の向上につながることが期待されている．

D　在宅医療・介護連携推進事業の概要と理学療法士の役割

1 在宅医療・介護連携推進事業とは

　　75 歳以上高齢者（後期高齢者）の場合，慢性疾患による受療が多い，複数の疾病にかかりやすいといった医療的特徴を有するとともに，要介護の発生率も高い．そのため，医療と介護の連携が重要となる．こうした，医療と介護の一体的な提供体制の構築，連携強化を推進するために導入されたのが，在宅医療・介護連携推進事業である．

　　同事業では，原則として，8 つの事業*を行うこととなっているが，一部を地区医師会に委託することも可能な設計となっている（図 5-9）．

　　なお，同事業は，介護保険法の地域支援事業に位置づけられているため，保険者である市町村が実施主体となっている．2015（平成 27）年から，実施可能な市町村から取り組みを開始，2018（平成 30）年には全市町村で実施された．

2 先進事例の紹介（千葉県柏市）

　　ここで，千葉県柏市の取り組みを紹介する．

*①地域の医療・介護の資源の把握
②在宅医療・介護連携の課題の抽出と対応策の検討
③切れ目のない在宅医療と介護の提供体制の構築推進
④医療・介護関係者の情報共有の支援
⑤在宅医療・介護連携に関する相談支援
⑥医療・介護関係者の研修
⑦地域住民への普及啓発
⑧在宅医療・介護連携に関する関係市町村の連携

市町村が主体性をもった在宅医療推進の体制

在宅医療を推進するためには，行政（市町村）が事務局となり，医師会をはじめとした関係者と話し合いを進めることが必要．
→ システムの構築を推進するために，以下の5つの会議を設置．

1. 医療ワーキンググループ
   医師会を中心にワーキンググループを構成し，主治医・副主治医制度や病院との関係を議論

2. 連携ワーキンググループ
   医師会，歯科医師会，薬剤師会，病院関係者，看護師，ケアマネジャー，地域包括支援センターなどによるワーキンググループを構成し，多職種による連携について議論を行う．

3. 試行ワーキンググループ
   主治医・副主治医制度や多職種連携について，具体的ケースに基づく試行と検証を行う．

4. 10病院会議
   柏市内の病院による会議を構成し，在宅医療のバックアップや退院調整について議論．

5. 顔のみえる関係会議
   柏市の全在宅サービス関係者が一堂に会し，連携を強化するための会議．

図 5-10　千葉県柏市の取り組み例
[厚生労働省：第4回都市部の高齢化対策に関する検討会資料2〔https://www.mhlw.go.jp/file/05-Shingikai-12301000-Roukenkyoku-Soumuka/0000018336.pdf〕（最終確認2022年4月27日），p.77 より引用]

　同市では，在宅医療を推進するためには，市が事務局となって，医師会をはじめとした関係者と定期的な話し合いを進めることが必要と考え，医師会などと調整のもと，検討すべきテーマごとに複数の会議（㋐医療ワーキンググループ，㋑連携ワーキンググループ，㋒試行ワーキンググループ，㋓10病院会議，㋔顔のみえる関係会議）を立ち上げ，在宅医療提供体制構築や多職種連携に関する課題の共有と，課題に対する解決策の検討を実施している（**図 5-10**）．

③ 在宅医療・介護連携推進事業における理学療法士の役割

　在宅医療・介護連携上の重要なテーマは，㋐入退院時の連携強化（病院と在宅関係者間の連携強化），㋑在宅の医療・介護職間の連携強化である．

　柏市のように，多職種連携上の課題を関係者間で共有し，多職種で解決策を検討するような会議が今後増えてくると予想される．こうした多職種会議に積極的に参加し，リハ職と他の職種間の連携を強化するための対策を関係者間で検討し，実践することが求められることとなる．

　また，併せて，㋐病院と在宅のリハ職どうしの連携強化，㋑訪問リハビリテーションと通所リハビリテーション間の連携強化（情報の共有を含む），㋒作業療法士や言語聴覚士といった他のリハ職との連携強化策の検討を，関係者間で進めていくことも必要となる．

E　おわりに

　今後，団塊の世代が90歳となる2040年にかけて，85歳以上人口が急増し，2040年には10人に1人が85歳以上となる．一方，生産年齢人口（15～64歳）は年々減少していくため，医療・介護従事者の確保が困難化する．

こうした状況下，要支援・要介護状態にならない，ないしは，仮になったとしてもできるだけ重度化を防ぐといった「**介護予防**」は機能強化されることとなる．また，85歳以上の場合，複数の領域（健康面，心身機能面，活動面，参加面など）に課題を有するため，**多職種協働**は必然となる．

　超高齢社会が到来するなか，効果的な介護予防の推進，多職種協働は必須の重要テーマなのである．これらテーマを推進するための事業が地域支援事業であり，今後ますます同事業の重要性が高まっていくこととなる．また，同事業の実施主体である市町村との連携強化も，よりいっそう重要となるのである．

学習到達度自己評価問題

1. 総合事業，地域ケア会議推進事業，在宅医療・介護連携推進事業とそれぞれにおける理学療法士の役割について説明しなさい．
2. 地域ケア個別会議において各専門職，理学療法士に期待される発言内容について説明しなさい．

総論
6 事業企画に携わる理学療法士

一般目標
1. 自らの発案を組織の意思決定とするための方法を理解する．
2. 事業を企画するために広い概念が必要であることを理解する．
3. 創造的に事業を企画するために必要な基礎的な態度を獲得する．

行動目標
1. 組織としての意思決定にかかわる方法について説明できる．
2. 事業の企画について広い概念をもって考察することができる．
3. 事業の企画にあたって創造的な態度で臨むことができる．

調べておこう
1. わが国の人口動態の推移について調べよう．
2. わが国の財政における社会保障費の推移について調べよう．
3. 厚生労働省，内閣府などのホームページにアクセスして情報を集めてみよう．

A　本章の趣旨

　本章では，理学療法士が地域リハビリテーションを「**企画**」することに焦点をあてて，その際に求められる知識，考え方について解説する．

　理学療法士はその専門性の広さと臨床経験をもつことができるという特性から，理学療法を提供するにとどまらず，さまざまな事業の企画にも参画すべき職種である．そこで，本章では一般的な理学療法分野とは離れて，地域リハビリテーションを企画するために必須と思われる事柄について，都道府県・市町村行政で働く場面も念頭におきながら解説する．もちろん本章は，行政職志望の人々にだけ向けてあるものではなく，組織で働く，あるいは創造的に事業を企画しようとするすべての方々に一読してもらいたい内容である．

B 企画に携わる理学療法士に求められるもの

1 説明する能力

　大きな組織で意思決定にかかわろうとすれば，自らが発案した内容を「**説明する能力**」が不可欠である．行政の組織に属したときにまず教えられるのが，この自らの発案を組織の意思決定に乗せるルールである．

　説明は多くの場合書面で行われ，その分量は本体がA4判用紙1枚程度，添付資料が2〜3枚というのが標準的である．この分量で自らの発案内容をいかにして説明するかが問われるわけである．

　発案された内容は，起案→決裁→実施という流れをたどることが一般的で，かたちとしては会議で決することを文書の流れに置き換えたものという理解もできる．企業ではこの流れを稟議（りんぎ）と呼ぶことも多い．ここで用いた用語の意味は以下のとおりである．

■ 起　案

　起案とは組織の意思を決定するために，事業の処理などについての原案を作成することをいい，起案を担当するものを起案者，起案された文書を起案文書という．事業を企画する際の起案文書には，趣旨，概要，予算，予想される効果といった内容が求められる．

　起案を行う際は，起案の目的を正しく把握し，その内容を十分検討することはもちろん，関係する部署に内容を供覧したり，協議を重ねておく必要がある．

　この作業によって起案する内容自体が厚みを増し，スムーズな決定→決裁→実施の流れを生むことになる．

■ 決　裁

　決裁とは，組織の意思決定権者が起案された内容の可否を決めることをいう．すなわち最終的な意思決定を行うことである．最終決定にいたらない段階での判断は決定と呼んで決裁とは別に扱われる．もちろん，決定や決裁がなされていない事業を勝手に進めることは許されない．

■ 実　施

　決裁された事業は，起案の段階で作成された**実施要綱**に基づいて行う．このときに独断で実施内容を変えることは認められない．その必要があるときは，あらためて決裁ルートをたどる必要がある．

　実施要綱とは事業の基本となる事柄をまとめたもので，事業の大小を問わず必ず用意すべきものである．たとえば，理学療法科内で行う小さな事業であっても要綱を定めて実施することによって，その事業の客観的評価が可能となり，事業の検証や次期予算要求などに向けた基礎的材料となる．

　このような決裁のルールは一見，煩雑で融通が利かないようにみえるところもある．ところが実際は，このようなルールがあることによって，㋐新任者であっても自らの発案を起案できる，㋑決裁ルート上で適切な示唆を受けて，よりよい

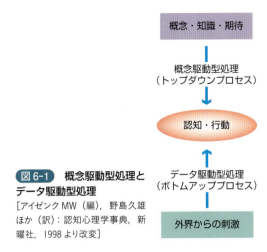

図6-1 概念駆動型処理とデータ駆動型処理
[アイゼンクMW（編），野島久雄ほか（訳）：認知心理学事典，新曜社，1998より改変]

ものに変更できる，㋒事業の関係者にその内容を周知できる，㋓事業の検証と次の事業へ向けての判断材料にできるなど，よい面が多々ある．そのような意味で，このような決裁ルールは，官民の違いや，事業の大小の別なく実現されるべきものである．

> **memo**
> 「拙速も技術なり」．これは行政組織で仕事をしているとよく上司にいわれる言葉である．たとえば「1時間以内に○○事業の経過を根拠づけて報告せよ」などという指示は日常茶飯事である．このときに対応できなければすべての仕事が止まってしまう．言い得て妙な言葉である．そのような環境で仕事をしているうちに，仕事の先を読んで用意をしておくことが習慣となっていく．もちろん，念を入れて正確を期すべき仕事も多いが，それが用意不足の言い訳にならないことは自明である．

② 広い概念をもつこと

実施しようとする事業の枠が大きくなればなるほど，企画する際に**広い概念**が求められる．本項では広い概念を維持するために必要な姿勢について解説する．

a. 概念駆動型処理とデータ駆動型処理

概念駆動型処理（トップダウンプロセス）：過去の経験から得られた既存知識や概念など，記憶にすでに蓄積されている情報によって導かれる．入力の解釈と評価に関係する予期や仮説を生み出す高次のプロセスから始まる．処理系列は上から下に進む．

データ駆動型処理（ボトムアッププロセス）：外界から感覚受容器に入ってくる刺激情報によって開始され，導かれ，決定される．処理系列は下から上に進む．

図6-1は両者を図式化したものである．大人は，自らの知識や概念などに基づいて予測的な行動をとる概念駆動型処理を行いやすい．言い換えれば，すでにある概念に縛られた行動をとるわけで，これが悪く進むと独りよがりの思い込みにつながってしまう．

a　　　　　　　　　　　　　　b

図 6-2　当事者自らのアイデアと改修

　われわれ大人が何らかの事業を企画しようとするとき，ほとんどの場合，**概念駆動型処理**で思考しているはずである．もちろんこれ自体には何の問題もない．理学療法士としての知識，感覚で予測的に物事にあたることは専門家として当然のことである．ただしこのときに，自分自身がもっている概念や知識が，その事業において十分なものであるか否かは常に検証しておく必要がある．この検証を省いて物事にあたると，企画された事業が小粒なものになるばかりか，ときとして独善の誹りを受けることにもなる．

　では，広い概念をもつにはどうすればよいのか．実は，これは簡単なことであり，**データ駆動型処理**を重ねて概念駆動型処理のもととなる知識や概念を膨らませればよいのである．その具体的な方法については，理学療法士にも身近な事例を通して次項で解説する．

b．概念を広げるために必要な態度

　図 6-2 はケースが自ら玄関に加えた改修である．「どうやって使うんですか」という問いに，「こうやって段を降り（a）」「いったん腰掛けて，こうやって靴をはく（b）」と答える様子を示している．

　図 6-3 は，大工が残していった手すりの端切れをもう一度つなぎ直して，部屋側からも手すりを握れるようにした工夫である．手すり設置に際しては，身体や衣服がひっかかる危険があることから，開口部に手すりが入らないようにするのが常識で，専門家の多くはその常識に従っている．ところがこのケースには，その危険をこえる「杖をもたずにトイレに行くため，部屋側から手すりをもちたい」というニーズがあってそれを実現したわけである．まさに専門家の常識（概念）をこえた発想である．

　このような現実に出合ったときに，「なるほど，そんな手があったか」と素直に感じるのがデータ駆動型処理的な発想ということができる．反対に写真をみた途端に「開口部に手すりがあると危ない」と思ってしまうのが概念駆動型処理に縛られた発想で，このような発想にだけとどまっていると自らの概念の発展はあり

図6-3 プロの常識（概念）をこえる当事者のアイデア
ただし「施工」にあたってはプロの手を借り，安全性が保たれている．

えないといえる．この両者が相まって，「なるほど，そんな手があったのか」「でも，少し工夫の余地があるな」「開口部にある部分を丸く削ってみたらどうだろう」という態度がとれるようになったとき，自らの概念が広がっていくものである．

これらを整理すると，**日常出合う出来事を肯定的にとらえて自らの糧とする**，または自らが発想したことが本当に十分に広い概念に裏づけられているかを疑ってみるという態度が，自らの概念を広げて，よりよい臨床や事業の企画につながっていくということである．

c. 事実に基づいた状況判断

前述のように，**自らがもっている概念に慢心しないこと**と，**常に概念を広くしようとする態度**はきわめて重要である．さらに注意すべきことは，自らの概念が事実に基づいているかという確認である．

地域リハビリテーションのように世の中の動きと連動する事柄を考えようとするときは，常にそれを正確に把握する必要がある．

たとえば，人口動態はどうなのか，疾病構造はどう変化しているのか，市民が暮らしに求めるものは何なのか，経済の動向はどうなのか等々について事実を確認していくと，自らが独りよがりの迷路のなかで物事を考えていることに気づくことも多い．

> **memo**
>
> 最近，青少年が犯す重大犯罪がマスコミに取り上げられることが多い．世論も「最近の子どもはおかしい」というムードに流されがちである．ところが事実はそれに反している．警察庁ホームページのデータによると，1960年に殺人を犯し検挙された少年は10万人あたり2.15人，2000年には同じく0.48人である．これをみる限り明らかに殺人を犯す少年の率は減少していることがわかる．もちろん，最近起こった事件を分析して論考することは間違っていない．しかし，明らかに3分の1以上に減少している殺人事件発生率を無視して考えると，途端にその論拠が怪しくなる．

マスコミの論調や世の中のムードをしっかりと感じておく必要があるが，それ

を鵜呑みにすると事実とはかけ離れたことを事実と信じ込むおそれがある．常に自ら事実を求めるという態度をもって，その上でより創造的な仕組みや仕掛けづくりにかかわっていきたいものである．

C 具体的事業の実例

過疎と高齢化の著しい地域のある地方機関で，実際に理学療法士，作業療法士が企画，立案，周辺との協議の上，実現にいたった例を以下に述べる．

1 高齢者の能力を活用した福祉用具供給事業

この事業は，シルバー人材センターと協力し福祉用具（当初はオーダーメイドの踏み台）を作製，供給するという事業で，シルバー人材センターに登録する高齢技術者に対して，㋐用具を作製するための研修を実施し，㋑周辺市町と協議し供給ルートを開発し，㋒サービス利用者に介護保険による住宅改修の枠内で供給するというものである．

この事業により，普及の困難なオーダーメイドの福祉用具を，過疎地域においても供給できるシステムを構築する端緒に立つことができた．実現するにあたっては，県の商工労働関係部局，市町の保健福祉担当部局，シルバー人材センターとの調整をはかり，**研修計画，供給ルート開発のすべてを理学療法士，作業療法士が担当**している．

2 失語症キャンプ

この事業は脳血管障害などによる**コミュニケーション障害者とその家族を対象とした泊り込み研修事業**である．地域リハビリテーションにかかわる事業を実施するなかで，コミュニケーションに障害がある人々へのサービスを充実させる必要があると考えたことから実現にいたった．参加者にコミュニケーション障害に対する知識や対応の技術を提供するのみでなく，生活障害の背景にある「経験不足からくる自信の喪失」や「介護者による対象者の囲い込み」を解消することも目的としている．

この事業の実施に際しては，県や市町の関係部局との協議を含む事業の企画はもとより，宿泊先や観光先との調整，緊急時に備えての救急対策や，不測の事態に対しての応援要請などの準備まで，すべてを理学療法士，作業療法士が担当している．

さらに，このようにして組み立てられた事業の多くは，状況に応じて仕組みを市，町に移して，市町独自の事業としても成り立つように取り組んできた．

ここに示したものはあくまでも一例であるが，理学療法士はその専門性から，㋐さまざまなニーズを把握でき，㋑その対策としての事業を企画でき，㋒事業の実施と検証ができ，㋓自らの手から離れても実現できる事業の企画，すなわちシステ

ムとしての**事業企画**にも大きな力を発揮することができるということがわかる．

D　ケア論が制度論を築く

　2000（平成 12）年に実施された介護保険制度は，次のような点でわが国の社会保障行政に革命をもたらしたといえる．⑦従来の措置型福祉が契約型の社会保障システムとなった．④市町村長が保険者という市民に身近な仕組みで，市町村により弾力的な運用が可能である．

　これらのことにより，地域リハビリテーション現場での具体的な取り組みが，制度の枠組みさえも変えていく環境ができたわけである．一方，わが国における「介護」は総論で示したようにまだまだ緒についたばかりである．すなわち，2000

> **memo**
>
> **「あたり前」を考え直してみませんか**
>
> デンマークのコペンハーゲン郊外にある高齢者生活支援センターは，地階が補助器具倉庫，1 階がレストランとアクティビティルームで，2 階では理学療法士・作業療法士によるリハビリテーションサービスを受けることができる．
>
> 介護保険制度施行前にはただ憧れるしかなかったこのようなサービスは，いまやわが国でもその枠組みがある．わが国の介護保険サービスにあてはめてみれば，補助器具倉庫は介護保険による福祉用具の給付，1 階は通所介護（デイサービス），2 階は通所リハビリテーション（デイケア）である．すなわち，高質なケアサービスが提供される道筋はすでに描かれているということである．
>
> ところがそこで供されている食事をみると，その違いに愕然とする（**図 6-4**）．もちろん食事の豪華さだけに目を奪われているわけではなく，ただ真似をすることがよいというものでもない．しかし，ケアサービスのなかで供されている食事の様子がこれだけ違う背景には，地域リハビリテーションに対する考え方の違い，すなわち障害や年齢の別なく，いかにして普通の暮らしを支援するかについての考え方に大きな隔たりがあることに気づくべきであろう．そしてこれは，こと食事に限らず地域リハビリテーション全般を考える際に共通することである．
>
> さてこのような外的刺激を受けたときにどう反応すべきか．もちろん反応の仕方は人それぞれであるが，少なくとも，無感動にして考えず動かずといった姿勢だけはとりたくないものである．

図 6-4　コペンハーゲンの高齢者生活支援センターで供される昼食

年代初頭であるいまは，まさに具体的なケア論を創り，制度論を築いていくべき時期である．

　1980年代のわが国の老人専門病院を省みれば，4人部屋どころか実質的には30人部屋ともいえるような環境があった．わずか20年の間に，当時は現にあったサービスが，サービスとしては不適切なものになっている．時代とともに変わっていく地域リハビリテーションをよりよいものとするためには，常に，従来のケアサービスに慢心するのではなく，いま求められているサービスとは何なのかを考え，それを実現するための**リハビリテーション論**，**ケア論**を創り，それをして**制度論**自体を動かしていくことが求められる．理学療法士は，そうした動きを進めるのにきわめて適した職種であるということ，そして，その重責を担うことに誇りをもつべきである．

> **学習到達度自己評価問題**
> 1. 組織としての意思決定にかかわり事業を実施する際の手順について説明しなさい．
> 2. 事業の企画にあたろうとするときに必要な態度について説明しなさい．
> 3. 将来の地域リハビリテーションについて考えるところを文書で示しなさい．

総論
7 地域リハビリテーションにおける関連職種の紹介

一般目標
1. 地域リハビリテーションにおける他職種との連携の意義について理解する．
2. 連携する他職種の専門性について理解する．

行動目標
1. 地域リハビリテーションにおける他職種との連携の意義について説明できる．
2. 連携する他職種の専門性や実際の仕事内容について説明できる．
3. 理学療法士として専門性を発揮するとともに，他職種との相互理解を深められる．

調べておこう
1. 介護保険における訪問リハビリテーションとはどのようなサービスなのか調べよう．
2. 訪問看護ステーションの役割について調べよう．
3. 医療保険制度における訪問リハビリテーションについて調べよう．

A 定義からみた連携の重要性

　理学療法士の仕事とは，理学療法を駆使して，利用者の生活障害克服の支援をすることである．しかし，たとえ身体障害の程度がほぼ同じだとしても，生活障害はそれぞれがもつ人間関係や価値観，住環境など，多様な因子が影響し，全く異なったものとなる．そのような多様な存在である利用者が地域での生活を継続するためには，医療や保健，福祉にかかわる多くの施設や事業所，そしてそれらに所属する多種多様な**専門職の連携**が欠かせない．このような連携のなかで，障害者の地域での生活を継続させるために行われるすべての支援活動が，地域でのリハビリテーションサービスと理解できる．

　日本リハビリテーション病院・施設協会による地域リハビリテーションの定義（2001［平成13］年）が前記されている（第1章参照）．このことから地域リハビリテーションにおいては，医療や保健，福祉および生活にかかわる多くのサービス者（**フォーマルな社会資源**），さらに家族や近隣住民，ボランティアなど（**インフォーマルな社会資源**）とも連携し合い，利用者に対して，総合的にそして継続的にリハビリテーションサービスを提供することが重要であろう．

B　連携する主な専門家

　地域リハビリテーションは「多くの職種が連携して遂行する」ということが最も重要である．多くの制度のなかで，多種多様な職種が連携して地域リハビリテーションが行われており，われわれ理学療法士もそのなかの1職種にすぎない．そのように多くの専門職が連携，共同してサービスを行うことを IPW といい，専門職の協働のなかで，利用者の要望に応えていくことが重要であろう．そのためには，連携する専門職どうしがそれぞれに互いの専門性を理解する必要がある．
　以下では，主に介護保険下で展開される地域リハビリテーションで連携する他職種について紹介する．他職種の大まかな専門性や職務内容を理解することで，連携がより強固に行われる．

IPW：inter-professional work

1 介護支援専門員

　介護支援専門員（ケアマネジャー）は，保健および医療，福祉に関連する専門職で実務経験を十分にもつ人のなかから養成される．
　介護支援専門員は，居宅サービスの場合は居宅介護支援事業所に，施設サービスの場合は介護保険施設に所属しており，居宅サービスに関するおおよその仕事内容およびその流れは，以下のとおりである．

①課題分析
- 個々の状態に合わせ，今後行われるさまざまなサービスの計画書である**居宅サービス計画**（ケアプラン）の作成にあたり，利用者が実際に抱える問題点を明らかにし，自立した日常生活を営み，そして継続することができるように支援する上で，今後解決すべき課題を把握するために行う．
- 解決すべき課題の把握のための**調査と分析**（アセスメント）は，利用者とその家族に面接して行われる．

②ケアプランの原案作成
- アセスメントの結果から得られた課題を解決するべく，それぞれの地域における居宅サービスを提供できる体制を勘案して，サービスの目標および具体的サービス，そしてその達成時期やサービス提供上の留意点などを盛り込んだ，ケアプランの原案を作成する．
- そのとき，利用者の生活全般を支援する観点から，介護保険によって給付されるサービスにこだわることなく，介護保険以外のサービスや住民の自発的な活動によるサービスなどのインフォーマルなサービスを，ケアプランに反映させることが理想である．

③サービス担当者会議の開催
- ケアプランの原案の内容について，サービス担当者会議を開催し，実際の担当者とサービス量や日程，時間の調整を行うとともに，それぞれの担当者の専門的見地から，ケアプランに対する意見聴取を行う．

介護支援専門員は各都道府県単位で全国同日に行われる試験は合格即資格授与というものではなく，合格後に行われる実務研修（計6日間）を受講するためのものであることから，介護支援専門員実務研修受講試験という．年に1回行われ，その後の実務研修を受講した者が修了書の発行を受け，登録となる．

④ケアプランの説明および同意，交付
- ケアプランに沿って実際に行われる予定の居宅サービスの種類や内容，利用料金などを利用者または家族に対して説明し，文書で利用者の同意を得る．
- 利用者または家族から同意を得られたケアプランを利用者とサービス担当者に交付するとともに，サービス担当者に対しては，計画の趣旨，内容を説明する．

⑤実施状況の把握および給付管理
- ケアプランどおりのサービスが実際に提供されているかについての把握（**モニタリング**）を行う．
- モニタリングにあたっては，利用者や家族，サービス事業者との連絡を継続的に行い，定期的に利用者の居宅を訪問する必要がある．
- それぞれの利用者の介護保険給付について，管理を行う．

　2005（平成17）年の法改正により，これまでの介護支援専門員の上級職として**主任介護支援専門員**が創設された．主任介護支援専門員になるには，介護支援専門員としての実務を専任で5年以上行っていることと，各都道府県で開催する専門研修を受けた上でさらに64時間の主任介護支援専門員研修を受けることが要件となる．この資格は，2006（平成18）年より新しく導入された**地域包括支援センター**へ配置すべき人員の1つである．さらに，介護支援専門員が所属する**居宅介護支援事業所**の管理者は主任介護支援専門員であることが原則となった．ただし，このことは2021（令和3）年3月31日時点で，2027年3月31日まで猶予されている．

2 医　師

　介護保険における医師の役割は大きく，訪問看護や訪問リハビリテーションにおける連携はもちろん，介護認定審査会委員や主治医意見書の作成，サービス担当者会議（ケアカンファレンス）への参加，**居宅療養管理指導**（訪問診療）などが主なものである．2006（平成18）年度から新たに設けられた予防給付に伴って，主治医意見書に新たな項目が増え，医師の負担も増えている．

3 歯科医師

　介護保険における歯科医師の役割は，サービス提供者として訪問歯科診療や口腔ケアを実施することであるが，その他にも医師同様，介護認定審査委員やケアカンファレンスへの参加，訪問歯科診療や口腔ケア実施のための他職種との連携などがある．**居宅療養管理指導**の一環として行われる訪問歯科診療や訪問歯科衛生指導において，中心的な専門職である．

4 看護師（訪問看護師）

　訪問看護師は，住み慣れた家庭のなかで安心して療養生活が送れるよう，かかりつけの医師の指示を受け家庭を訪問し，それぞれの生活や住環境などに合った看護サービスを提供する．医療保険によるものと介護保険によるものとがあり，主な拠点は**訪問看護ステーション**である．大まかな仕事内容は以下のとおりである．

　医師は大きく分けて，患者とじかに接して診療にあたる**臨床医**と，病気の原因をつきとめるためなどの基礎医学の研究や，さらに応用的に臨床で役立つような治療方法や技術を研究する**研究医**に分けられる．多くは臨床医であり，それらはさらに，病院などに勤務する**勤務医**と，医院などを開業している**開業医**に分けられる．

　歯科医師の仕事は，患者とじかに接して虫歯の治療や予防，矯正や口腔外科的治療などを行う臨床であり，別にそれらを治療の基礎面や応用面を研究する職がある．臨床では開業医が多く，開業医以外は病院などに勤務して，治療や研究を行っている．

　看護師の業務は，健康に何らかの問題を抱えた人々に対して，日常生活を送る上での支援やその教育，医師による診療の補助，疾病予防や健康の維持，増進のための援助や教育などを行うことである．

- 病状の観察，評価
- 身体の清潔の維持（清拭，洗髪）
- 食事，排泄などの日常生活の介助
- 褥瘡（床ずれ）の予防や処置
- リハビリテーション
- 医師の指示による医療処置（カテーテル類の管理など）
- 介護用品や福祉用具の工夫や紹介
- 家族への介護指導
- 福祉サービスについての相談

5 保健師

行政などに所属する地域の保健師は，疾病の予防活動や健康の増進に関する活動，在宅療養者およびその家族への家庭での看護方法の教育・指導，保健情報の提供などが主な職務となる．さらに医療機関やかかりつけ医，訪問看護師などが地域で連携しやすいようにする活動も重要である．保健師の活動の対象には当該地域に住むすべての住民が含まれ，業務は主に市町村保健センターまたは保健所で行われている．保健センターで働く保健師は，乳幼児や妊婦，成人，高齢者など幅広い年齢層を対象としている．保健所の保健師は，障害者（精神・身体など），難病患者を対象とするが，その役割分担は明確ではない．国や都道府県から市町村へ業務移行がされるなか，現在では精神障害者に関する業務も，保健センターで行われる割合が多くなってきている．

2006（平成18）年4月から地域包括支援センターにおいて，社会福祉士などの専門職と連携して，総合相談および権利擁護などの業務の中心を担っている．

6 作業療法士

介護保険における**訪問リハビリテーション**の担い手の1職種（他に，理学療法士と言語聴覚士のみが可）である．在宅での身体機能維持から，入浴や食事，排泄などの日常生活動作にいたる訪問リハビリテーションに加え，通所リハビリテーション（デイケア）の必須職種として，理学療法士と同様に，地域リハビリテーションに広くかかわっている．

7 言語聴覚士

介護保険における**訪問リハビリテーション**の担い手の1職種として，理学療法士や看護師，歯科医師などの医療系専門職に加え，必要に応じて，教師や臨床心理士などとも連携し，サービスを行う．

8 社会福祉士

以下のような施設などに勤務し，相談や援助業務を行う．

- 児童福祉法関係施設（児童相談所，養護施設，知的障害児施設など）
- 身体障害者福祉法関係施設（障害者支援施設など）
- 生活保護関係施設（救護施設，更生施設など）
- 社会福祉法関係施設（福祉事務所，社会福祉協議会など）

企業などに勤務する**産業保健師**や，学校などで養護教諭業務を行う**学校保健師**として，企業や学校に所属している者もいる．

日本作業療法士協会によると，「**作業療法**は，人々の健康と幸福を促進するために，医療，保健，福祉，教育，職業などの領域で行われる，作業に焦点を当てた治療，指導，援助である．作業とは，対象となる人々にとって目的や価値を持つ生活行為を指す．」とされている．そのために作業療法士は，人間として生活を継続させる上で必要な活動について分析し，問題点を把握し，それに対してアプローチする．

言語聴覚士は，1997（平成9）年に言語聴覚士法の成立により誕生した国家資格である．他のリハビリテーション職種に比べ国家資格の制定が新しく，わが国では有資格者が少ない．

言語聴覚士は，発語や聴覚に関連する障害などにより，コミュニケーションに何らかの問題がある人に対し，検査および評価を実施し，それをもとにそれぞれに必要な練習や指導，助言その他の支援を行う専門職である．また，摂食および嚥下の問題にも，専門的な立場で対応している．

社会福祉士は，1987（昭和62）年に**社会福祉士及び介護福祉士法**で位置づけられた，社会福祉業務に携わる国家資格である．社会福祉士は「専門的知識及び技術をもって，身体上もしくは精神上の障害があること，または環境上の理由により日常生活を営むのに支障がある者の福祉に関する相談に応じ，助言，指導福祉サービスを提供する者又は医師その他の保健医療サービスを提供する者その他の関係者との連携及び調整その他の援助を行うことを業とする者」とされている．

- 売春防止法関係施設（婦人相談所，婦人保護施設など）
- 知的障害者福祉法関係施設（知的障害者更生施設，知的障害者授産施設など）
- 老人福祉法関係施設（特別養護老人ホーム，老人介護支援センターなど）
- 母子及び父子並びに寡婦福祉法関係施設（母子・父子福祉センターなど）
- 医療法関係施設（病院など）

また，2006（平成18）年から介護保険制度下における**地域包括支援センター**において，保健師などの専門職と連携して，総合相談や権利擁護などの業務を担っている．

9 介護福祉士

介護福祉士は，介護保険施設（介護老人福祉施設，介護老人保健施設，介護療養型医療施設）や通所リハビリテーション施設（デイケアセンター），福祉作業所などの社会福祉施設に加え，居宅サービスにおいては，利用者の自宅に通って援助する訪問介護サービスを，訪問介護員（後述）とともに担っている．利用者の生活に最も密着していることから，地域リハビリテーションのなかでの連携を考えた場合，他職種同様，重要な職業といえる．

介護福祉士は，1987（昭和62）年に誕生した社会福祉の国家資格である．社会福祉士及び介護福祉士法の規定に基づいた資格である介護福祉士は，身体的または（かつ）精神的な障害により，入浴や食事，排泄などの日常生活に支障のある人を介護することで，より自立した，人間としての尊厳をもった生活を送ることができるように支援することが仕事である．

10 訪問介護員

訪問介護員として働いている者が保有している資格は，「介護福祉士（国家資格）」「介護職員初任者研修修了者」「実務者研修修了者」「訪問介護員（ホームヘルパー）養成研修1級過程または2級過程修了者（2013（平成25）年で研修終了）」「介護職員基礎研修修了者（2013年で研修終了）」である．主な仕事内容は以下のとおりである．

① 身体の介護に関すること：食事，排泄，衣類着脱，入浴，身体の清拭・洗髪，通院などの介護
② 家事に関すること：調理，衣類の洗濯・補修，住居などの掃除・整理整頓，生活必需品の買い物，関係機関との連絡，その他の家事
③ 介護や生活に関する相談および助言に関すること

また，一定の研修を受け，医療や看護との連携による安全確保がはかられていることなど，一定の条件を満たすことで，「痰の吸引（口腔内，鼻腔内，気管カニューレ内部）」と「経管栄養（胃瘻または腸瘻，経鼻経管栄養）」の行為を実施できる．

訪問介護員（ホームヘルパー）は，介護保険下などにおいて，訪問介護サービスなどを行うことのできる資格の1つである．都道府県知事の指定する訪問介護員養成研修の課程を修了した者に資格が与えられ，介護保険法第8条第2項において，介護福祉士とともに，介護行為を許されている専門職である．

11 薬剤師

介護保険においては，在宅の利用者のなかで通院が困難な者に対し，**居宅療養管理指導**として**訪問薬剤管理指導**を行うことができる．これは，服薬指導や複数処方されている薬剤を管理するなどのサービスである．利用者の歩行時のふらつきの原因が，複数の薬剤の飲み合わせによるもので，それを薬剤師が適切に管理することで，そのふらつきが消失することなども，まれなことではない．

薬剤師は，医薬品などを扱う薬の専門家のことである．薬剤師は，薬局での処方箋による調剤や服薬指導，あるいは一般薬の相談および販売などにとどまらず，薬剤が製薬企業で開発され，そしてつくられ，それが人々の手に届くまでのすべての過程にかかわっている．薬剤師法第19条により，医師または歯科医師，獣医師が，特別の理由で自分の出した処方箋によって，自分で調剤するときを除いて，調剤は薬剤師でなければ行うことができない．

12 栄養士（管理栄養士）

介護保険においては薬剤師同様，在宅の利用者のなかで通院が困難な者に対し，**居宅療養管理指導**として**訪問栄養指導**を行うことができる．施設では，「栄養マネジメント」などのサービスが行われる．栄養状態は，筋力などを含めた体力に直結するものであり，日常生活に大きく影響するものであることから，その管理指導は重要である．

13 歯科衛生士

歯科衛生士は介護保険において，**居宅療養管理指導**のなかで，歯科医師の指示に基づいて，口腔ケアとして，要介護者の口腔内の清掃または有床義歯（入れ歯）の清掃に関する指導や歯科衛生指導などを行う．口腔ケアは誤嚥性肺炎の予防になることに加え，口腔内を継続的に管理することで「口から食べる機能」を維持し，全身の健康維持につながる．

14 福祉用具専門相談員

各種福祉機器の選び方や使い方などについて適切なアドバイスを行う．

理学療法士，作業療法士，社会福祉士，義肢装具士，保健師，看護師，准看護師，介護福祉士などの資格を保持しているか，厚生労働大臣が指定した講習会の課程を修了した者が福祉用具専門相談員となる．

15 健康運動指導士

健康運動指導士の養成は，1988（昭和63）年から厚生労働大臣の認定事業として実施された．その目的は，生涯を通じた国民の健康づくりに寄与することであり，2006（平成18）年度からは，公益財団法人健康・体力づくり事業財団独自の事業として継続されている．健康運動指導士として活動するためには，健康運動指導士養成講習会を受講するか，健康運動指導士養成校の養成講座を修了して，健康運動指導士認定試験に合格した上で，健康運動指導士に登録することが必要である．主な勤務先としては，病院や老人福祉施設，介護保険施設，介護予防事業所などがある．

16 機能訓練指導員

特別養護老人ホームや通所介護などに，必ず1人以上配置をすることが定められているが，「機能訓練指導員」という資格はなく，介護施設などで機能訓練指導を専門的に行うスタッフのことである．

主な仕事内容としては，介護を必要とする利用者に対し，日常生活を営むために必要な機能を改善，または現状の能力の維持や悪化の防止を目的とした練習を行う．

学習到達度自己評価問題

1. 地域リハビリテーションにおける他職種との連携の意義について説明しなさい．
2. 連携する他職種の専門性や実際の仕事内容について説明しなさい．

栄養士は，都道府県知事による免許であり，栄養の指導を行う専門職である．管理栄養士は厚生労働大臣による国家資格であり，傷病者に対する療養のために必要な栄養指導や，個人の栄養状態などに応じた高度の専門的知識・技術を駆使した健康の保持増進のための栄養指導，特定給食施設において利用者の栄養状態などに応じた特別の配慮を必要とする給食管理およびこれらの施設に対する栄養改善上必要な指導などを行う専門職である．

歯科衛生士は，歯科治療において歯科医の診療の補助をし，口腔の健康を維持および増進するための保健指導までを行う歯科医療の要である．仕事内容としては，歯科医が歯科治療をスムーズに進めるための歯科診療補助や，虫歯および歯周病予防を目的とした口腔内清掃や薬物塗布，歯石除去などの歯科予防処置，歯科保健指導（歯磨き指導，歯と身体の健康との関係や食生活指導を行う生活習慣の改善サポートなど）である．

福祉用具貸与などの居宅サービス事業を行うためには，都道府県知事から**指定福祉用具貸与事業者**として指定を受ける必要があり，さまざまな厚生労働省令による基準を満たしていなければならない．その基準の一部に定められている資格者が福祉用具専門相談員である．介護保険制度においては，福祉用具貸与が保険給付の対象となっており，指定居宅サービスとしての福祉用具貸与事業を行う際に，各事業所に2名以上の福祉用具専門相談員を配置するということが定められている．

機能訓練指導員の仕事をするためには，理学療法士や作業療法士，言語聴覚士，柔道整復師，あん摩マッサージ指圧師，看護師および准看護師の資格が必要である．

各論

8 安全管理の基礎知識

一般目標
1. リスク管理について理解する.
2. 標準的な感染対策について理解する.
3. 急変時の対応について理解する.

行動目標
1. リスク管理について説明できる.
2. 標準的な感染対策を実践できる.
3. 急変時の対応について説明できる.

調べておこう
1. 空気感染や接触感染の予防策について調べよう.
2. 救命措置実施の可否に関係するDNAR, ACP, リビング・ウィルについて調べよう.

　2019年に中国湖北省武漢市ではじめて報告されたCOVID-19（新型コロナウイルス感染症）の流行によって，人類は未知なるウイルスとの戦いを迫られ，COVID-19の急速な感染拡大は世界中を恐怖の渦に巻き込んだ．医療逼迫にとどまらず，全国各地の介護施設ではクラスターが発生し，地域リハビリテーションにおける安全管理の重要性が再認識された．本章では，①リスク管理の考え方，②標準的な感染対策，③急変時対応と3つの内容に分けて解説する．

DNAR：Do Not Attempt Resuscitation
ACP：advance care planning
COVID-19：coronavirus disease 2019

A　リスク管理の考え方

- リスク管理という言葉はさまざまな場面で多用されるが，その本質について理解されていないことも多い．
- リスク管理とは，①リスクの特定，②リスクの分析，③発生頻度と影響度の観点からリスクレベルを評価，④リスクに対して対策を講じる，⑤リスクが発生した場合にその被害を最小限に抑える活動である.
- ただし，対策してもリスクをゼロにすることはできず，**その被害が最小限になる活動も重要なリスク管理である．**

B 標準的な感染対策

- 感染対策の原則は，**感染源を持ち込まない，持ち出さない，拡げない**の3つである．
- 医療における標準的な感染対策は標準予防策（スタンダードプリコーション）である．これは，感染源の有無にかかわらず，血液・体液，分泌物，排泄物，創傷のある皮膚・粘膜を介する，微生物の伝播リスクを減らすために，**すべての患者に対して手指衛生，手袋やマスクなど個人防護具の使用などを行う感染予防策**である．
- 感染経路によってその予防策は異なるが，地域リハビリテーションにおいては，COVID-19やインフルエンザの感染経路である**飛沫感染の予防策**が重要となる．飛沫感染とは，感染者の飛沫（咳嗽，唾液など）と一緒にウイルスが放出され，他者がそのウイルスを鼻や口から吸い込むことで生じる感染である．
- さまざまな感染源が身体に侵入してくる経路として，最も頻度が高いとされているのが**手指を介した感染**である．手指衛生は地域リハビリテーションにおける最も基本的な感染対策である．
- 健常者には害のない弱毒性の菌やウイルスでも，免疫機能が低下した高齢者などに感染すると全身状態の悪化を惹起することもあり，**感染源の有無にかかわらず感染予防を徹底する**ことは，地域リハビリテーションにおいて重要である．

1 手指衛生

　手指衛生とは，手洗いと手指消毒のいずれも含んだ総称である．手洗いとは，石けんと流水による物理的な手洗いである．手指消毒とは，手指洗浄消毒薬と流水で手指を洗浄消毒，または擦式手指消毒薬で手指を消毒することである．手指衛生の順序として，**まず手指消毒で手を殺菌し，その後に手洗いをする**のが原則である．目にみえて手が汚染しているときは，手洗いをまず行う．

a. 手指衛生を実施すべき場面
　①利用者に接触する前（居室や住居に入る前）
　②清潔操作の前（分泌物の吸引前など）
　③体液に曝露された可能性のある場合（尿漏出や出血，分泌物の吸引後など）
　④利用者に接触した後
　⑤利用者周辺の物品に触れた後

- この他にも，出勤時にもまずは手指衛生を実施することで，勤務地外から感染源を持ち込むことを予防することができる．

b. 手指消毒

- 手指消毒の目的は，60〜80%アルコールによる手の殺菌であるが，その手軽さから短時間ですませてしまう傾向があり，十分時間をかけて消毒液を手にすり込むことを意識しなければならない．
- 手指消毒の手順は図8-1に示すとおりで，通常の手指消毒では手首までの消毒

①消毒薬を手のひらへ

②指先・爪にすり込む

③手のひら全体にすり込む

④手の甲にすり込む

⑤指の間にすり込む

⑥母指にすり込む

⑦手首から前腕にすり込む

図 8-1 手指消毒の手順

が推奨されているが，地域リハビリテーションにおいては拘縮予防のストレッチなどで前腕部が利用者と接触する機会も多いため，前腕部まで消毒することが望ましい．
- これらの手順で**手指消毒を 20〜30 秒実施し消毒薬が乾燥したら完了**となる．また，10〜15 秒間すり合わせた後，手が乾いた感じであれば，塗布量が不十分と判断する．ノロウイルスなど，感染源によってはアルコールでは殺菌効果が期待できないこともある．

c. 手洗い
- 手洗いは指先などに洗い残しが多くなる傾向があり，多くの場合は殺菌作用もないため，手洗いだけでは感染対策は不十分で，手指消毒後に手洗いを行うことが原則である．
- 手洗いの手順は**図 8-2** に示すとおりで，最後に水気をとる際はペーパータオルなどのディスポーザブルなものを使用して拭き取る．ハンカチなどの繰り返し使用するものには感染源が付着している可能性があるため，使用してはならない．
- 手洗いによる微生物の減少効果は，15 秒では 1/4〜1/13，30 秒では 1/60〜1/600 とされており，**手洗いの時間は 30 秒**が推奨される．

2 個人防護具の使用

- まず，2022 年時点では COVID-19 の感染は収束しておらず，医療・介護現場では不織布マスクやゴーグル，フェイスシールドを常時着用する状況である．とくに，同じマスクを 1 日や半日装着してリハビリテーションを実施することは，通常の感染対策から逸脱していることに留意していただきたい．本項では

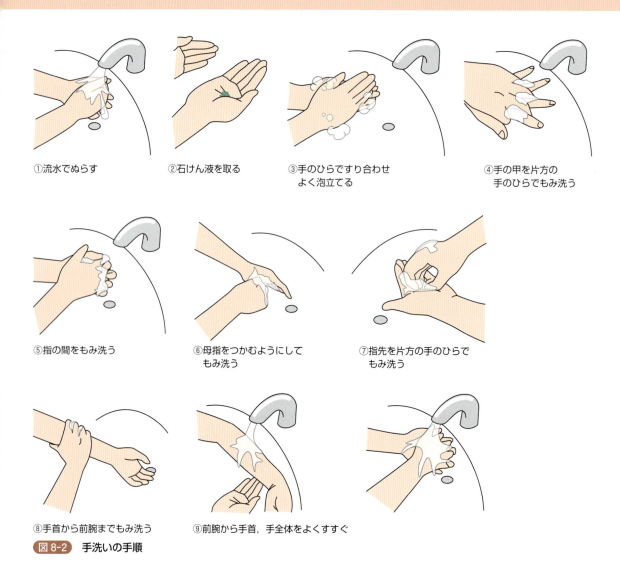

図 8-2　手洗いの手順

　　一般的な個人防護具の使用について解説する．
- 地域リハビリテーションを実施する上で，目・鼻・口の粘膜に体液などによる汚染（血液や排泄物，分泌物の飛散）が予測される場合はマスク，ゴーグル，フェイスシールドを使用する．
- 異なる対象者，さらには同じ対象者でも異なる局所部位への交差感染を予防するため，**対象者または処置ごとにすべての個人防護具は新しいものに取り替える．**

a. マスク，ゴーグル・フェイスシールド
- マスクによる感染予防効果は，主として**飛沫の飛散を予防することである**．この予防効果はマスクの着用方法によって大きく変化する．マスクの装着は，**マスクを鼻まで覆い，ノーズピースを鼻の曲線に合わせて折り曲げ，隙間をつくらないこと**と，**ずれを戻したり取り外す際にマスクに触れたら必ず手指消毒を行うこと**が必要である．
- また，マスクには不織布や布，ウレタンなどいくつかの素材があるが，感染対策として**最も効果的なのは不織布マスクである．**

- 一方，ゴーグルやフェイスシールドの感染予防効果は**飛沫に曝露されることを予防する**目的で使用する．地域リハビリテーションの対象者には，認知機能低下や自覚症状によって，自身でマスクを外したり，持続的な装着が難しいことがある．その際は，セラピストが飛沫に曝露されないように，フェイスシールドを併用するなどの工夫が必要である．

b. 手袋，ガウン
- 手袋は手の汚染，ガウンは手以外の露出部位や衣類の汚染を回避するために装着する．手袋の装着前後は手指消毒が必要である．
- 地域リハビリテーションにおいて，オムツ交換などのケアや気道内分泌物の吸引の際に，マスクなどと合わせて手袋やガウンの装着が必要となる．複数の個人防護具の着脱手順として，装着する際は手指衛生後にガウン，マスク，ゴーグル・フェイスシールド，手袋の順で，取り外す際は手袋，ゴーグル・フェイスシールド，ガウン，マスクの順で行い，最後に手指衛生を行う．

C 急変時対応

- 地域リハビリテーションの対象者は，これまで述べた感染症に罹患するリスクが高かったり，多くの基礎疾患を有する，または末期状態であることも多く，急激な全身状態悪化に遭遇することも少なくない．
- ただし，**救命処置の希望について事前に取り決めがある**可能性があるため，必ず把握すべきである．
- 急変時対応にはいくつか種類があるが，地域リハビリテーションの特性を考慮すると，特別な器具を使用しない一次救命処置（BLS）を実施すべきである．

BLS：basic life support

1 一次救命処置（BLS）

- BLSとは，心肺蘇生やAED（自動体外式除細動器）を用いた除細動など，心臓や呼吸が停止した傷病者に対し，その場にいる人が**救急隊や医師に引き継ぐまでの間に行う応急手当**である．BLSの一連の流れは図8-3のとおりである．重要なのは，協力者を求めることと直ちに胸骨圧迫を開始することである．
- 施設内であれば緊急コールの番号を必ず覚えておき，居宅内で独居であればすぐに119番に通報する．
- 胸骨圧迫や気道確保，人工呼吸といった心肺蘇生法（CPR）があるが，人工呼吸は，訓練を受けていない，自信がない場合は実施しなくてもよいとされている．
- 基本的には胸骨圧迫を実施し，胸が約5 cm沈むほど強く圧迫する．肋骨骨折などをきたすこともあるが，これは有害事象ではなく，それほど**強く圧迫する必要がある**と認識すべきである．
- AEDが到着したらすぐに電源を入れ，音声ガイダンスに従う．手順としてはパッドを装着し解析，電気ショックが必要と判断されたら電気ショックを作動

AED：automated external defibrillator

CPR：CardioPulmonary Resuscitation

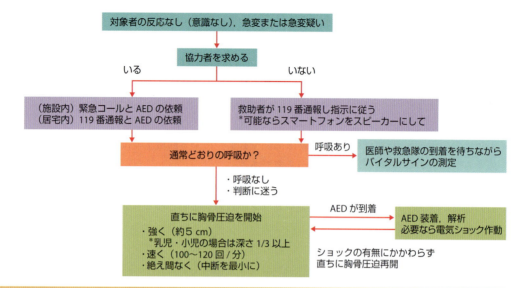

図 8-3　BLS の手順

する．そして，電気ショックの有無にかかわらず胸骨圧迫をすぐに再開する．
- 一般市民による BLS によって，1ヵ月生存者数は約 1.9 倍，1ヵ月後社会復帰者数は 2.7 倍，AED を使用するとさらにその効果は大きくなる．急変時対応は冷静な対応が難しいため，日ごろからトレーニングすることが重要である．
- 救命処置に関するガイドラインは原則 5 年ごとに改定され，本章は「JRC 蘇生ガイドライン 2020」に基づいている．

学習到達度自己評価問題
1. リスク管理について 5 つの構成要素を踏まえて説明しなさい．
2. 地域リハビリテーションにおける飛沫感染のリスクがある場面を説明しなさい．
3. 手指衛生をすべき場面をすべてあげなさい．
4. BLS の手順を説明しなさい．

各論 9 介護保険サービス下（生活支援場面）での理学療法（士）

9-1 生活支援にかかわる理学療法士の役割

　医療機関で働く理学療法士が，疾病や障害の治療，機能の回復と再獲得に焦点をあてた理学療法を実施することは当然である．そして，その効果は多くの場面で証明され，広く国民からも期待されている．一方，介護保険などを通して生活支援にかかわる理学療法（士）の果たすべき役割は，現在のところ明確に整理されていない．

　また，さまざまな要因が重なって生活上の不都合を生じている当事者や，家族が求める生活場面におけるケアでは，多数の要因を勘案して最適解をみつけるべきで，一概にその役割を断じること自体が不適であるともいえる．

　このような前提の上で，**生活支援にかかわる理学療法（士）**の役割を，在宅や特別養護老人ホーム，グループホーム，老人保健施設などの施設を念頭において考えると，次の4点に整理される．

① ケアのコーディネーターとしての役割

　理学療法士は**図1-1**に図示するように幅広い知識と技術をもっている．それだけに**ケアを総合的にコーディネートする**立場に立つべき人材であるといえる．一方，その立場をとらず，図に示すいずれかの階層にとどまった仕事に固執することは，自らの専門性を狭小化することにとどまらず，ケアの質自体を低下させることにもなりかねない．理学療法士としての専門性をもちながら，全体像を眺めるコーディネーターとしての意識をもつことが重要である．

② 身体機能・動作の評価者としての役割

　ADLや基本動作，その基礎となる身体機能の評価について，ケアの領域で最も適切な判断ができるのは理学療法士である．当然，この部分には客観的信頼性が求められる．ことに環境にばらつきのある在宅においては，その物的環境や人的環境の影響を考慮に入れた評価を行うことはケアの質を高めるために不可欠なことである．

ADL：activities of daily living

③ 身体機能・動作を改善する者としての役割

　身体機能・動作改善へのかかわりは理学療法士として当然の役割である．ただし，生活支援の場，たとえば特別養護老人ホーム，老人保健施設，グループホーム，さらには在宅において，運動療法室で行われるような手法をそのまま適応することは適当でない．

たとえば，特別養護老人ホームのベッド上で，異常な筋緊張や拘縮に縛られて寝たきりとなっている人に対して，1日に20分程度の理学療法を実施することで終わっていては効果が期待できない．

理学療法士としての評価に基づき，筋緊張を緩め，拘縮を予防・改善する方法を考え，それをケアワーカーと共有することまでが理学療法士の役割といえる．もっと具体的にいえば，ケアワーカーが居室を訪れるたびに利用者にかかわることのできる，しかもケアワーカーが実施可能な方法を考案して，それをケアワーカーと共有できてこそ身体機能や動作改善につながるものである．

このようなことの繰り返しが日常となることによって，施設全体のケア力が向上することも明らかで，その点でも理学療法士に期待される役割は大きなものがある．

4 ケアの質を高めるための役割

1～3のような役割を意識して業務に臨むと，ケアの現状にさまざまな課題を見い出すはずである．その上で，それら課題の解決策を考え，実施することの積み重ねがわが国のケアの質を高めることになる．

いくつか例をあげてみよう．

たとえば車いす，座面が安定せず背張りも調整できない普通型の車いすがほとんどである状況を理学療法士は看過してよいものだろうか．現状からは想像できないかもしれないが，理学療法士としての地道な取り組みが結実すれば，個々の状態に合った車いすが常識となることも夢物語ではないはずである．

たとえば介助技術，リフトが未だ一般化せず，抱えて引きずる介助技術を正しいものに変えていくのは理学療法士の大きな役割ではないだろうか．車いすと同様，あたり前のケアがあたり前に実現される推進力になるのが理学療法士であると意識したい．

さらに大きな視点に立つと，利用者の身近にいるリハビリテーション・ケアの専門家である理学療法士が，わが国のリハビリテーションやケアのあり方について，政策や制度にかかわるところから，具体的な手法にいたるまでの考察と実践を深め，それを世の中に発信していく．すなわち，リハビリテーション・ケアのオピニオンリーダーとしての働きも，理学療法士として重要なものである．

5 理学療法士が生活支援の役割を担う場面

理学療法士が生活支援にかかわる場面を表9-1，2に示す．表に示した施設またはサービスの詳細については後述する．

表 9-1　介護保険施設の比較

	介護老人福祉施設（特別養護老人ホーム）	介護老人保健施設	介護療養型医療施設
基本的性格	要介護高齢者のための生活施設	要介護高齢者にリハビリテーションなどを提供し在宅復帰を目指す施設	医療の必要な要介護高齢者の長期療養施設
定義	65歳以上の者であって，身体上または精神上著しい障害があるために常時の介護を必要とし，かつ，居宅においてこれを受けることが困難なものを入所させ，養護することを目的とする施設（老人福祉法第20条の5）	要介護者に対し，施設サービス計画に基づいて，看護，医学的管理の下における介護および機能訓練その他必要な医療並びに日常生活上の世話を行うことを目的とする施設	療養病床などを有する病院または診療所であって，当該療養病床などに入院する要介護者に対し，施設サービス計画に基づいて，療養上の管理，看護，医学的管理の下における介護その他の世話および機能訓練その他必要な医療を行うことを目的とする施設
介護保険法上の類型	介護老人福祉施設（介護保険法第8条第26項）	介護老人保健施設（介護保険法第8条第27項）	介護療養型医療施設（旧介護保険法第8条第26項）
主な設置主体	地方公共団体　社会福祉法人	地方公共団体　医療法人	地方公共団体　医療法人
居室面積・定員数　従来型　面積/人	10.65 m² 以上	8 m² 以上	6.4 m² 以上
居室面積・定員数　従来型　定員数	原則個室	4人以下	4人以下
居室面積・定員数　ユニット型　面積/人	10.65 m² 以上		
居室面積・定員数　ユニット型　定員数	原則個室		
医師の配置基準	必要数（非常勤可）	常勤1以上　100：1以上	3以上　48：1以上
理学療法士，作業療法士の配置基準		100：1以上（または言語聴覚士でも可）	実情に応じた適当数

［厚生労働省：施設・居住系サービスについて，第100回社会保障審議会介護給付費分科会資料 4-2（https://www.mhlw.go.jp/file/05-Shingikai-12601000-Seisakutoukatsukan-Sanjikanshitsu_Shakaihoshoutantou/0000044903.pdf）（最終確認 2022年7月5日）を参考に作成］

表 9-2 居宅サービス一覧

サービス種別	訪問介護	訪問入浴介護	訪問看護	訪問リハビリテーション	居宅療養管理指導	通所介護
サービス提供者	介護福祉士，訪問介護員		看護師，准看護師，保健師，理学療法士，作業療法士	理学療法士，作業療法士，言語聴覚士	医師，歯科医師，薬剤師など	
サービス提供場所	居宅					老人デイサービスセンターなど
対象	要介護認定者					
内容	日常生活の介助	サービス提供者が持参した浴槽による入浴の介助	療養介助，診療補助	心身機能，ADL獲得の補助を目的とするリハビリテーション	療養管理，指導	日常生活の介助
条件			主治医の認定	主治医の認定		

サービス種別	通所リハビリテーション	短期入所生活介護	短期入所療養介護	特定施設入居者生活介護	福祉用具貸与	特定福祉用具販売
サービス提供者						
サービス提供場所	介護老人保健施設，病院や診療所	特別養護老人ホームなど	介護老人保健施設など	有料老人ホーム，養護老人ホームおよび軽費老人ホーム		
対象	要介護認定者					
内容	心身機能，ADL獲得の補助を目的とするリハビリテーション	短期間の日常生活の介助，機能訓練	短期間の医療管理下での介護，機能訓練	日常生活の介助，生活支援	福祉用具の選定，貸与など	入浴，排泄に用いられる福祉用具の販売
条件	主治医の認定					

[厚生労働省：介護事業所・生活関連情報検索―介護保険の解説―サービス編―（https://www.kaigokensaku.mhlw.go.jp/commentary/glossary.html）（最終確認 2022 年 7 月 5 日）を参考に作成］

9-2 介護老人保健施設

一般目標
1. 介護老人保健施設の機能と役割を理解する．
2. 理学療法士の役割とチームアプローチを理解する．

行動目標
1. 介護老人保健施設の機能について説明できる．
2. リハビリテーションマネジメントについて説明できる．
3. 理学療法士の役割と業務内容がイメージできる．

調べておこう
1. リハビリテーション実施計画書について調べよう．
2. 介護老人保健施設と他の施設の違いを調べよう．
3. 科学的介護情報システム（LIFE）について調べよう．

A 介護老人保健施設の機能

LIFE：Long-term care Information system For Evidence

1 概　要

- 介護老人保健施設（以下，老健施設）とは，介護保険法に基づき認可された医療および介護サービスを提供する施設の名称である．主な機能は病状安定期にあり，看護・介護・機能訓練を必要とする要介護者に対し，看護，医学的管理のもとにおける介護および機能訓練その他必要な医療ならびに日常生活上の世話を行うこととされる．
- 入所対象者は65歳以上の高齢者または40歳以上の特定疾患患者となっている．
- 2019（令和1）年の調査では，施設数4,337ヵ所，定員数は374,767人となっている．
- 運営規程上，人員配置として施設長，医師，薬剤師，看護師，介護職員，支援相談員，理学療法士，作業療法士または言語聴覚士，栄養士，介護支援専門員，調理員，事務員を配置する必要がある．なお，理学療法士，作業療法士または言語聴覚士の配置は入所者100名に対して1名以上としなければならない．

2 施設サービスと居宅サービス

- 入所サービス，通所リハビリテーション，短期入所療養介護（ショートステイ），訪問リハビリテーションを**リハビリテーション実施計画に基づき提供する**（図9-1）．
- サービスにおける計画を立案する場合は，必ず理学療法士だけではなく，医師，

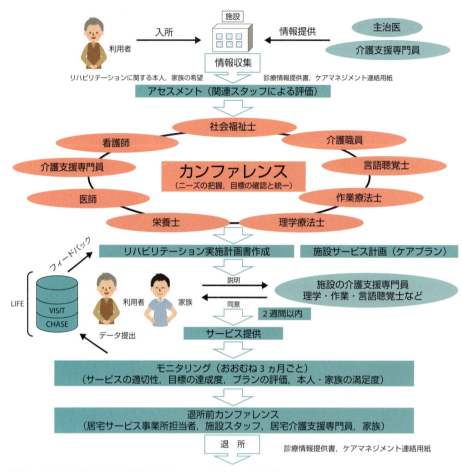

図 9-1 施設サービスにおけるリハビリテーションマネジメントの流れ

看護師，介護士，管理栄養士，ケアマネジャー，社会福祉士などといった**多職種で情報を共有し，科学的データを活用しながら行う**．

- 老健施設のサービス利用者は，LIFE（第4章参照）を活用したケアの科学的データが普及しつつある．これは介護関連データベースを構築して，エビデンスに基づく介護の実践，科学的に妥当性のある指標などの現場からの収集・蓄積および分析，分析結果のフィードバックを行うことを目的としている．
- ケアプランおよびリハビリテーション実施計画書は，利用者の自立支援や在宅復帰，近年では**ターミナルケア** terminal care（第21章参照）に向けた内容も立案する．
- 施設サービスでは，小規模で家庭的な環境のなかで個別ケアを重視する**ユニットケア**（第9章9-3参照）が推進されている．
- 入所サービスでは運動や生活機能の改善だけでなく，栄養改善や口腔機能改善に向けた取り組みも行われており，近年では**認知機能改善**の取り組みも盛んに行われている．
- **地域包括ケアシステム**（第4章参照）の後方支援機能を有しており，地域に根

- ざした施設が求められている．地域のボランティアを受け入れ，地域住民へのイベントを開催するなど相互交流と情報交換も施設の大切な役割である．
- 居宅サービスには，短期入所療養介護（ショートステイ），通所リハビリテーション，訪問リハビリテーションがあり，要支援・要介護者の在宅生活を支える重要なサービスである．
- 短期入所療養介護（ショートステイ）は，短期間の入所を行い，生活リズムを整えることや家族の**レスパイト***respiteを目的に利用されることが多い．
- 通所リハビリテーションは，食事や入浴などの日常生活上の支援や，生活機能向上のための機能訓練や口腔機能向上サービスを行う．
- 訪問リハビリテーションでは，さまざまなライフステージの要支援・要介護者に合わせたADL練習や生活環境の調整を行い，社会への参加を促すこともある．

*レスパイト　要介護者を在宅でケアしている家族の精神的疲労を軽減するため，一時的にケアの代替を行うサービスのことをいう．もともとは欧米で生まれた考え方であり，地域支援サービスの1つとして広まった．

③ 医療機能に特化した機能

- 2008（平成20）年に転換老健政策として，これまでの介護老人保健施設に療養病床のような医療機能を有した**介護療養型老人保健施設（以下：新型老健）**が運用開始された．
- 新型老健では，24時間の日常的な医療処置や，利用者の急性増悪に対応できる機能が強化されている．
- 療養病床から政策に従い新型老健に転換した施設は少なく整備は不十分であるが，**2018（平成30）年に療養病床は廃止**となった．ただし，転換に必要な準備期間を考慮し，2024（令和6）年までは存続を認めている．
- 2016（平成28）年に新たな療養病床転換政策として，医療保険と介護保険を効果的に使用できるように，24時間の医師・看護師常駐の**医療内包型**，病院・診療所併設の**医療外付型**の施設を設置する方針が打ち出された．

B　理学療法士の役割，業務

① 理学療法士としての立場

a．評価の視点

- 評価は在宅復帰と自立支援，利用者の個別ニーズに対応して行う（**表9-3**）．
- 評価はチームで情報共有を行いながら，それぞれの専門職の意見を出し合う．
- 一般的な評価は必ず**多職種協業**で行い情報を交換して能力や機能を把握するようにするとリハビリテーション室とフロアスタッフ（看護師など）の認識のズレを最小限にすることができる．評価結果をLIFEに入力してフィードバックを受け評価内容の妥当性が向上されることも進んでいく．
- 評価はPDCAサイクルと呼ばれるプロセス管理が導入され，2021（令和1）年からはLIFEデータベースと連携した運用が実施されつつある（**図9-2**）．

PDCA：Plan Do Check Action

表9-3 介護老人保健施設における理学療法士の主な業務

利用者, 家族へのアプローチ	他職種との連携	地域との連携
■ 情報収集, 評価 ■ リハビリテーション実施計画書作成 ■ 個別リハビリテーション ■ 集団リハビリテーション ■ 訪問リハビリテーション ■ 自主メニューの提案 ■ 居室環境整備 ■ 安全な送迎および移動手段の提案 ■ 家屋状況の調査 ■ 訪問指導 ■ 福祉用具の選定 ■ 福祉用具使用方法の指導 ■ 家族への説明 ■ 介助方法の指導（シーティングなど） ■ 趣味活動の支援	■ 関連職種との情報交換（介助方法, 移動方法, 自主メニューなど） ■ カンファレンス参加 ■ 各種会議参加（入退所判定会議, 定期カンファレンス, 委員会活動, 転倒臨時カンファレンスなど） ■ 各種イベントの参加 ■ 研修会, 講習会の企画, 開催	■ 地域関連職種との情報交換 ■ ボランティア指導 ■ 地域住民への啓発活動（研修会や講習会, 各種イベント開催） ■ 地域包括ケア会議への参加

memo

介護老人保健施設入所者は地域に住む高齢者よりも2〜3倍転倒発生率が高い. その理由として, 筋量やバランス能力を維持するために必要なビタミンDが不足してしまっていることが近年わかってきた. 鮭やきのこなどからの栄養摂取だけでなく, 理学療法士の適切な評価とアプローチによって屋外活動の機会をつくることが（日照曝露によるビタミンD合成）転倒予防につながるかもしれない.

*トレーナビリティ　エクササイズなどを通じて改善する可能性

MCI：mild cognitive impairment

*コンプライアンス　要求・命令などに応じること, 人の願いなどをすぐ受け入れることなどという意味, つまり, 利用者がセラピストの指示どおりに, きちんとプログラムを行うとコンプライアンスが高いとなる.

*アドヒアランス　利用者が積極的にプログラムの決定に参加（話し合い）し, その決定に従ってプログラムを実施, 継続すること. 勝手に決められた運動療法よりも一緒に考えて納得できたプログラムのほうが長続きするということ.

■ 老健施設では利用者に個別にかかわる時間が短いといえる. そのため, 評価・立案した**プログラムの一部をケアスタッフが行えるか**（平易であり継続しやすそうか）という点も考慮してプログラムを立案しなければならない.
■ 認知機能低下は**中核症状**と**行動・心理症状**を理解する（図16-1参照）.
■ 生活環境ではリズムのある生活習慣を安全に行えることを目的に評価する.
■ 手すりや立ち上がり補助具, 歩行器などは構造をよく理解した上で設置使用する.
■ プログラムの実施は**必ず前日（その日の朝も）の様子**（服薬状況, バイタルサインや睡眠・排便の状況）をカルテや申し送りから情報収集して行う. また, プログラムの実施は再評価と同意義であることを忘れてはいけない.
■ プログラムは利用者の居室やトイレ, 浴室など問題となっている場所で実際に行ってもよい. さらに, 方法を統一した場合にはケアスタッフと時間を調整してみてつたえるなど工夫をすると申し送りはスムーズに行いやすい.

b. 機能・動作を改善する視点

① 生活機能向上

■ 疾病・疾患を理解し, **トレーナビリティ**＊trainabilityが見込めるか考慮する.
■ 運動機能では歩行能力, 筋力や関節可動域といった項目だけでなく, 転倒リスクを知るため**動的・静的バランス能力**も必ず評価する必要がある.
■ ADLのうち, 「しているADL」「できるADL」を区別して評価する.
■ できるADLが, なぜ日常生活で行えないのか要因を細かく分析する.
■ 認知機能は低下している場合が多いため, 認知症dementiaや**軽度認知障害（MCI）**（第10章, 第16章参照）の症状を把握する.
■ 利用者が自主的にできるかということも重要であり, 利用者にとって複雑で難解なプログラムでは利用者の**コンプライアンス**＊complianceと**アドヒアランス**＊adherenceを著しく低下させるため, 1人で行えて長期間続けられるような強度を設定することが望ましい.

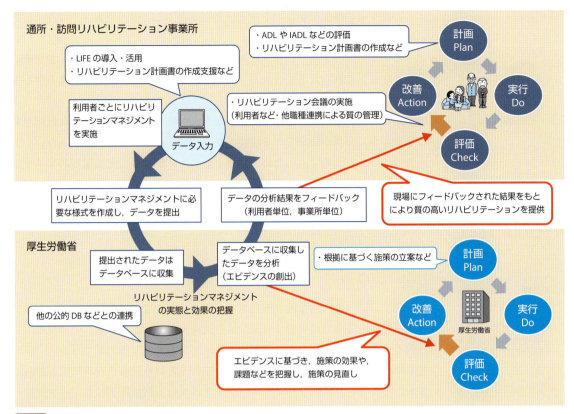

図 9-2 PDCA サイクル概念図
[厚生労働省：令和 3 年度介護報酬改定に向けて（自立支援，重度化防止の推進），第 178 回社会保障審議会介護給付費分科会資料 1（https://www.mhlw.go.jp/content/12300000/000642911.pdf），p.44（最終確認 2022 年 7 月 5 日）を参考に作成]

- モチベーションが維持できるような仕組みをつくっているかという視点で考えるべきである．スタンプを集めるルールを施設で立ち上げてもよいし，表彰するような仕組みでもよいので，運動習慣を楽しく自主的に継続できる工夫をすることが重要である．
- リスク管理は安全に機能や動作を改善するために重要な項目であり，老健施設では転倒，転落，骨折，身体拘束，感染症，服薬間違え，誤嚥，外傷（擦過傷，裂傷，打撲など），熱傷，異食，離設*，個人情報の漏洩，金銭トラブルなど多種多様なリスクが存在する．

② ターミナルケア

- ターミナルケアでは**摂食姿勢，臥位のポジショニング**や関節可動域の維持などを目的に評価を行う．摂食では体幹を 30°程度のギャッチアップ，頸部軽度屈曲位として姿勢を整える．**不顕性誤嚥*** silent aspiration にも注意を払う．
- 身体機能が低下していくなかで**適時適切な用具を選定**することに傾注する必要がある．再評価は毎日そして時間帯別に行うことで覚醒の高さなどを把握しやすい．
- 延命するかどうかは本人または家族が決めることであり，理学療法士はニーズに基づいた行動をしなければならない．経口摂取が困難となっても胃に穴をあ

IADL：instrumental activities of daily living

*離設　職員や家族に連絡することなく施設から外出してしまう状況であり徘徊の認知症周辺症状が強い人に多くみられる行為．

*不顕性誤嚥　むせることが少ないため，周囲の人が気づきにくく，肺炎を引き起こす可能性が高まる．不顕性誤嚥の有無の主な確認方法には嚥下造影検査，水飲みテスト，反復唾液嚥下テストなどがある．

家族から理学療法士にターミナルケアの相談をすることもある．大切な家族の最期に本当の意味で"寄り添うケア"を提供するにはという視点でさまざまな書籍に触れることを推奨する．

ポジショニング用のクッション材もウレタンフォームやビーズ，そば殻など多くあるため，ポジショニング，免荷，サポートなど目的に合わせて用いる知識を習得しなければならない．

＊シア分類　褥瘡の深達度分類．
Ⅰ度：紅斑または表皮の壊死もしくは欠損（軽傷），
Ⅱ度：真皮全層に及ぶ潰瘍（壊死または欠損）（中等度），
Ⅲ度：皮下脂肪深層に達するものであっても筋膜を越えない潰瘍（壊死または欠損）（重度），
Ⅳ度：筋膜を越えた潰瘍（壊死または欠損，関節，骨の露出または壊死を含む）（重度），
であり，理学療法士として覚える必要がある．皮膚（Ⅰ度）→真皮（Ⅱ度）→皮下脂肪（Ⅲ度）→筋膜（Ⅳ度）となり生体構造を理解していれば，すぐに覚えられる．

ける胃瘻や中心静脈栄養などを行えば余命が長くなるが，最終決定は死生観，宗教やその人の考え方に任される．

- ターミナル期（終末期）には，飲み込めないという身体的な衰えが，認知機能低下よりも早くみられる場合もあり，意思の疎通がある程度でき，**痛みや不安を訴える**ケースも多い．
- 理学療法士は，利用者の意思を確認しながら**苦痛を取り除き**，**安楽に最期を過**ごせるように介護が提供できる環境の調整や設定を行わなければならない．
- 褥瘡リスクはきわめて高いため，マットレスや体位変換などの環境的取り組みを行わなければならない．利用者や家族は低反発素材のクッションがよいと思いがちだが，実は褥瘡リスクが高い体位変換困難な利用者には高反発素材のほうが体圧分散性は高く有益である．それでも**シアShea分類*Ⅰ度以上**を認めるようであれば直ちにエアマットを導入すべきである．

2 地域リハビリテーションを担う立場

　理学療法士は，専門的な医学的見地から要介護高齢者の多岐にわたる障害像を適切に把握し，安全で自立的な日常生活を支援することができる．そのため，老健施設で在宅復帰を目指していくために，重要で不可欠な専門職である．

　理学療法士は，個別リハビリテーションを行うという役割のために配置されているが，ここでいう個別リハビリテーションは単なる機能障害に対するアプローチを指していない．利用者の機能・能力障害を把握すると同時に，施設で過ごしやすく生活するための環境調整を行い，それらの情報を他の職種と共有することまでが役割として求められる．そのため，理学療法士として求められる能力は，身体機能を適切に評価でき，適切な目標設定が行える能力と，家族や他の職種と十分な情報共有を行えるコミュニケーション能力もあげられる．

　とくに，老健施設では在宅復帰を目標として入所する利用者が多く，施設生活も今後の在宅生活を想定したものでなければならない．また，それに合わせ理学療法プログラムも明確な時期とゴールを立案していく必要がある．そこで本項では，在宅復帰を支援するための視点，生活期における理学療法士の役割について紹介していく．

a. コーディネーターとしての視点

　利用者や家族からのニードを必ず把握した上でコーディネートしなければならない．また，ニードは実現可能性があるか専門的な見地から評価しなければならない．

- 理学療法士は機能が回復して在宅に復帰する利用者からターミナル期となり最期を迎える利用者まで幅広く適宜適切に評価を行う．そして，プログラムを実施しなければならないため，**多くの評価・介入方法の知識**を有さなければならない．
- 自施設のサービス内容を知っているだけでは，円滑に地域復帰は行えないため，**どこにどのような介護関連サービス**があるか地域の情報を常に収集して利用者や家族に提供しなければならない．

- 介護福祉士，ケアマネジャー，社会福祉士，看護師，管理栄養士，医師に理学療法士の視点から勉強会や研修会を行い，施設内のケア水準向上に努めなければならない．

b. 仕組みを考える視点

- **機能改善**を促進させる仕組みは**利用者教育**が最も重要である．いわゆる民間療法を信じている場合も多く，疼痛があっても無理に関節可動域拡大を自己流で行う利用者もいる．**相手の立場になって，意を尽くして説明をする**ことが重要である．
- **能力改善**を促進させる仕組みは，**環境の調整**が最も重要である．たとえば安全に立ち上がり動作を行えるトイレ内の環境を整えることで能力改善をはかりながら生活を積極的に行っていける．
- **社会参加**を促進させる仕組みは，**人的資源の確保**が最も重要である．少し外に出かけるだけであっても車両の運行や来訪先との調整など人的資源が必要となる場面が多々ある．理学療法士は，数多ある公共施設や店舗などから人的資源が多く必要のない利用者が安全に楽しく過ごせる場所を下見するなどしてかかわることが多い．
- **在宅復帰**を促進させる仕組みは，**入所時点で家族と転帰先を明確に申し合わせておくこと**が最も重要である．少しでも在宅復帰の希望があるようなら，在宅復帰に向けた不安・問題点を詳らかに問診すべきである．
- **施設ケア**を促進させる仕組みは，**スタッフどうしの共通理解**が最も重要である．専門職種はそれぞれ得意不得意分野があるため，一方的に**申し送る**のではなく，互いに**申し合わせる**という気持ちでコミュニケーションをとらなければならない．LIFEデータベースを活用した科学的ケアもその一助になることが期待されている．
- **地域連携**を促進させる仕組みは，**顔のみえる関係**が最も重要である．地域の介護老人保健施設分科会やケアマネジャー勉強会，研修会など施設以外の専門職とも多く知り合えばスムーズな連携につながる．
- **ターミナルケアを円滑にさせる仕組み**は，**本人と家族のこれまでを聞くこと**が最も重要である．生きてきた歴史，これまでの仕事や家族，思い出など多くのことを聞きながら理学療法を進める．昔の写真もあれば持参していただき居室に飾ったり，視覚刺激の1つとして活用する．

C 今後の課題

- 要介護者は増加の一途をたどるなかで，幅広いニーズに応えつつも在宅復帰を実現できるような取り組みを継続していかなければならない．
- ターミナルケアでは人としての尊厳や生き方を配慮したかかわりが必要となり専門性と併せて人生観や死生観など哲学も周辺学問として学習することを推薦する．

> **memo**
> ホーソンHawthorne効果を知っておこう．ホーソン効果とは治療（セラピー）を受ける者が信頼する治療者（理学療法士など）に期待されていると感じることで，行動の変化を起こすなどして，結果的に病気がよくなる（よくなったように感じる）現象をいう．信頼を築くこともケアには重要だといえる．

- 理学療法士は利用者と家族から聴取したニードをもとにサービス計画を立てプログラムを行うが，プログラムごとに再評価の視点をもって介入することが重要である．
- 科学的ケアの普及が加速度的に進んでいくことが予想されており，LIFEデータベースから抽出されたフィードバックを臨床で有効に活用していくことが重要である．
- 在宅復帰は大変に重要な視点であるが，在宅復帰扱いになる*からといって本来住んでいた家ではない在宅扱い施設に入所させることはコミュニティを断つこともあるということを理解しなければならない．

*現在の制度では，住み慣れた自宅に帰る以外に有料老人ホームやサービス付き高齢者住宅も在宅復帰とされる．

学習到達度自己評価問題
1. 介護老人保健施設が提供するサービスの種類を説明しなさい．
2. 科学的介護情報システム（LIFE）について説明しなさい．
3. 認知症中核症状および周辺症状を説明しなさい．
4. 理学療法士の主な役割について説明しなさい．

9-3 介護老人福祉施設（特別養護老人ホーム）

一般目標
1. 特別養護老人ホームの機能を理解する．
2. 特別養護老人ホームにかかわる理学療法士の役割を理解する．

行動目標
1. 特別養護老人ホームの機能を説明できる．
2. 特別養護老人ホームにかかわる理学療法士の役割を説明できる．

調べておこう
1. 特別養護老人ホーム・高齢者施策の変遷を調べておこう．
2. さまざまな高齢者ケア施設について調べておこう．
3. 自分が将来入りたいと思える施設を探してみよう．

A 介護老人福祉施設（特別養護老人ホーム）の機能

1 概 要
- 介護老人福祉施設とは，老人福祉法に基づき認可された特別養護老人ホーム（以下，特養）の介護保険法上での呼称である．

a. ベッドからトイレまでの動線を簡易設置手すりで確保した部屋　b. パーキンソン病によるすくみ足を改善するために床にテープを貼ったトイレ

図9-3　心身機能に合わせた暮らしやすさの工夫（KOBE須磨きらくえん）

- 老人福祉法によると，特養とは，65歳以上の者であって，身体上または精神上著しい障害があるために常時の介護を必要とし，かつ，居宅においてこれを受けることが困難なものを入所させ養護することを目的とする施設とされている．
- 運営規定上，施設長，医師，生活相談員，介護職員，看護師，栄養士，機能訓練指導員*，調理員，事務員を配置する必要がある．
- 2019（令和1）年の調査では，施設数は8,234ヵ所，定員数は569,410人となっている．
- 2015（平成27）年から入居条件が要介護3以上とされたが，それ以前は要介護1以上が入居条件であったため一定程度の軽度者も入居している．
- 他の介護保険施設と比べて平均在所日数がおよそ3.5年と長く，死亡を理由とした退居が65%をこえる点も特徴的である．
- これらのことから，特養はさまざまな心身機能をもった高齢者が最期を迎えるまで生活を営む場といえる．

*機能訓練指導員　日常生活を営むのに必要な機能の減退を防止するための練習を行う能力を有するもので，理学療法士，作業療法士，言語聴覚士，看護師（准看護師），柔道整復師またはあん摩マッサージ指圧師の資格を有するもの（第7章参照）．

② 暮らしを支えるための機能

- かつては複数人で暮らす部屋の多かった特養だが，現在は個室化された特養が多くなってきている*．
- 個室化されたことによって個々の心身機能に合わせた居室環境の整備が可能になったため，転倒を防ぐための工夫や，移乗を行いやすくする工夫など，安全性や快適性を提供することが可能になった（図9-3）．
- また，個人のスペースが確保されたため，居室を自由にレイアウトすることが可能となった．見当識や適応力が低下した人たちにとって，馴染みの家具や調度品でレイアウトされた居室は落ち着きを取り戻すための場所となる（図9-4）．

*このような背景には，特養の整備基準として，個室・ユニット型が2002（平成14）年に制度化されたことがあげられる．ユニットケアとは，居宅に近い居住環境の下で，居宅における生活に近い日常生活のなかでケアを行うこと，すなわち，生活単位と介護単位を一致させたケアと定義されている．

③ 看取りの場としての機能

- 地域包括ケアシステムが推進される昨今，看取り介護加算という制度の創設も影響し特養での看取り機会が増えている*．

*医師が医学的知見に基づき，回復の見込みがないと診断した入居者に，その人らしく生き，その人らしい最期を迎えられるよう多職種が協働して支援することを目的として設けられた．

図 9-4　自由にレイアウトされた居室（KOBE 須磨きらくえん）

- このような変化は単に制度の変更に由来するものだけではなく，特養のあり様が，救貧的な措置施設から生活の質を保障するものへと変わることにより，市民の意識が，家とは異なるものの，より在宅に近い生活の場である特養に看取りの機能を求め始めたことも大きいと考えられる．
- ターミナル期を迎えた入居者が特養を離れ病院や他施設へ移ることは，入居者だけでなく家族にとっても負担となる．住み慣れた特養で，馴染みの入居者・職員に見守られながら最期を迎えることを望む入居者・家族は多い．
- これらの期待に応えるため，特養は看取りの場としての機能を果たすべきであることは自明で，そのために理学療法士が果たすべき役割は大きい．

B　理学療法士の役割，業務

1　理学療法士としての立場

- 理学療法士の専門性は医学の基盤に立った機能回復アプローチから，生活行為を支援することまで幅の広いものである．
- そのため，さまざまな高齢者が暮らす特養において理学療法士は欠くことのできない有意な専門職である．
- 理学療法士は主に機能訓練指導員として特養に配置されるが，機能訓練室で行われるような，いわゆる機能訓練だけをイメージして業務にあたっていては，理学療法士が特養で担う役割を十分に果たしているとはいえない．
- 24 時間の暮らしを営む場である特養において，1 人の理学療法士として 20 分程度の運動療法を提供するだけの介入は不十分なだけでなく，その内容が漫然とした関節可動域運動や筋力向上運動である場合，入居者の限られた時間を無駄にしている可能性さえある．
- 入居者の生活を支援するために，理学療法士に求められる能力は 2 つある．
- 1 つは入居者の心身機能を正しく**評価する能力**．
- 2 つめは，その結果を他者に**つたえる能力**である．

図 9-5　普通の風景を実現する

- 入居者のケアを行うケアワーカーや看護師，その他の職種と理学療法士が行った評価結果を共有することが入居者の心身機能を守り，24 時間の生活を支えることにつながる．

a. 評価の視点

- 特養での評価では，「入居者の普通の生活を支える」という視点が重要である．
- 図 9-5 は，昼食後に 2 人の入居者が会話している場面と，会話が終わったときに 1 人の入居者が車いすを押してリビングへ移動しようとしているところである．
- この写真をみると，ここが施設であることを忘れさせてくれるような，ごく普通のそして穏やかなひとときが実現されている．
- しかし，理学療法士の介入なしにこのようなひとときが実現されているわけではない．
- このようなひとときを実現するためには，身体に合った車いすの選定と調整，車いす上でよい座位姿勢を保つことができるような介入や，車いすを操作する人の心身機能の評価が適切になされることが不可欠である．
- このような基本的な知識・技術の積み重ねが，暮らしの場における普通の風景を実現することにつながるのである．
- 本章では，普通の生活を支えるために必要な評価の視点について，とくに特養において不可欠な知識となる，姿勢・動作に重点をおいて述べる．

① 臥床姿勢

- ベッドに寝る介助を行う際，姿勢を正すことを一連の流れとして実践できているだろうか．
- 身体に捻じれはないか，過度に骨盤は後傾していないか，荷重すべき部位で適切な荷重がなされているか，など評価の視点は多数存在する*．
- 特養でみられる典型的な臥床時の不良姿勢は，骨盤の位置が不適切な状態にあることから生じている場合が多い．
- たとえば，骨盤が回旋している場合，その影響は殿部の荷重圧の左右差だけでなく，上下肢の荷重圧にまで影響を及ぼす*．
- 過度な骨盤の後傾は大腿近位部，上腕部後面の荷重圧を減少させ，胸椎，仙骨，

*私たちは臥床した際，身体をモゾモゾと動かして関節位置の修正や体圧の分散を行っているが，このような動作が困難な高齢者が特養には入居している．

*楽に寝る，というごく普通のことを実現するために，臥床時に私たちのどの部位にどの程度の圧がかかっているか手を差し込み把握し，不適切な荷重がなされているときの不快感を自分自身で確認しておくことが必要である．

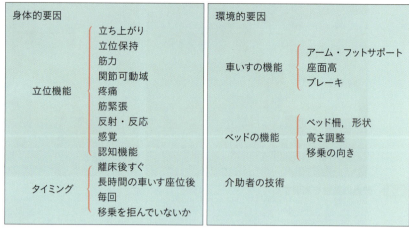

図 9-6　移乗動作を困難とする要因の例

踵部の荷重圧を高めることにつながる．
- これらの不適切な荷重圧は，褥瘡のリスクや不良な筋緊張を亢進させるだけでなく，呼吸循環機能にも影響を及ぼし，生命の問題に直結することさえある．

②起居動作
- 理学療法士はその専門性から，起居動作についての客観的な評価と，実践的な対応力が求められる．
- たとえば起き上がり動作の動作分析を行う場合，側臥位をとりベッドから下肢を下垂し，肘支持，手支持，端座位といった大雑把な評価では不十分である．
- 起き上がりを行うための側臥位はどのような姿勢が望ましく，下垂させる下肢はどの程度股関節を屈曲させることが好ましいか，肘支持へ移行する際の重心移動はどのような軌跡をたどるのか，どのようなタイミングで肩関節や股関節に回旋運動が生じるのか，など細やかな動作分析が行われた上で，どの部分に介助が必要なのか，どの部分に協力動作がみられるのかを評価する．
- 動作分析が適切に行われていないことが原因で，一部分だけ動作が困難になった人に対してすべてを介助してしまうことは避けなくてはならない．

③移乗動作
- ベッドから車いす，車いすからトイレなどの移乗動作は，抗重力筋の活動を促す貴重な機会である．
- 移乗動作が困難になる要因は図 9-6 に示すように多数存在する．
- 図 9-6 はあくまでも一例であり，さまざまな入居者が生活する特養では，無数に存在するその要因を探り課題を解決していく必要がある．

b．機能・動作を改善する視点
- 特養には理学療法士の必置義務がないことから，複数人の理学療法士が入居者のケアにあたることができるような環境はまれである．
- このような環境下で機能・動作を改善することを考える場合，多職種の協力はなくてはならないものとなる．
- そのため，"他者につたえる"能力は，特養で働く理学療法士に欠くことのでき

a. 他職種が実践したポジショニング　　b. 他職種に提示した写真

図 9-7 手段ではなく目的をつたえる（例：ポジショニング）

ない能力である．
- 機能・動作を改善するために理学療法士に求められる技術，さらに，その技術を他職種が実践できる方法に置き換えた一例を述べる．

①ポジショニング
- ポジショニングピローを用いたポジショニングは，楽に寝ることを支援する有効な手段である．
- ポジショニングピローを適切に使用するために，ポジショニング後の写真を使って他職種との共有をはかる方法があるが，この方法には注意が必要である．
- 図 9-7 は，実際に写真を使って共有をはかったものである．
- どちらも使用するポジショニングピロー，使用する場所は同じであるが，その効果には大きな差が生じている．
- この原因は，提示された写真のとおりにポジショニングピローを使用することが，他職種にとっての目的になってしまったことである．
- 写真のとおりにポジショニングを行うことが目的ではなく，荷重圧を分散すること，不良な筋緊張をコントロールし楽に寝る支援をすることが目的であることを，まずは他職種と共有する必要がある＊．

▷身体に馴染ませる・圧分散
- ポジショニングピローを敷き込んだだけでは，ポジショニングピローに体重が移らず効果的に使用することはできていない．
- ポジショニングピローを敷き込んだ後，ポジショニングピローに対して重力方向に身体に圧をかけることや，圧をかけた状態で上下肢の内外旋を行うことでポジショニングピローに体重が移り，不良な筋緊張をコントロールすることができる．
- このように日常ケアのなかで上下肢の内外旋運動を行うことが，起き上がりの際に必要な上下肢の回旋可動域，座位保持のために必要となる回旋可動域を維持することにもつながる．
- 一例として，ポジショニングにおける多職種とのかかわりを述べたが，どのような介助場面でも同じである．機能・動作を改善する視点として大切なことは，

＊これはどのような介助場面にもいえることだが，多くの職員を対象に行う研修会も必要であるが，日常ケアを行う場に同行し，知識の共有をはかることも重要な介入方法である．

図9-8 個々人に合わせて選定する車いす
自走できる人には自走式を，姿勢保持が困難な人にはティルトリクライニング車いすを身体に合わせて調整した上で使用する．何も調整する機能のついていない車いすは，暮らしの場には不適切である．

- 入居者の姿勢・動作を正しく評価し，どの部分にどのような介助を行うのかを他職種が実践できる方法でつたえることである．
- このようなことを当然の介護技術として実践することができれば，入居者の心身機能は良好な状態で維持されるはずである．

②**車いすの選定**

- 車いすは移動用の足としてだけでなく，姿勢保持が困難になった人にとっては姿勢を保持するためのいすとして機能し，1日の多くの時間を車いす上で過ごすことになる．
- 不良な座位姿勢のまま車いす上で過ごすことは，苦痛を強いる以外の何物でもなく生活を支える離床支援とは言い難い．
- これらを踏まえて，車いすの選定，調整は個々になされるべきである（図9-8）．
- 車いすの選定に関しては各論に譲るが，背張り機能もついていない標準型と呼ばれる車いすでよい姿勢について議論を行うことに筆者は限界を感じている．
- 適切に背張り調整を行い胸椎の伸展を促すことが，さまざまな身体機能，生活機能に恩恵をもたらすことを理学療法士は当然の知識として有しているはずである．

③**心理的側面**

- ここまでは身体機能面へのアプローチを主に述べてきたが，特養入居者を対象とした場合は心理的側面が生活機能に大きく影響を及ぼすことも忘れてはならない．
- 図9-9は入居者がそれぞれに役割をもち，家事活動を行っている様子である．真剣な表情で家事にあたっている様子が写真からよくわかる．
- 包丁を使う場面や，掃除機を使う場面でけがや転倒のリスクばかりが気になり，「職員にお任せください」と声掛けを行えばどうなるだろうか．
- 危なげながらも遂行していた自分の役割を奪われるような感情に苛まれ，その先，自発的な行動を起こさなくなることも考えられる．

図 9-9　主体的な活動

- 認知症高齢者への基本的な対応は，できないことは要求せず，できるはずのことを奪わないことである．
- 正しく評価を行い，できるはずのことを奪わないように注意を払いたい．
- できるはずのことを奪わないためには，「動きたい」と思えるような環境を準備することも必要である．何ができるのか，何に興味があるのか，ということを探るために，その人の生きてきた過程を知ることも特養では重要な介入である．

④ ターミナルケア

- ターミナルケアは単に最期のときのケアを行うことにとどまるものではなく，入居者が望む最期を迎えるためのあらゆる介入を意味するものと筆者はとらえている．
- 入居者が望む最期を迎えるためには，その入居者のことを深く理解する必要があるため，特養では入居当初からターミナルケアが始まっているといっても過言ではない．
- 身体的な面に限局して考えれば最期を迎える姿は，著しい関節拘縮がない状態，安楽に呼吸が行える状態，褥瘡がない状態をケア提供者側がもつ最低限の目標としておきたい*．
- これまで述べてきた適切な介入を多職種が行い，身体・精神その両面からその人が望むような最期を迎えられるよう支援していくことが，最期を迎える場所に選ばれた特養の果たすべき役割である．

② 地域リハビリテーションを担う立場

- 特養を周辺地域から切り離された特別な場所とするのではなく，地域生活の延長線上にあり，特養入居者も地域住民の一員である，という理解が高齢者ケアをよくする視点として重要だと考えている．
- そのために特養は周辺地域と一体となって運営していくことが望ましく，特養に勤務する理学療法士は地域住民の生活を考えることも忘れてはならない．
- 近年，住民が主体的に運営している集いの場である"サロン"が各地域で展開され，介護予防を目的とした活動が行われている（図 9-10）．
- このような場で，特養に勤務する多様な職種が有する知識を提供することは，

*ターミナル期においてはそれまで以上に褥瘡を発生させないための配慮が必要となるため，褥瘡リスクアセスメントを用いて評価を行い，体圧分散能の高いベッドマットレスを提供するなどの介入が必須である．

図 9-10　介護予防の取り組み
地域住民が主体的に運営している集いの場で，健康に関する講義や体操を行う．

特養，地域住民の両者にとって意義のあることといえる．

3 まとめ

- 入居者に対する機能訓練を「生活リハビリテーション」と呼ぶことが一般的になっているが，この用語ともそろそろ決別するべきだろう．
- 適切な量と質の介助を実践し，また，当人が動きたいと思える環境を用意し自発的な活動を支援すること，このようなことをリハビリテーションとして特別視するのではなく，当然のケア技術として浸透させていくことが，生活の場においては必要である．
- 個々の利用者への適切なサービス，他の職員との協働を重ね，さらにはリハビリテーション・ケアに関するオピニオンリーダーとして，特養における理学療法士が発展することを心から期待するものである．

学習到達度自己評価問題

1. 特別養護老人ホームの機能を説明しなさい．
2. 特別養護老人ホームにかかわる理学療法士の役割を説明しなさい．

9-4 訪問リハビリテーション

一般目標
- 訪問リハビリテーションの目的について理解する．

行動目標
1. 訪問リハビリテーションのサービス提供前の流れの5つの段階を説明できる．
2. 訪問リハビリテーションのサービス提供時の流れの5つの段階を説明できる．
3. 訪問リハビリテーションのサービス提供に必要な5つの専門技術を説明できる．

調べておこう
1. 現在の制度上での訪問リハビリテーションのサービス提供開始までの流れについて調べよう．
2. 理学療法全般の評価と治療について調べよう．
3. 国際生活機能分類（ICF）について調べよう．

訪問リハビリテーションの目的は，「**よりよい在宅生活の継続**」を実現することである．本項では，訪問リハビリテーションにかかわる制度と事業運営について概観した後に，「よりよい在宅生活」を支える訪問リハビリテーションのサービスの実際について，㋐サービス提供前の流れ，㋑サービス提供時の流れ，㋒サービス提供に必要な専門技術という3つの内容に分けて解説する．

ICF：International Classification of Functioning, Disability and Health

A 訪問リハビリテーションの機能

1 訪問リハビリテーションに関係する制度

訪問リハビリテーションには，医療保険におけるものと介護保険におけるものの2種類の保険がある（**表9-4**）．

a. 医療保険における基本方針
- 居宅において療養を行っており，通院が困難な患者に対して診療に基づいて，診療を行った保険医療機関の理学療法士，作業療法士または言語聴覚士を訪問させ，基本的動作能力や応用的動作能力，社会的適応能力の回復をはかるため，訓練などの必要な指導を行わせる．

b. 介護保険における基本方針
- 指定居宅サービスに該当する訪問リハビリテーションの事業は，要介護・要支援状態となった場合においても，その利用者が可能な限りその居宅において，その有する能力に応じ自立した日常生活を営むことができるよう，利用者の居宅において，理学療法，作業療法，言語聴覚療法その他必要なリハビリテー

表9-4 訪問リハビリテーションの種類と特徴

	医療保険		介護保険	
実施機関	病院 診療所・クリニック	訪問看護ステーション	病院 診療所・クリニック 介護老人保健施設	訪問看護ステーション
名称	在宅訪問リハビリテーション指導管理	訪問看護	訪問リハビリテーション	訪問看護
対象者	介護保険非対象者（65歳未満で加齢に伴う疾患でない者），および介護保険対象者でも厚生労働省の特定疾患に指定された者		介護保険対象者 （40歳以上で加齢に伴う疾患の者）	
財源および自己負担	医療保険料 自己負担あり		介護保険料 自己負担あり	

ションを行うことにより，利用者の心身の機能の維持回復をはかるものでなければならない．

2 訪問リハビリテーションの事業運営

- 訪問リハビリテーションのサービスを提供する事業を運営するためには，病院，診療所，介護老人保健施設，訪問看護ステーションなどのいずれにおいても，①**人員**に関する基準，②**設備・備品**に関する基準，③各種**書類**に関する基準がある．
- ①人員：訪問リハビリテーションのサービス提供にあたる理学療法士，作業療法士または言語聴覚士を適当数配置する．
- ②設備：事業の運営を行うために必要な広さ（たとえば，病院，診療所，介護老人保健施設では，訪問リハビリテーションのサービスの利用申し込みの受付，相談などに対応するのに適切なスペース）を有する専用の区画を設ける必要がある．
備品：訪問リハビリテーションのサービス提供に必要な治療・評価器具などである．たとえば，血圧計，聴診器，体温計，パルスオキシメーター，打腱器，メジャー，ストップウォッチ，角度計，握力計などが必要である（図9-11）．
- ③書類：契約書，重要事項説明書，パンフレット，記録用紙などが必要である．その他，苦情処理のマニュアル，事故発生時の対応マニュアル，感染予防マニュアルなどが必要である．

B 訪問リハビリテーションのサービスの実際

1 サービス提供前の流れ（事前訪問）の5つの段階

a. 第1段階：サービス利用の相談・申し込み
- 相談や申し込みの依頼は，主に病院のソーシャルワーカーや外来看護師，地域連携室，地域包括支援センター，介護支援専門員（ケアマネジャー），利用者本

	a. 血圧計（訪問理学療法士が眼・耳・触で確認できるアナログタイプがおすすめである）		b. 聴診器（訪問理学療法士は血圧だけではなく，心臓や呼吸の音も聴くため，より正確に聴きやすいタイプがおすすめである）
	c. 体温計（画像右は，体温だけではなく室温や液体の温度も測れる）		d. パルスオキシメーター（気軽に測定でき，便利である）
	e. ゴニオメーター		f. 打腱器
	g. 音叉（骨の状態を評価する．筆者は骨の状態を主治医や救急隊員に，音叉を活用した情報を提供している）		h. 消毒関係（訪問リハビリテーションでは，手の消毒だけではなく，評価機器の消毒に活用する）
	i. 各種メジャー（自宅内の移動距離や自宅周辺の移動距離を測定するときは，距離計を持参する）		j. 記録用紙（筆者の事業所では，複写式の用紙を採用している．1部はカルテに保管し，もう1部は利用者宅で保管してもらう．また，国際生活機能分類をそのまま採用し，活動参加の状況も一目でわかるように工夫している）
	k. デジタルカメラ（カメラは静止画，動画も撮影でき記録として保管しやすい．そのときに訪問した訪問理学療法士だけではなく，利用者に関係するチームにも情報を共有しやすい．経験の少ない訪問理学療法士が先輩や上司に相談する資料にもなる．連写タイプのカメラは動作分析する上で，頼もしい武器になる）		・その他 時計，ストップウォッチ，住宅地図，福祉用具カタログ，筆記用具，ビニールテープ（赤色や黄色を用意し，自主トレーニングや住宅改修のマーキングに活用している），ミニドライバーや六角レンチなどの工具，絆創膏など簡易救急セット，などが入っている．

図 9-11　訪問理学療法士のカバンの中身

人や家族（介護者），医師などからある．
- 日常業務のなかでは，相談内容が明確ではない状態から始まり，話のなかで，徐々に相談の内容が具体化し，申し込みとなる場合が多い．
- いつ，どこで，誰から相談があるかわからないと考えて，訪問リハビリテーションの制度やサービス提供の内容などについての知識を整理しておくと，慌てずに対応できる．
- 相談・申し込みを受ける過程で，次に述べる情報の整理が必要になる．

b．第 2 段階：サービス利用者情報の整理
- サービスの必要性は，利用者の情報を聴く際に，③項で後述するサービス提供に必要な専門技術である「評価」と関連させて考えると整理しやすい．

図 9-12　訪問リハビリテーションの様子

c. 第3段階：利用者や関係者と事前訪問の日程調整
- 訪問リハビリテーションのサービス提供は，医療保険によるサービス提供であれば**主治医の承諾（指示）**，介護保険によるサービス提供であれば**主治医の承諾（指示）**と**介護支援専門員の了解**が必要である．
- サービスを開始する前に，サービス提供に関する契約を交わす必要がある．そのため関係者が日程を調整し，事前に利用者宅を訪問し，ニーズに関する情報の再整理を行う．
    ①医療保険によるサービス提供であれば，利用者本人と家族（介護者），サービス提供者の2者の日程を調整する．
    ②介護保険によるサービス提供であれば，利用者本人と家族（介護者），サービス提供者，さらに必要に応じて，介護支援専門員を加えた3者の日程を調整する．

d. 第4段階：サービス提供に関する契約を交わすための事前訪問
- 利用者や家族（介護者）が抱えている問題や求めている課題をニーズとして明確にし，サービス提供によって解決できるかを確認する（ニーズ確認の詳細は③b項で後述する）．必要に応じて，居宅内外の福祉住環境の状態も確認し，その上で契約を交わす必要がある．
- 利用者本人や家族（介護者）が理解できるように，契約を交わす文章はみやすくかつ内容がわかりやすいよう配慮し，さらに説明は質問を丁寧に聴きながら行う必要がある．

e. 第5段階：初回訪問準備
- 初回訪問の前に利用者情報の整理を行ってニーズを確認し，さらにそのニーズを解決するための知識や技術を補充し再確認する．
- 体温計や血圧計，必要な備品類の整備も必要である．

② サービス提供時の流れ（初回訪問，定期訪問）の5つの段階 (図 9-12)

a. 第1段階：入居のあいさつ
- 利用者や家族（介護者）に信頼され，好まれるあいさつを行う．一般的に，「声は大きく，はっきりとつたえる」のがよいとされるが，それはサービス提供者の思い込みであることもあるため，相手側が望む方法であいさつを行う．

- 介護支援専門員などから視覚や聴覚の情報なども事前に得ておくと，気持ちに余裕をもちながらあいさつができ，初回訪問時に声の大きさなど対応方法も微調整しやすい．
- 訪問時間については，気を遣ったつもりで予定時間より早く訪問すると嫌がられる場合もある．相手の望む時間を早くみつけることを心がけ，相手がみている時計の時間も把握する．こちらは時間ちょうどと思っても，相手の時計が5分進んでいれば，相手からすると5分遅刻したことになる．
- 訪問時の評価（アセスメント）の1つとして，利用者宅の時計の時間を確認しておく必要がある．

b. 第2段階：オリエンテーション
- サービスを提供する上で，利用者や家族（介護者）がその日，そのときに求めていることをしっかりと説明するなどの対応を行う．
- サービス提供に際して，利用者や家族（介護者）に何らかの不安や心配があれば，それを先に解決するように努める．たとえば，他人を家に入れる不安，他人と同じ時間を共有する不安，サービス内容自体の心配，料金の心配，などさまざまな不安や心配があるが，1つひとつ丁寧に対応する必要がある．
- とくに初回訪問であれば，このオリエンテーションはとても大切である．また，定期訪問になり，利用者本人や家族（介護者）と慣れ親しんでも，オリエンテーションを省略するのはよくない．いくら慣れ親しんでも毎回，評価や治療の内容などその日に提供したサービスの内容に関してオリエンテーションは必要である．

c. 第3段階：サービス提供（評価と治療）
- サービス提供にあたっては，たえず評価を行いながら，ニーズの確認，問題や課題の解決方法の確認を行う（3 b,d,e項で後述）．
- 評価と治療はサービス提供の要であり，日々，知識を補充し技術を磨く必要がある．

d. 第4段階：フィードバック
- 利用者や家族（介護者）にその日に提供した内容，今後提供したい内容，提供予定の内容などを丁寧につたえる．
- サービス提供を行える時間は，利用者の生活時間のほんの一部であるため，生活全体のなかで気をつけること，意識すること，行うことなどを丁寧につたえることも大切である．利用者の生活全体がリハビリテーションであり，理学療法士が直接に行っている時間帯だけが，リハビリテーションではない．

e. 第5段階：退居のあいさつ
- 入居時と同様，相手に好まれるあいさつが必要である．訪問時の雰囲気を読み取り，相手が望むようなあいさつを行う．次回の訪問が待たれるようなあいさつも大切である．
- 次回訪問時に，利用者や家族（介護者）から「待っていたよ」，といわれると大変うれしいことである．

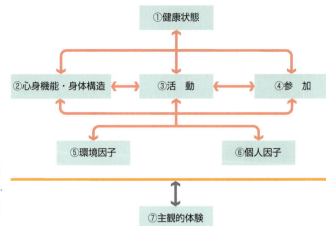

図 9-13 横断的評価（ICF の活用）
ICF は客観的情報だけであるが，訪問リハビリテーションサービスを行う上では，主観的情報も必要である．横断的に広く評価するために，上田敏氏が提案している主観的体験の情報も加え，客観と主観の 2 つの情報を総合的に得る必要がある．
[上田敏：KS ブックレット 5，ICF（国際生活機能分類）の理解と活用―人が「生きること」「生きることの困難（障害）」をどうとらえるか，第 2 版入門編，きょうされん，2005 より]

3 サービス提供に必要な 5 つの専門技術

a. 評価の技術

　訪問リハビリテーションのサービスにとって，評価はサービスを必要とするか否かの根本に関係する．評価ができなかったり，評価項目がもれてしまったりすると，問題や課題を発見できない．発見できないと，利用者の在宅生活継続に危機が生じてしまう．

　評価にあたっては，横断的評価と縦断的評価を常に念頭におく．

▷**横断的評価（ICF の活用）**

　国際生活機能分類（ICF）を活用することにより，速やかに問題や課題が発見でき，利用者の全体像を評価することができる（**図 9-13**）．

　理学療法士は心身機能や活動，環境因子，主観的体験に働きかけることにより，さまざまな解決方法を身につけることができる．方法論は，自身で発見するのも大切であるが，先輩のアドバイスや専門書から学ぶと短時間で多くの方法を身につけられる．先輩の 10 年の経験を 1 年で学ぶつもりで取り組んでほしい．

①健康状態の評価

- **急性疾患（原疾患），合併疾患，既往疾患**など 1 つひとつ整理して考えると問題や課題を発見しやすい．理学療法士は疾患に関する知識を整理しておきたい．
- 訪問を開始するときに，健康状態の情報が抜けている場合もある．とくに主治医が専門としない合併疾患や既往疾患に関しては，いつもとの違いなど十分に注意して状態をチェックする必要がある．
- 現在の病態把握のために，最近処方された薬剤や検査データ（血液検査など）を確認することも大切である．
- 必要に応じて，利用者や家族（介護者），主治医，介護支援専門員に合併疾患や既往疾患についての情報を確認する．ただし，先天性疾患，産婦人科疾患は，利用者本人が他人に知られたくない場合があり，また悪性腫瘍は，本人に告知されていない場合もあるので，情報の扱いに注意が必要である．

②心身機能・身体構造の評価
- 心身機能を**生理学的視点**から，身体構造を**解剖学的視点**から整理して考えると問題や課題を発見しやすい．心肺系と筋肉系の関係など，関連する機能や構造との関係も理解しやすくなる．ただし，理学療法士はこの心身機能と身体構造に視点が向きやすいが，たえず評価全体のなかの1つとして整理する必要がある．
- 利用者の心身機能や身体構造の問題が，急性疾患（原疾患）から発生したのか，既往疾患から発生したのかなどと整理をすると因果関係を把握しやすい．
- 心身機能と身体構造を把握することにより，現在の活動や参加の状況を推測できる．推測した活動や参加ができていなければ，問題や課題を発見でき，今後の活動や参加の予後予測も可能である．
- たとえば筋肉を触診すれば，活動や参加の推測や予後予測ができるのである．

③活動の評価
- **ADL/IADL** を整理して考えると問題や課題を発見しやすい．
- 「現在している活動」と「将来できる活動」とに整理すると，さらに問題や課題を発見しやすくなり，予後予測が可能になる．ただ，「将来できる活動」を予測するには潜在能力を見極める評価能力が必要である．この評価能力は他の職種で獲得するのはなかなか難しい．「将来できる活動」の予測は，理学療法士が必ず身につけるべき評価項目であり，これを評価できないと，日々問題解決に追われ，課題解決まではたどりつけない．

④参加の評価
- 参加の評価でまず大切なのは，自己管理である．日常生活継続に関する管理はさまざまある．衣食住の管理，お金の管理，親戚や友人，会社や町内会の方々との人づき合いの管理，そして自己の健康などの管理である．参加を評価する上で，訪問理学療法士も視野を広げる必要がある．
- 参加とは役割を果たすということであり，家庭での役割，職場での役割，その**他さまざまな場における役割**を整理して詳細に評価すると，発見しにくかった問題や課題が発見しやすくなる．とくにリハビリテーションにとっては，とても大切な評価項目である．
- 利用者や家族（介護者）は，以前に可能であった参加をあきらめている場合もある．入院時に医師や理学療法士から，「できない」「無理です」「駄目です」といわれている場合もある．在宅生活場面で，1つひとつ問題や課題を具体的にして解決していくと，あきらめていた参加が再度実現することもある．

⑤環境因子の評価
- **物的環境**（家，道路，靴，杖，車いすなど），**社会的環境**（社会意識，法律，さまざまなサービスなど），**人的環境**（家族や親戚，友人，町内会や高齢者クラブ・各種サロンなどの知人，職場の仲間，利用者に関係する専門家など）の3つの環境を整理して考えると問題や課題を発見しやすい．
- 理学療法士は物的環境と，それを使用する利用者の生活機能（心身機能，身体構造，活動，参加）とを結びつけて考える評価能力を身につける必要がある．

- 人的環境として位置づけられる家族（介護者）は，利用者の「よりよい在宅生活の継続」のためにとても大切である．家族（介護者）に対しても①～⑦までの評価を詳細に行い，問題や課題を整理しておく必要がある．
- 理学療法士自身も人的環境であり，自身のとくに①②に関しては，日々の自己評価，自己管理を怠ると，利用者の「よりよい在宅生活の継続」に悪影響を与えてしまう．とくに理学療法士自身の感冒や腰痛は予防したい．

⑥個人因子の評価
- 利用者の年齢，性別，生活歴，価値観，ライフスタイルなどを整理して考えると問題や課題を発見しやすい．
- とくに**価値観**や**ライフスタイル**は，利用者の「その人らしさ」を考える上でとても大切である．訪問リハビリテーションのサービスでは自宅に訪問するため，個人因子を評価しやすい．それにより，生活意欲に関係する「こころ」の問題や課題を評価しやすく，同時に解決方法もみつけやすい．

⑦主観的体験の評価
- 利用者が感じていること，考えていること，悩んでいることなどを利用者の意思に添って整理して考えると問題や課題を発見しやすい．
- 主観的体験は訪問ごとに変化する項目であり，一期一会の気持ちでしっかりと聴いて評価することが大切である．また，利用者本人の主観を対象とするので，評価した者により，評価内容・結果が異なることがあることも意識しておく．それだけ，この主観的体験を評価するのは難しい．そのため，利用者の関係者が連携し，こまめに情報交換しながら整理して考えないと，問題や課題を発見できるどころか，評価の誤りも生じてしまうおそれがある．

▷縦断的評価（時系列評価）
　ある時点を時系列で評価すると，さまざまな問題や課題を発見しやすい．

①1日（24時間）
- 理学療法士が訪問したその時間帯だけではなく，訪問前や，訪問後の利用者の状態も想像しながら評価すると，問題や課題を発見しやすい．
- とくに，理学療法士が訪問しない時間帯である朝方や夕暮れどき，夜間帯の状態は，必ず想像してほしい．

②3ヵ月
- 病院や施設からの在宅復帰後，1ヵ月間は利用者や家族（介護者）の心身の変化が著しい．
- その後の2ヵ月，3ヵ月も心身がどのように変化するか，整理して考えると問題や課題を発見しやすい．

③1年
- 1年は四季があり，どの時期に訪問開始になったのかを考える．
- 四季の変化は，自律神経系，呼吸機能など心身機能の変化，冷暖房，衣服の枚数，寝具の状態など環境因子にも影響を与えるため，整理して考えると問題や課題を発見しやすい．

④10年
- いったんサービスの提供を終了しても，利用者の生活は続く．サービス提供を終了したから関係が終わりと考えるべきではない．サービス提供を終了するときは，終了後の10年を想像すると，さまざまな問題や課題を発見しやすい．
- いつ急性増悪や，何らかの疾患により入院し，退院後にサービスの提供を必要とするかわからない．サービス終了時には，オリエンテーションとして，サービスの提供が必要であればいつでも相談や再開ができる体制をとっていることを，利用者本人や家族（介護者），主治医，介護支援専門員につたえておく．

b. ニーズ確認の技術
ニーズに関しては，多くの著書があるので，そちらも参考にしてほしい．

①利用者や家族（介護者）の希望や要望，そして思い
- 事前訪問では，利用者や家族（介護者）から思いや希望，要望を傾聴する．たとえば「歩けるようになりたい」「手が動くようになりたい」などである．
- このような利用者や家族（介護者）から聴かれる希望や要望は，具体的な生活場面を考えると，次に述べる具体的なニーズに変化していく．たとえば，利用者から聴かれる「歩けるようになりたい」は「1人でトイレに行きたい」，「手が動くようになりたい」は「1人でこぼさずに食事がしたい」などである．
- 利用者や家族（介護者）の思いや希望，要望をしっかりと聴くと必ず，ニーズがみえてくる．しかし，短時間の対話では希望や要望からニーズに進展しない．丁寧に何回でも利用者本人や家族（介護者）からのつたえたい思いを聴き，希望や要望を聴く．
- 利用者や家族（介護者）がニーズを把握できないと，ニーズに対応させたサービスの提供内容を理解してもらえない．理学療法士は直接に利用者本人の身体に触れ，心にも触れられる専門家であるため，利用者や家族（介護者）の漠然とした希望や要望をニーズへと進展させることもサービスの提供にあたる．

②医療ニーズの確認
- 在宅生活を考える上ではニーズを医療ニーズと生活ニーズに分けて考えると理解しやすい．
- 病院と違い在宅場面では，医療の専門家が24時間いるわけではない．まして不測の事態に対応するための十分な薬剤も存在しない．感冒でも在宅生活継続の危機になる場合がある．
- 在宅場面では，急性疾患（原疾患），合併疾患，既往疾患などの他に，薬物治療中の疾患，感冒や転倒による外傷のように，いつ発症するかわからないが予防すべき疾患はたくさん存在する．
- 理学療法士は，感冒や外傷などにより，新たな医療ニーズが発生しないよう，予防や早期発見をできるように努める必要がある．

③生活ニーズの確認
- 生活ニーズは，一般的には金銭，物，人で考えたり，衣食住で考えたりする．利用者の生活には，金銭，福祉住環境の整備，1人でADLを行えること，介護者など，さまざまな生活ニーズが存在する．

- ニーズの評価が1つでももれてしまうと，利用者の在宅生活継続を危うくしてしまう．すべてのニーズを発見しようと意識をもって仕事にあたり，ニーズを発見した場合には，速やかに利用者や家族（介護者），介護支援専門員，主治医，他専門家に報告する必要がある．

c. 目標設定の技術

- 「よりよい在宅生活の継続」を達成するために，利用者を中心にして家族（介護者）や専門家が協働して目標を立てることが望ましい．
- 「人はこころが動けば，からだも動く，からだが動けば，こころも動く」を念頭に，利用者本人，家族（介護者），専門家で協働して建設的な目標設定を行う．

d. 問題解決（ニーズ解決）の技術

- 病院や施設から在宅復帰まもなくや急性増悪したときは，在宅生活継続を危うくする問題が生じていることが多い．その問題の解決策の1つとして，訪問リハビリテーションのサービスが存在する．
- サービスにはさまざまな技術があり，それらを問題の内容により使い分けたり，優先順位を組み立てたりして活用する必要がある．

①サービス提供

- ADLを排泄動作，食事動作といった単一の動作だけで考えるのではなく，一連の生活行為として組み立てることが必要である．
- たとえば，一連の生活行為として，日中に居間のソファーに腰掛けてテレビをみていた男性が，1人でトイレに行き，再び居間に安全に戻ってくる場面を考える．ソファーで安全に腰掛けていること，ソファーから安全に立ち上がれること，居間の戸を開閉できること，居間からトイレまで安全に移動できること，トイレの戸の開閉や電灯のスイッチの操作ができること，トイレでズボンや下着の上げ下げができること，尿や便を流せること，再度トイレの戸の開閉やスイッチ操作，居間への移動，居間の戸の開閉，そしてやっとソファーに安全に腰掛けることができること，このような一連の生活行為として組み立てることにより，日中の排泄動作が自立できるようになる．

②福祉住環境の整備（第12章参照）

- 大がかりな住宅改修ばかりではなく，手すりの設置，家具の配置，ソファーや便器の高さ，床の敷物などを整備することで，利用者の在宅生活継続を脅かす問題が解決することもある．
- 理学療法士は，利用者が生活している住環境を十分に活用し，その環境に適応できるように問題を解決する専門家である．そのため，利用者本人や家族ばかりではなく，福祉住環境の各専門家からも必要とされる．

③リハビリテーションマネジメント

- 理学療法士は利用者に対する直接的なサービス提供ばかりではなく，利用者と家族（介護者）だけの時間や，利用者と他の専門家との時間も活用すると，利用者の問題解決がしやすくなる．
- 理学療法士が直接提供するサービスの時間を増やすよりも問題解決のために効果的な場合がある．理学療法士は問題解決のために，どの方法が効果的なのか

を考え，サービスを提供する必要がある．
- たとえば，㋐利用者や家族（介護者）に体操を指導する，更衣や整容など利用者本人でできることは時間を要してもできる限り行ってもらう，㋑ベッド臥床の時間を少なくして座位時間を延長してもらう，訪問介護員（ホームヘルパー）と一緒に掃除や調理をしてもらう，㋒通所での入浴時の洗体はできる限り利用者本人にしてもらうなど，理学療法士が直接にかかわること以外でさまざまに視点を広げると，在宅生活継続を危うくする問題を解決する方法はたくさんみつかる．

e. 課題解決（ニーズ解決）の技術

利用者の在宅生活継続を脅かす問題が解決し，在宅生活を「よりよい状態」でさらに継続したいと考えたときに，取り組むべき課題が浮かび上がってくる．

- たとえば，あきらめていた参加（ICF）を再度実現したいときに，課題が生じる．主婦業への復帰，復職，町内会活動への復帰，近所のお茶会への復帰，サークル活動への復帰，墓参りや家族旅行，結婚式，同窓会への参加など，病気になったためにあきらめていたことは多数ある．
- 課題解決に取り組んでいるときに，新たに発症したり，急性増悪したりすると，再度在宅生活継続を脅かす問題が生じる場合がある．その場合は，問題の早期発見に努め，課題の解決は後回しにして速やかに問題解決に切り替えることが大切である．
- ある問題が解決したから，次の課題解決の時期であると考えるのは，現実的ではない．日々の生活のなかにはたえず問題と課題が混在していることを意識して，問題と課題の整理に努める必要がある．その日の訪問リハビリテーションのサービス提供は，問題と課題のどちらを解決するために行うのか，たえず意識することがとても大切である．

C 訪問リハビリテーションの目的再考

訪問リハビリテーションの目的は，「よりよい在宅生活の継続」を実現することである．利用者は，今現在の生活を1日1日大切に生き未来につながる．生ききり，いずれ死が訪れる．誕生間もない利用者でも，100歳代の利用者でも生と死があり，訪問リハビリテーションでは，利用者の人生の一部をともにする．利用者が求めているニーズ，利用者が気づいていないニーズに，訪問リハビリテーションは貢献できる．利用者の人生をともに歩めることは，理学療法士として困難でもあり，この上ない喜びでもある．泣き笑いがある．

訪問リハビリテーションの制度は，時代により変わるため，その時代の制度関係の資料を併せて参照してほしい．ただ，「利用者の生と死のなかで，よりよい在宅生活の継続」を目的とする訪問リハビリテーションの本質は，変わらない．

> **memo**
>
> 地域包括ケアシステムにかかわるさまざまな場面で「地域づくり」という言葉が使われる．このコラムでは，日々，訪問リハビリテーションで地域を歩く筆者の立場から，安心・安全・快適な街づくりについて考えてみたい．
>
> ■ バリアフリーな街づくり
>
> 街のバリアフリー化は確かに進んでいる．一方で，ハード整備によるバリアフリーにはおのずと限界があることも知れてきた．極端な高齢化と人口減少が進み，人口ピラミッドが壺型に移っていく時代を見据えて，考え方や，心のバリアフリーも真剣に考えるべき時期がきていると思う．
>
> ■ 歴史・文化・緑の豊かな街づくり
>
> 先述のように，変わっていくわが国のかたちに目を向けると，成長を追い求めたいままでとは違う視点で，人が安心・安全・快適に住まう街づくりを考える必要があると思う．そのために，歴史・文化・緑というものはキーワードになるものだろう．
>
> ■ 交流と連携の街づくり
>
> 訪問リハビリテーションのなかで寂しい人と出会うことはつらい．当人はもっとつらいだろう．人の交流と連携は，もしかしたら人が生きる上で欠かすことのできない糧なのかもしれない．交流や連携をその場限りの掛け声に終わらせずに確かなものにしていくことは，地域づくりにおいて大切なことである．
>
> こんな地域づくり，街づくりに，理学療法士として，また社会の一員としてかかわることができれば幸いである．

学習到達度自己評価問題

1. 訪問リハビリテーションのサービス提供前の流れの5つの段階を説明しなさい．
2. 訪問リハビリテーションのサービス提供時の流れの5つの段階を説明しなさい．
3. 訪問リハビリテーションのサービス提供に必要な5つの専門技術を説明しなさい．

9-5 通所リハビリテーション（デイケア）

一般目標
1. 通所リハビリテーションとは何かを理解する．
2. 通所リハビリテーションにおける理学療法士の役割を理解する．

行動目標
1. 通所リハビリテーションの制度上の位置づけを説明できる．
2. リハビリテーションマネジメントを説明できる．
3. 介護予防通所リハビリテーション対象者と提供されるサービス内容について説明できる．
4. 通所リハビリテーション対象者と提供されるサービス内容について説明できる．

調べておこう
1. 介護保険およびその他の制度で，通所の形態をとるサービスを調べよう．
2. 通所リハビリテーションと通所介護の違いについて調べよう．
3. 介護予防・日常生活総合支援事業について調べよう．

A　通所リハビリテーション（デイケア）の機能

1 通所リハビリテーションの歴史と機能の変遷

- 通所リハビリテーションの起源は 1942 年，旧ソ連で精神科領域の成人を対象に実施されたデイケアとされている．
- 老人医療の領域で実施されたのは 1985 年，ロンドンのユナイテッド・オックスフォード病院で，診断治療，家事サービス，機能訓練が提供されていた．
- わが国では 1965（昭和 40）年大阪市立弘済院にて吉田寿三郎により実験的に実施されたデイホスピタルが最初である．
- 2000（平成 12）年の介護保険創設以前は，通所リハビリテーションはデイケアと呼ばれ，老人保健法を根拠法として病院・診療所，介護老人保健施設で運営されていた．一方通所介護はデイサービスとして老人福祉法に基づき老人福祉施設などで実施されていた．
- 2000（平成 12）年以降は，根拠法が介護保険法に 1 本化され，デイケアは通所リハビリテーション，デイサービスは通所介護に名称が変わった．
- 通所リハビリテーションと通所介護の制度上の違いを**表 9-5** に示す．
- 2006（平成 18）年の介護保険改正に伴い，介護予防を強化する観点から新介護予防給付が創設され，通所リハビリテーションは要支援者に対する介護予防通所リハビリテーションと要介護者に対する通所リハビリテーションに制度上は

表 9-5　通所リハビリテーションと通所介護の要件などの比較

	通所リハビリテーション	通所介護
サービスを提供する施設	病院，診療所，介護老人保健施設，介護医療院	（－）
人員基準	表 9-6 参照	表 9-10 参照
実施内容・目的	【内容】 理学療法，作業療法その他必要なリハビリテーション 【目的】 利用者の心身機能の維持回復をはかること	【内容】 必要な日常生活の世話および機能訓練を行うこと 【目的】 利用者の社会的孤立感の解消，心身の機能の維持，利用者家族の身体的および精神的負担の軽減をはかるもの
リハビリテーション計画書/通所介護計画書	通所リハビリテーション計画書 医師の診察内容や運動機能検査などの結果に基づき，サービス提供にかかわる従業者が共同して，利用者ごとに作成	通所介護計画 利用者の心身の状況や希望，その置かれている環境を踏まえて，機能訓練などの目標，当該目標を達成するための具体的なサービス内容などを記載し，利用者ごとに作成

［厚生労働省：通所リハビリテーション，第 180 回社会保障審議会介護給付費分科会資料 3（https://www.mhlw.go.jp/content/12300000/000679684.pdf），p.21（最終確認 2022 年 7 月 6 日）より引用］

表 9-6　通所リハビリテーションの人員基準

職種名	配置要件	
管理者	事業所ごとに 1 名以上（常勤）	
医師	1 名以上の数（常勤・専任） ※病院・診療所併設の介護老人保健施設は支障のない範囲で兼務可能	
	配置要件 1	配置要件 2
①理学療法士 ②作業療法士 ③言語聴覚士 ④看護師 ⑤准看護師 ⑥介護職員	［利用者 10 人以下］ ①～⑥で提供時間を通じて専従の従業者 1 名以上 ［利用者 10 人以下］ ①～⑥で提供時間を通じて専従の従業者が利用者数を 10 で除した数以上 ※利用者 15 人の場合 1.5 名	リハビリテーションの提供時間帯 ［診療所以外］ ①～③のいずれか 100：1（端数を増すごとに 1 名配置） ※利用者 150 名の場合は 1.5 名ではなく 2 名 ［診療所］ ①～③もしくは経験のある④を 0.1 名以上配置 ※経験のあるとは通所リハビリテーション，類似するサービスに 1 年以上勤務 ※1〜2 時間通所リハビリテーションの場合は研修を終了している④⑤に加え柔道整復師，あん摩マッサージ師で可

要件 1，2 ともに満たす必要あり

区分された．

- 2012（平成 24）年に医療保険からの円滑な移行を促進するため，短時間の個別リハビリテーションや重度の要介護者へのサービスが評価された．介護老人保健施設のみに認められていた理学療法士などによる「訪問指導等加算」がすべての通所リハビリテーション事業所に認められた．
- 2014（平成 26）年に開催された「高齢者の地域におけるリハビリテーションの新たな在り方検討会」において，通所リハビリテーションでは心身機能に偏っ

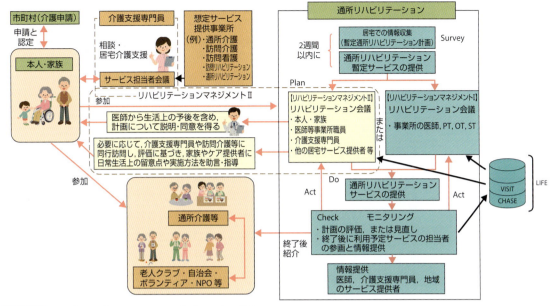

図 9-14 通所リハビリテーションマネジメントの流れ
リハビリテーション計画の策定と活用などのプロセス管理の充実，介護支援専門員や他のサービス事業所を交えた「リハビリテーション会議」の実施と情報共有の仕組みを評価する．
[厚生労働省：通所リハビリテーション・訪問リハビリテーションの報酬・基準について（案），第114回社会保障審議会介護給付費分科会，資料2（https://www.mhlw.go.jp/file/05-Shingikai-12601000-Seisakutoukatsukan-Sanjikanshitsu_Shakaihoshoutantou/0000065195.pdf），p.12（最終確認2022年12月22日）を参考に作成]

たアプローチが実施されていることが指摘され，2015（平成27）年の介護報酬改定において，サービス利用の目的を明確にし，心身機能，活動，参加にバランスよく働きかけていくことが強調された．

- 通所リハビリテーションでは，**リハビリテーションマネジメントの再考（図9-14）**により，医師の関与が強化されると同時に，個別の機能訓練に偏りがちだったリハビリテーションの内容をリハビリテーション会議や訪問指導を通じて多職種協働のもと活動と参加に資する具体的な目標設定とアプローチを実施することが求められた．

- また介護予防では，介護予防通所リハビリテーションは予防給付のサービスとして残り，介護予防通所介護は，介護予防・日常生活支援総合事業へと移行し，事業費で運営することとなった．

- 2018（平成30）年の介護報酬改定で通所・訪問リハビリテーションの質の評価データ収集システム（VISIT）がリハビリテーションマネジメントに組み込まれ，リハビリテーション計画や利用者の評価結果を厚生労働省に提出し，その情報がフィードバックされる仕組みが始まった（第4章参照）．

VISIT：monitoring & eValuation for rehabIlitation ServIces for long-Term care

② 通所リハビリテーションの機能

- **通所系サービスの4つの機能**として**表9-7**のように整理され，一般社団法人全国デイケア協会では，①②が通所リハビリテーション特有の機能，③④が通所リハビリテーションと通所介護の共通の機能と位置づけられている．

表9-7 通所リハビリテーションの4つの機能

①医学的管理
②心身・生活活動の維持・向上
　（リハビリテーション医療）
③社会活動の維持・向上
　（ソーシャルケア）
④介護者などの家族支援
　（レスパイトケア）

- また**地域包括ケアシステム**構築に向けた制度の流れのなかで，「軽度者は地域で，中重度者はサービスで支える」といった方向性が強まり，2015（平成27）年の介護報酬改定で，これまでの要支援者に対する介護予防通所リハビリテーション，介護予防通所介護の位置づけや報酬体系が大きく見直され，要介護1，2を含めた軽度者の社会参加が強調された．このことにより軽度者においては，通所リハビリテーションおよび訪問リハビリテーションは対象者の地域復帰機能を担い，通所介護は地域の受け皿としての機能を担う方向性が示された．また，中重度者においては，医学的管理の必要度が高い利用者は通所リハビリテーションで，医学的管理の必要度が低く，レスパイト（家族の休息）機能が中心となる対象者は通所介護でといった方向性が示されている．
- このように地域包括ケアシステム構築に向けて強力な政策誘導が実施されるなか，介護保険制度下で多様化し，機能と役割が不明確となっていた通所系サービスは徐々に役割が整理されつつある．

B　理学療法士の役割，業務

　通所リハビリテーションでの理学療法士の役割は，単に運動療法室での個別の利用者に対する評価とアプローチだけでない．施設内カンファレンス，サービス担当者会議，リハビリテーションマネジメントにおける**リハビリテーション会議**や訪問指導などで多職種協働のアプローチを行い，関連職種へのリハビリテーションの視点に立った考え方や技術指導を実施する．また地域ケア会議（第5章参照）への参加やプロボノ*活動（プロとしてのボランティア活動）を通して地域に働きかけ，施設内外でのリハビリテーションコーディネーターとしての役割を果たす．

1 理学療法士としての立場

a. 評価の視点

　通所リハビリテーションにおけるリハビリテーションマネジメント（図9-14参照）の流れに沿って評価とアプローチの視点について言及する．
①情報収集にあたっての視点
- 通所リハビリテーションの利用開始にあたっては図9-15に示すようなさまざまな情報が集まってくる．

＊プロボノ　プロボノとは仕事を通じて培った知識や技術，経験を活かして社会貢献するボランティア活動全般をいう．
　理学療法士は職場の専門職であると同時に，自分が住む地域の住民である．サロンやカフェなどインフォーマルなサービスに出向いて，理学療法士の資格をもったボランティアとして協力する姿勢が重要である．

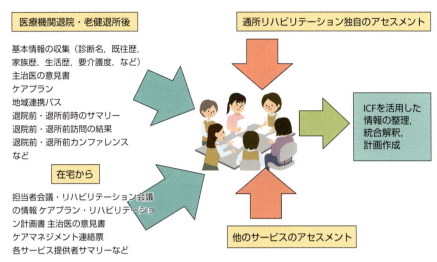

図9-15 通所リハビリテーションの諸活動（情報収集から計画立案）

- 情報が出された日時，情報源の事業所，職種が多岐にわたるので，受け取る側は，情報を出す側のサービスの特性を十分理解し統合解釈することが必要となる．

②評価，目標設定，計画作成にあたっての視点

- 評価は対象者の状態像に応じて評価ツールを選択する．2015（平成27）年の介護報酬改定の標準様式として，**興味・関心チェックリスト**による参加活動（図9-16），ADL評価としてバーセル指数（BI），IADLとしてFAIが採用されている．その他，認知症のリハビリテーションの対象者選別にはMMSEや改訂長谷川式簡易知能評価スケール（HDS-R）が採用されている．

- 評価は標準的な評価ツールを用いたものだけでなく，**多職種と協働**して通所リハビリテーションサービス諸活動のあらゆる場面で評価の視点をもつことが重要となる．

BI：Barthel index
FAI：frenchay activities index
MMSE：mini mental state examination
HDS-R：Hasegawa dementia scale-revised

③サービス提供にあたっての評価の視点

- 通所リハビリテーションサービスの提供場所とリハ職*の評価，指導のポイントおよび関与する主な業務を図9-17に示す．理学療法士は，訪問指導や個別リハビリテーションの業務にかかわるだけでなく，日常ケアの場面をはじめ，通所リハビリテーション業務全体に包括的に関与する．

*リハ職　リハビリテーション専門職（以下，リハ職）

i) 送　迎

- 送迎業務を理学療法士が担っている事業所は少なくない．自宅から送迎車両までの動線上の環境や移動能力，出迎えに対応する家族の状況，送迎車両への移乗能力（車のタイプ別にも評価できる），移動中聞こえてくる利用者どうしの会話，介助者として同乗する場合は，走行中の座位の状態，カーブの強さや左右差による安定性の違いなどさまざまな評価の視点がある．

- 訪問系サービスでは，雨や強風時などの悪天候での移動練習は中止となりやすく評価も難しい．しかし通所リハビリテーションの送迎場面では送迎車両まで

興味・関心チェックシート

氏名：＿＿＿＿＿＿＿＿＿＿＿＿　年齢：＿＿＿歳　性別（男・女）　記入日：H＿＿＿年＿＿＿月＿＿＿日

表の生活行為について，現在しているものには「している」の列に，現在していないがしてみたいものには「してみたい」の列に，する・しない，できる・できないにかかわらず，興味があるものには「興味がある」の列に○をつけてください．どれにも該当しないものは「している」の列に×をつけてください．リスト以外の生活行為に思いあたるものがあれば，空欄を利用して記載してください．

生活行為	している	してみたい	興味がある	生活行為	している	してみたい	興味がある
自分でトイレへ行く				生涯学習・歴史			
1人でお風呂に入る				読書			
自分で服を着る				俳句			
自分で食べる				書道・習字			
歯磨きをする				絵を描く・絵手紙			
身だしなみを整える				パソコン・ワープロ			
好きなときに眠る				写真			
掃除・整理整頓				映画・観劇・演奏会			
料理をつくる				お茶・お花			
買い物				歌を歌う・カラオケ			
家や庭の手入れ・世話				音楽を聴く・楽器演奏			
洗濯・洗濯物たたみ				将棋・囲碁・ゲーム			
自転車・車の運転				体操・運動			
電車・バスでの外出				散歩			
孫・子どもの世話				ゴルフ・グランドゴルフ・水泳・テニスなどのスポーツ			
動物の世話				ダンス・踊り			
友達とおしゃべり・遊ぶ				野球・相撲観戦			
家族・親戚との団らん				競馬・競輪・競艇・パチンコ			
デート・異性との交流				編み物			
居酒屋に行く				針仕事			
ボランティア				畑仕事			
地域活動（町内会・老人クラブ）				賃金を伴う仕事			
				旅行・温泉			
お参り・宗教活動							

生活行為向上マネジメント™

本シートの著作権（著作人格権，著作財産権）は一般社団法人日本作業療法士協会に帰属しており，本シートの全部又は一部の無断使用，複写・複製，転載，記録媒体への入力，内容の変更等は著作権法上の例外を除いて禁じます．

図 9-16 興味・関心チェックリスト

［日本作業療法士協会：興味・関心チェックシート（https://www.jaot.or.jp/files/news/wp-content/uploads/2014/05/seikatsukoui-2kyoumikanshin-checksheet.pdf）（最終確認 2022 年 12 月 22 日）より許諾を得て転載］

の移動のなかで天候が及ぼす移動能力への影響も評価できる．
- 送迎時の座席位置は，片麻痺であれば健側からが移乗しやすいなどの本人の障害特性だけでなく駐車スペースや自宅周辺の交通法規などさまざまな環境要因で決定される．家族と車で出かける際の現実的な指導にも日ごろ送迎時の評価の視点が活きる．

ⅱ）訪問指導
- 訪問指導は通所リハビリテーション計画の作成，家族指導，サービスチームと

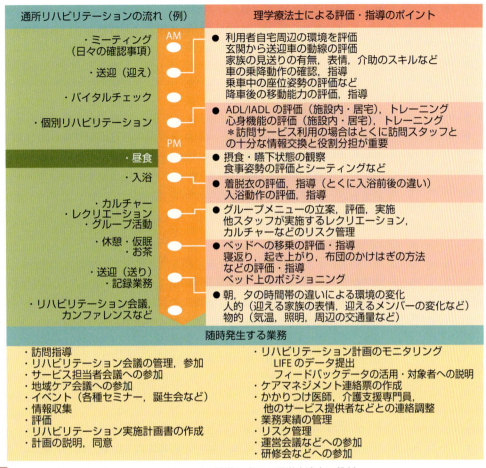

図 9-17 通所リハビリテーションにおけるサービス提供の流れと理学療法士の役割
地域性，事業体の規模などによって理学療法士が担う業務も多様となる．

の連携においてきわめて重要である．

- 訪問指導では，在宅での生活課題の評価，通所リハビリテーション施設でのリハビリテーションアプローチの効果判定，他のサービスチーム，家族への介護方法の指導などを実施する．
- 在宅生活における生活行為の実行状況，方法，安定性，要する時間，介護量，環境整備の状況，歩行支援用具やベッドなどの福祉用具の適合性や介護者の介護技術などを評価し，目標設定や目標達成のための在宅生活での課題を明らかにする．
- 訪問リハビリテーションを併用し，在宅へのリハ職の関与がある場合はリハビリテーション会議などで役割分担を明確にする．
- 訪問の際に確認した室内の移動やトイレ動作などの実行状況だけでなく，天候による室内の明るさ，夜間の状況，夏場と冬場の室温や衣服の違いなど，時間や季節の違いを想定しておくことが必要となる．たとえば玄関ポーチ部に設置する屋外の手すりなど，季節に配慮した改修がなされていない場合は，夏場は

熱く，冬場は冷たすぎて握れないなどのトラブルが起こる．
- また，訪問指導は在宅での環境設定や動作指導だけでなく，職場や地域参加の場に訪問するなど**通所リハビリテーション**の機動性を活かしてこまめな訪問指導を実施する．

b. 機能・動作を改善する視点

①個別リハビリテーション

- 介護支援計画や通所リハビリテーション計画上に位置づけられた目標をサービス担当者会議やリハビリテーション会議を通じて利用者・家族と共有し，具体的な目標達成のための個別リハビリテーションを実施する．
- 対象者は，障害の主たる疾患の発症から長期間経過しているもの，退院後間もないもの，あるいは進行性疾患を有しているものとさまざまである．また発症から濃厚なリハビリテーションサービスを受けてきた利用者や，在宅で生活機能が低下していく過程で一度もリハ職の関与がない利用者もいる．
- 通所リハビリテーションで心身機能が大きく改善することによりADL/IADLが改善する利用者もいれば，心身機能の変化がなくても，環境整備や在宅生活に沿った指導を繰り返し実施することで，生活の自立度が向上する利用者もいる．
- 適切な評価と予後予測に基づいて，主治医，介護支援専門員と協議の上，目標設定と個別リハビリテーションプログラムの作成および目標達成期間の設定が必要である．
- 車いす駆動練習，歩行練習，階段昇降などの移動練習や寝返り，起き上がりなど基本動作練習を実施する場合は，常に具体的な活動目標を設定し，負荷量や在宅環境に配慮して実施する．
- 通所での自立度が向上したADL/IADLは，訪問指導や他の訪問系サービスとの連携を通じて在宅での有効性，安全性などを確認する．
- 心身機能の維持・向上に働きかける場合は，専門職の徒手によるアプローチだけでなく，自主練習メニューを指導する．その際，パンフレットや動画などを利用し，適切にできる工夫をし，現実的な実施種目の選定とカレンダーチェック表などによる実施状況を確認できる工夫から，継続性を担保することが重要である．

②**通所空間での多職種協働によるリハビリテーション・ケア**

ⅰ）休憩室

- 通所リハビリテーション利用中に体調不良などによりベッド上で一時休憩する利用者は少なくない．その際ベッドへの移乗やベッド上での移動，ポジショニングなどで看護・介護職とリハ職が協働できる場面が多い．

ⅱ）ホール

- ホール内の動線なども確認し，適切な移動手段の選定と転倒などのリスク回避にかかわる．またホールなどで実施される，イベントやカルチャー教室，食事時などの姿勢や動作状態も観察し，動作指導やいすやテーブルの高さ調整，車いすシーティングなどの環境調整にも関与する．

- 簡単な指導で食事姿勢の改善に伴い摂食嚥下状態が改善する利用者も多い．食事時のミールラウンドなどに参加し，多職種協働でアプローチする．

ⅲ）浴　室
- 清潔や楽しみとしての入浴だけでなく，在宅での入浴の可能性評価や練習，脱衣所での更衣動作への関与など，看護・介護スタッフと協働で実際の入浴場面へ積極的に関与する．

ⅳ）トイレ
- 排泄場面においても便器への移乗や更衣動作だけではなく，排尿・排便姿勢や便座の形状，高さ，拭き取り動作など排泄行為全体にリハ職の専門性を活かしてアプローチする．たとえば排便姿勢も骨盤前傾位と後傾位では，肛門直腸角の角度が異なり排便のしやすさに影響する．また便座の高さや，手すりのタイプによっても腹圧のかけやすさが異なる．便座の形状や材質も排泄姿勢に影響を及ぼす．失禁のタイプによっては医師，看護師，介護スタッフと連携し骨盤底筋群のトレーニングなど個別リハビリテーションやグループリハビリテーションの場面で取り入れる．

ⅴ）洗面所
- 洗面の姿勢や洗面動作の指導，口腔ケア時の姿勢や動作指導，自助具の選定などへ関与する．

③モニタリング

　同様のアプローチを漫然と続けないためにもモニタリングは不可欠である．期間を設定した目標がどの程度達成されたか，目標やプログラム，環境の変更が必要ないか，最終的な活動目標や地域参加への可能性はどの程度かなど，科学的介護情報システム（LIFE）のフィードバックデータやサービス担当者会議，リハビリテーション会議を通じて定期的に見直す．

2 地域リハビリテーションを担う立場

　通所リハビリテーションで働く理学療法士は，個々の対象者への心身機能，活動，参加への個別的アプローチはもちろん，リハビリテーションマネジメントなどを通して他のサービスチームへのリハビリテーションの視点からの牽引役や，活動と参加に向けた自主グループ形成への援助，地域の新しい受け皿づくりへ向けた提案，そのための関連機関との連携など，さまざまな場面でコーディネーターとしての役割が求められる．

C　まとめ

　介護保険制度下のサービスは，制度の目まぐるしい変化に翻弄されていることは否めない．在宅で生活する障害者や障害高齢者が，できる限り活動的で質の高い生活を送るために何が必要であるかを再考し，通所リハビリテーションの役割と機能，そのなかで理学療法士が担うべき領域を，科学的根拠に基づいて追究し

9-6 通所介護（デイサービス）

一般目標
- 地域ケアサービスのなかで，通所介護（デイサービス）が担う役割を理解する．

行動目標
1. 通所介護で提供するサービスの特徴について説明できる．
2. 通所介護における理学療法士の役割が説明できる．

調べておこう
1. 通所介護の種類とその特徴について調べよう．
2. 障害者総合支援法における「生活介護」について調べよう．

A 通所介護の機能

1 通所介護とは

- 介護保険法において，居宅要介護者が利用できる日帰りの通所サービスである（表9-8）．
- 法的には，定員により居宅サービス*としての通所介護，地域密着型サービス*としての小規模通所介護（18名以下），認知症対応型通所介護，療養通所介護に分類される．

*介護保険サービスの大分類として，①居宅サービス，②施設サービス，③地域密着型サービスがある．

2 通所介護の法的な要件

a. 通所介護の目的
ⅰ）利用者の社会的孤立感の解消
ⅱ）心身の機能の維持
ⅲ）利用者の家族の身体的および精神的負担の軽減

b. 提供すべきサービス
①**基本サービス（法的要件）**
ⅰ）入浴（これに伴う介護を含む）
ⅱ）食事の提供（これに伴う介護を含む）
ⅲ）生活などに関する相談および助言
ⅳ）健康状態の確認
ⅴ）その他，居宅要介護者に必要な日常生活上の世話

表9-8 通所介護の基本方針

指定居宅サービスに該当する通所介護（以下「指定通所介護」という．）の事業は，要介護状態となった場合においても，その利用者が可能な限りその居宅において，その有する能力に応じ自立した日常生活を営むことができるよう生活機能の維持又は向上を目指し，必要な日常生活上の世話及び機能訓練を行うことにより，利用者の社会的孤立感の解消及び心身の機能の維持並びに利用者の家族の身体的及び精神的負担の軽減を図るものでなければならない．

［「指定居宅サービス等の事業の人員，設備及び運営に関する基準」第92条より］

9-6 通所介護（デイサービス）

表9-9 通所介護にかかわる報酬加算サービス（一部抜粋）（2021年度改定）

科学的介護推進体制加算		介護サービスの質の評価と科学的介護の取り組みを推進するために，利用者の基本データ（ADL値，栄養状態，口腔機能，認知症の状況など）をLIFEに提出し，そのフィードバックを活用してケアプランなどに反映させるなど，PDCAサイクルを推進してケアの質を向上させる取り組みをした場合に算定できる加算
ADL維持等加算	（Ⅰ）	要介護状態の重症化予防，高齢者の生活機能の向上と自立支援につなげるため，ADLの維持もしくは改善の度合いを一定水準以上に保つ取り組みをした場合に評価される加算（評価基準によりランクが異なる）
	（Ⅱ）	
	（Ⅲ）	LIFEへのデータ提出とフィードバック情報の活用が必要
栄養アセスメント加算		栄養改善が必要な利用者を把握して，適切なサービスにつなげていくため，管理栄養士と介護職員などの連携による栄養アセスメントの取り組みをした場合に算定できる加算 LIFEへのデータ提出とフィードバック情報の活用が必要
栄養改善加算		低栄養状態にある利用者やそのおそれのある利用者に対して，栄養状態の改善をはかる取り組みをした場合に算定できる加算
個別機能訓練加算	（Ⅰ）イ	機能訓練指導員を配置し，利用者（入所者）に対して個別機能訓練計画書を作成，その計画に基づき機能訓練を実施して，効果や実施方法を評価する取り組みにより算定できる加算（要件によりランクが異なる） （Ⅱ）は，LIFEへのデータ提出とフィードバック情報の活用を行った場合に算定できる
	（Ⅰ）ロ	
	（Ⅱ）	
口腔・栄養スクリーニング加算	（Ⅰ）	利用者の栄養状態と口腔の健康状態の確認を行うことで算定できる加算（要件によりランクが異なる）
	（Ⅱ）	
口腔機能向上加算	（Ⅰ）	口腔機能が低下している，またはそのおそれのある利用者に対して口腔機能向上の取り組みをすることで算定できる加算 （Ⅱ）は，LIFEへのデータ提出とフィードバック情報の活用を行った場合に算定できる
	（Ⅱ）	
若年性認知症利用者受入加算		若年性認知症患者を受け入れ，個別ニーズに応じたサービス提供をすることで算定できる加算
生活機能向上連携加算	（Ⅰ）	リハビリテーション専門職や医師が通所介護事業所などを訪問またはICT活用し，共同でアセスメント（評価）を行い，個別機能訓練計画などを作成することを評価する加算（要件によりランクが異なる）
	（Ⅱ）	
中重度者ケア体制加算		中重度者（要介護3以上）の受け入れ態勢を整えることによる加算
入浴介助加算	（Ⅰ）	入浴中の利用者の観察を含む，介助を行う場合に算定．観察とは，利用者の自立支援やADL能力などの向上のための見守り的な援助で，極力利用者自身の力で入浴できるように，必要に応じて介助，転倒予防のための声がけ，気分の確認などを行う場合に算定できる加算
	（Ⅱ）	自宅で入浴できることを目的として入浴環境や動作を評価の上，個別入浴計画を作成して介助を行っていくことで算定できる加算
認知症加算		認知症の要介護者に対してサービスを行った場合に算定される加算（人員要件，利用者要件を満たした場合のみ）

vi）機能訓練

②加算サービス

- 日常生活にかかわる介護などの基本サービスの他，高齢者などの健康を維持向上するために必要と考えられる選択サービスが，報酬加算サービスとして提供される（**表9-9**）．
- 個別機能訓練加算については，単に心身機能向上だけを視野におくのではなく，生活機能向上を視野に入れた加算要件である．
- その他，認知症者や中重度者への受け入れに対する加算などもある．

③その他

- 通所が困難な者に対して**送迎サービス**が行われる．
- その他，各種アクティビティ*の提供など，通所介護の目的に応じたサービス

＊**アクティビティ** 集団的に，または個別に行われるレクリエーション，創作活動などの機能訓練のこと．

*生活相談員　社会福祉士，精神保健福祉士，社会福祉主事任用などの有資格者やその他，自治体により，条件付きで認められる資格，経験で，職務につくことができる．その業務は，通所介護の利用者の受け入れに関する諸手続き，家族やケアマネジャー，他事業所との連絡調整，事業所内での調整など，内外の連絡調整役を担う役割であることが多い．

*機能訓練指導員　p.84，用語解説参照

表 9-10　通所介護の人員基準

職種名	配置要件
管理者	事業所ごとに 1 名以上（常勤）
生活相談員*	サービス提供時間数に応じて，専ら通所介護サービスの提供にあたる生活相談員が 1 名以上
介護職員	サービス提供時間数に応じて，利用者数が 15 名までは 1 名以上，それ以上 5 またはその端数を増すごとに 1 を加えた数以上
看護職員	専ら通所介護サービスの提供にあたる看護職員 1 名以上（提供時間を通じて専従する必要はないが，提供時間帯を通じて事業所と密接かつ適切な連携をはかること）
機能訓練指導員*	専ら通所介護サービスにかかわる機能訓練指導員 1 名以上

を提供する．

c．その他，法的に定められている要件

- 人員（**表 9-10**），設備，運営に関する基準が法的に定められている．
- 通所介護の法的な人員基準として，理学療法士の配置は絶対的要件ではない．

3 通所介護のサービス提供の意義

　通所介護におけるサービスの意義を利用目的ごとにまとめると以下のとおりである．

　通所介護のサービス提供意義を理解するには，「**生活機能低下の悪循環**」および「**生活機能向上の良循環**」の理解が必要となる（**図 9-18，19**）．

a．利用者の社会的孤立感の解消

　社会的孤立感は，人と人との関係，つまり，人の「**参加**」レベルにおいて健康が阻害された状態である．通所介護においては，**人と人とのかかわりへの着目**が重要である．

①対象となる利用者像
- 利用者は，心身機能や移動能力の問題などにより，外出する機会が減少しやすく，そのため生活範囲が狭くなりがちである．
- 生活範囲が狭まると，他者と交流する機会が減少しやすい．
- また，生活範囲の狭小化は，社会生活のなかで個人が所属する集団数（**所属集団**）を減少させる．さらに自己の価値基準の枠組みに影響を与える「**準拠集団***」から離脱した状態をつくりやすい．
- 帰属する「集団」を失うことは，自己確認の場や自己尊重感を抱く機会を減少させる．
- 所属欲求が満たされないことは，個人の心理的不安や緊張を高める因子となる．

②通所介護における効果
- 「送迎サービス」がある場合，外出困難者でも，自宅から外出することが容易になる．
- 複数の利用者が通う「場」であり，他者との交流の機会が得られ，さまざまな活動を通じて，新しい仲間づくりのきっかけができる．
- 他者との交流から，利用者が自己を再確認する場となる．

*準拠集団 reference group　社会学，社会心理学の用語．個人の行動は，個人の価値観や信念などにより決定されるだけでなく，集団からの影響を受ける．これら個人の意見，態度，判断，行動などの基準となる枠組みを準拠枠といい，この枠組みを提供する集団を準拠集団という．個人はこの集団との関係において，自己を評価し行動の変容がみられる．

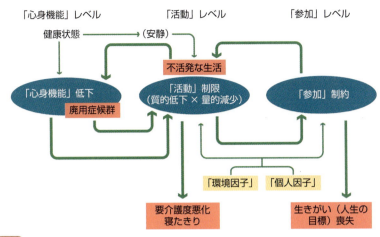

図 9-18　生活機能低下の悪循環

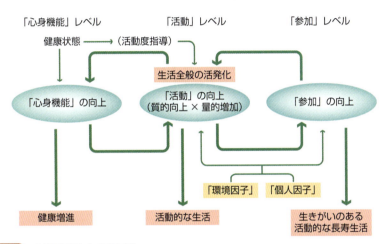

図 9-19　生活機能向上の良循環

- 他の利用者の様子を直接みることや，同じような生活状況にある他者からの情報を得ることで，自己の可能性を認識する機会となる．
- 「集団」がもたらす個人への心理的好影響が，個々の生活機能向上に良循環を与える．
- 「○○さんと話がしたい」「このようなアクティビティを行いたい」など，楽しみや目的をもって通所することができれば，個々の利用者にとって，意味ある参加の場となる．
- ただし，集団ケアの悪影響として，没個性化や孤立感の増強などが生じないよう，十分な注意が必要である．

b. 心身の機能の維持

心身機能の維持には，通所介護での直接的なアプローチを考えるだけでなく，日常のなかで，心身の潜在的な能力を活用した生活行為を行い，かつ，適切な活動量が保たれた生活を営むことを視野に入れる．

図 9-20 アクティビティの一例

① 対象となる利用者像
- 利用者は，疾病など心身機能に何らかの問題を有しており，さらに，心身機能に変化が起こりやすい．
- 利用者の生活状況は不活発になりやすく（**活動の制限**），それが心身機能の低下を招き，いっそう，生活機能を低下させるという悪循環につながりやすい．
- 日常生活のなかで，心身の機能に合わせた生活行為が行えていない場合がある．
- 活動の基盤となる座り姿勢など日常の姿勢や，動作方法が，生活習慣のなかで，好ましくない状態に陥っている場合がある．
- アライメントの崩れた姿勢は，潜在的な動作能力が十分に発揮できないだけではなく，筋緊張の亢進や変形，拘縮などの身体的な機能低下の要因となる．
- 同様に，過剰努力を要する動作や身体に負担を与える介助方法なども，機能低下の原因となる．

② 通所介護における効果
- 各種専門職が配置されているため，利用者の多岐にわたる健康管理（リスク管理）が可能である．
- 利用時間が比較的長いため，日中の経時的な心身の様子が把握できる．
- 定期的な利用により，心身の変化が把握できる（早期発見と早期対応が可能）．
- 利用者の心身機能の低下予防や改善，生活行為能力改善にかかわるサービスを提供できる（個別機能訓練，栄養改善，口腔機能の向上など）．
- 近年，リハビリテーション特化型または機能訓練特化型デイサービスという名称を用いて，身体機能の維持向上への取り組みに特化した通所介護も運営されている．
- 各種専門職の連携による，障害に対応した配慮のもと，利用者が安心して安全にさまざまなアクティビティ（図9-20）に参加することができる．
- さまざまなアクティビティ参加の機会提供とその実現が，利用者の活動の機会を増やし，**自己効力感***を高め，そのことが，日常における活動の向上へとつながる．

***自己効力感** self efficacy
心理学用語．ある具体的な状況において，適切な行動を成し遂げられるか否かという，自己の予測や確信をいう．人は自己効力感を通して，自分の考えや，感情，行為をコントロールしている．自己効力感は，小さな成功体験を繰り返し蓄積することで高めることができる．

c. 利用者の家族の身体的および精神的負担の軽減

ケアサービスの基本は，対象となる利用者自身を主体として考えるものである．

しかし，利用者の在宅生活の継続には，利用者が所属する最も身近な集団（家庭）を構成する「**家族**」**の生活**を考慮することも大切である．

①**対象となる利用者像**
- 利用者は日常生活において，家族による何らかの介護が必要となっている．
- 利用者の家族は，介護の発生によって，自らの生活様式の変更や肉体的負担，時間的な制約，さらにこれらに伴う精神的なストレスを抱える状況となりやすい．
- 介護が要因となる家族の心身の過負担は，利用者の在宅生活の継続を阻む因子になりやすい．

②**通所介護における効果**
- 食事，排泄や入浴，さらに見守りなど，日中に家族が担っている介護を代行することができる（**介護負担の軽減**）．
- 日中の介護を任せられることで，家族が自分の時間をもてるようになる．
- 自由な時間がもてることや，介護による身体的負担が軽減することにより，家族の精神的な負担も軽減する．
- 利用者に合わせた介護方法や生活上の工夫など，通所介護のスタッフの助言により，介護に関する家族の不安を軽減することができる．
- 通所介護がもたらす利用者への良効果と，家族の心身のストレスの軽減が，利用者とその家族の良好な関係を保ち，在宅生活の継続に結びつく．

4 通所介護のサービス提供の実際

a. 通所介護計画に基づいたサービスの提供
- サービス提供においては，スタッフ全員が，利用者個々のケア目標を共有し，それに基づいたかかわりを行うことが重要である．
- 個々の利用者に応じたケアを実行するために，**通所介護計画**に基づいたサービスを実施する．
- 通所介護計画は，在宅での生活全般の課題と支援の方向性が示された，**居宅サービス計画（ケアプラン）**（居宅介護支援専門員［ケアマネジャー］が作成）に基づいたものでなければならない．
- 通所介護計画は，生活相談員を中心に多職種が協働して作成する．
- 通所介護計画作成には，その内容に関して，利用者や家族の合意と計画書の交付が義務づけられている．
- その他，各種加算サービスにも各々「計画書」に基づくサービス提供が求められる．

b. 他サービス機関との連携
- 利用者の生活像全体の把握や状況の変化など，適宜適切な情報を得ることは，適切な通所介護のサービスを提供するために不可欠である．
- 居宅介護支援専門員をはじめ，他サービス機関との情報交換は，利用者の生活機能の向上を効果的にする．
- 利用者本人や家族，他サービス機関関係者と，目標，現状の課題などを共有す

るのに役立つサービス担当者会議*（ケアカンファレンス）への参加は重要である．

*サービス担当者会議　介護支援専門員が，効果的かつ実現可能な質の高い居宅サービス計画（ケアプラン）とするために開催する会議．利用者の状況などに関する情報を各サービス事業担当者と共有するとともに，専門的見地からの意見を求め調整をはかる．

B　通所介護における理学療法士の役割，業務

1 理学療法士としての立場

　生活支援場面における理学療法士の役割は，個々の対象者の「生活機能の維持向上」を目指したアプローチを行うことにある．

　通所介護では，理学療法士の直接的なかかわり方は，事業所のサービス提供のあり方により異なるが，その視点は同じといえる．

a. 評価の視点

- 通所介護における最大の特徴は，評価という限られた場面を設定するだけではなく，利用者の通所サービス利用中のさまざまな活動場面から，無意識下で実行している動作などの評価が可能であることがあげられる．むしろ，この活動場面での評価が重要といえる．

①**対象者のニーズ把握**
- 居宅サービス計画書（ケアプラン）に記載されている「総合的な支援の方向性」の理解や生活課題の把握とともに，通所介護サービスや機能訓練に対する要望の確認を行う．
- 興味や関心事項，自宅での生活状況は，個々の目標を具体化するためには重要な情報となる．

②**対象者の身体能力，動作能力の把握（可能性の把握）**
- 単に，「している」「していない」という実行能力の把握だけでなく，**潜在的な身体能力（可能性）**の把握を行う．

③**生活習慣から生じる予後予測（リスクの把握）**
- 24時間，1週間，1ヵ月の生活状況を知り，日々の活動内容や活動量を確認し，廃用症候群に対する**リスクの把握**を行う．
- 身体に悪影響を与える生活習慣（日常姿勢や動作）についてのリスク評価を行う．
- 通所サービスでは，訪問サービスに比べて，継時的な様子観察ができるため，姿勢の評価などには適している．
- 通所サービス利用中のさまざまな活動場面でみられる動作から，日常生活での課題を推測することができる．

④**生活環境の評価**
- 生活期の生活機能向上，維持を考える場合，個々の対象者の身体，動作能力に加えて，生活環境（物的環境）の影響が大きい．よって自宅環境の評価は個々のアプローチを考えるために重要である．
- 生活環境確認のための訪問は個別機能訓練加算の要件でもある．

b. 機能・動作を改善する視点

前述の評価のもと，個々の対象者の「可能性は伸ばす」「リスクは防ぐ」ことを考える．

①可能性を伸ばす
- 潜在的能力の評価のもと，実際の生活行為能力とのギャップを比較して，そのギャップを生じさせている要因を分析する（環境的要因と人的要因）．
- 心身機能の状態から，できると考えられる生活行為は実施できるよう支援を考える．
- 物理的な生活環境の改善（住宅改修や福祉用具の活用）や，利用者の動作方法を改善することで，生活の可能性が拡大することも多く，自宅で実践できるように，その改善策を策定し提案する．
- 通所施設内では，自宅環境をシミュレーションして，必要動作のトレーニングを実施することも検討する．
- 生活の可能性が拡がることは，利用者の生活意欲にも波及し，それにより，日常の活動性を向上させ，廃用性障害を防ぐことにもつながる．

②生活機能低下のリスクを防ぐ
- 活動量の向上については，興味や関心事項，自宅での生活状況を加味して，日常的に取り組みやすい内容を精査し提案する．
- 活動内容や活動量の目安を具体的に示すことが，実践につながりやすい．
- 自宅では十分活用できていない心身機能を活発に活用できるよう，通所介護での活動内容を検討する．
- アライメントの崩れた姿勢や，筋の緊張が過剰に高まるような動作，身体に負担を与える介助などは，身体機能評価のもと，環境整備（福祉用具の活用など）や動作トレーニング，介助方法の変更を検討する．
- 必要があれば，利用者を直接介助する家族や介護職に介助方法の伝達も実施する．

2 地域リハビリテーションを担う立場

地域リハビリテーションを担う立場として，通所介護サービスを利用する利用者1人ひとりが活き活きとした生活が送れるよう，提供するケアサービス全体へのかかわりも大切である．

a. コーディネーターとしての視点
- 通所の「場」では，入浴や食事のような日常的な介護を提供するだけでなく，利用者が，より活動的になれるよう支援することが求められている．
- 通所介護サービスでの利点は，仲間とともに楽しみながら，また好きなアクティビティを通じて，活動を高める取り組みができることにある．
- さらに，そこに理学療法士としての視点が加われば，個々の対象者の身体，動作能力に応じた工夫や配慮を行うことができるため，より自発的にそして活動的にアクティビティに参加することができ，その楽しみも倍増するものと考えられる．

- 人は「やってみよう」「やりたい」などの意志があるからこそ，活動につながり，生活機能向上の好循環が生まれる．
- また，高齢者の身体特性に応じた集団体操の組み立てを行うなど，アクティビティメニューづくりへの参画も有用である．
- 通所介護利用時の，送迎，入浴，排泄など，利用者個々人に応じた動作方法や介助方法を他職種とともに検討することも，利用者が安全かつ安心して通所介護サービスを利用できることにつながる．

b. 仕組みを考える視点

- 利用者は，訪問サービスなど，他のサービスを併用していることがあるため，事業所内だけでなく，他事業所との連携も大切となる．
- サービス担当者会議以外は，事業所間連携など定まった形式がないため，地域事情や，個々の利用者に応じて，最も有効な連携方法を検討することも求められる．
- 自宅での生活行為に課題が生じている場合，家族だけでなく訪問介護員など，日常生活をサポートしている人との連携を視野に入れる必要がある．
- また，利用者が利用している他サービスにおいて，理学療法士などの同職種がかかわりをもっていることも少なくない．ともに，利用者の生活機能の維持向上のために，**協働し合える関係**をつくりあげることが重要といえる．

学習到達度自己評価問題

1. 社会的孤立が，利用者の生活機能にどのような悪影響を及ぼすか，まとめなさい．
2. 通所介護でのさまざまなアクティビティ参加が，利用者の生活機能にどのような好影響を生じさせるかまとめなさい．
3. 家族の介護負担を軽減させる意味について，述べなさい．
4. 通所介護事業に理学療法士が携わることが，利用者にどのような利点をもたらすか列挙しなさい．

各論
10 介護予防と健康増進

10-1 介護予防と健康増進の概念

一般目標
1. 介護予防の概念を理解する.
2. 要介護状態の前段階にある2次予防の対象者像を理解する.
3. 介護予防の効果的な取り組みを理解する.
4. 健康増進の概念を理解する.

行動目標
1. 介護予防の概念を説明できる.
2. 要介護状態の前段階にある2次予防の対象者像を説明できる.
3. 介護予防の効果的な取り組みを説明できる.
4. 健康増進の概念を説明できる.

調べておこう
1. 動的バランストレーニングには,どのような方法があるか難易度別に調べよう.
2. 自宅内で転倒が発生しやすい場所,状況について調べよう.
3. 健康日本21(第二次)に掲げられている各目標値を調べよう.

A 介護予防

1 介護予防の概念

　近年,高齢者の健康は病気の有無や寿命で表されるのではなく,自立した日常生活を送っているかどうかが有用な指標であるとされている.この日常生活の自立,つまり生活機能の維持・向上を目指すことが介護予防の理念である.**表10-1**に示すように,疾病予防と同様に3つの予防段階に分けて考えられる.介護予防における**1次予防**とは,活動的で元気な状態から虚弱状態に陥ることを防ぐことであり,**2次予防**とは虚弱な高齢者における生活機能低下を早期に発見し,適切な対応をすること,**3次予防**とは,要介護状態にある者のさらなる重症化を防ぎ,改善への取り組みを行うことである.

　介護予防は65歳の高齢者になった途端に始まるのではなく,中年期における

表 10-1　疾病予防と介護予防の概念の比較

	1 次予防	2 次予防	3 次予防
生活習慣病予防	健康づくり 疾病予防	疾病の早期発見，早期治療	疾病の治療，重症化予防
（対象と実施例）	健康者を対象に病気にならないための予防活動を実施する．たとえば，ウォーキングの普及活動，禁煙指導など	疾病の早期発見のために健康診断を行い，病気が発見された人に対し，早期治療を行う	病気を患った者を対象に，疾病が重症化しないよう，再発しないよう適切な治療を行い，機能障害を改善するためリハビリテーションを実施する
介護予防	虚弱状態に陥ることの予防	生活機能低下の早期発見，早期対応	要介護状態の改善・重症化の予防
（対象と実施例）	非要介護認定の高齢者を対象に，虚弱状態にならないための予防活動を実施する．たとえば，有酸素運動の指導や社会参加の促進など	虚弱な高齢者を早期に発見し，身体的，精神・心理的，社会的な要因に対して適切な支援や介入を行う	要支援・要介護状態にある高齢者に対し，その状態が改善に向かうよう，さらに重度化しないよう，適切な取り組みを行う

［厚生労働省：総合的介護予防システムについてのマニュアル（改訂版），2009（https://www.mhlw.go.jp/topics/2009/05/dl/tp0501-1b.pdf）（最終確認 2022 年 7 月 11 日）を参考に作成］

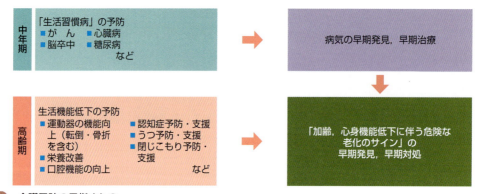

図 10-1　介護予防の目指すもの
［厚生労働省：介護予防マニュアル概要版，2009（https://www.mhlw.go.jp/topics/2009/05/dl/tp0501-1a.pdf）（最終確認 2022 年 7 月 11 日）より引用］

生活習慣病の予防から継続的に介護予防が始まっているといえる（図 10-1）．高齢期には疾病予防に加え，生活機能低下の予防という視点が加わり，加齢や心身機能低下に伴う危険な老化のサインを早期発見するのが，介護予防の目指すところとされる．

2　要支援・要介護状態となる原因

　要支援の状態，つまり日常生活に誰かの見守りが必要になる主な原因の第 1 位は関節疾患であり，2007（平成 19）年以降，約 17〜20％を占めている（図 10-2）．骨折・転倒は，2013（平成 25）年以降，脳血管疾患を抜いて第 3 位（約 15％）である．このことから，膝，股関節などの関節疾患の予防や，それによる疼痛，筋力低下による歩行能力の低下を防ぐこと，転倒の予防や転倒しても骨折にいたらないような環境整備が要支援状態の予防には重要であるといえる．

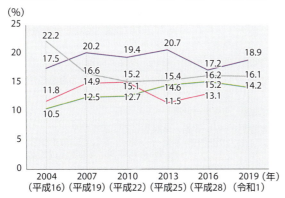

図 10-2 要支援者の介護が必要となった主な原因（上位4位）
[厚生労働省：国民生活基礎調査 結果の概要（令和1年は上位3位のみ公表）を参考に作成]

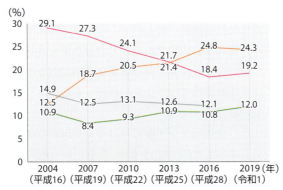

図 10-3 要介護者の介護が必要となった主な原因（上位4位）
[厚生労働省：国民生活基礎調査 結果の概要（令和1年は上位3位のみ公表）を参考に作成]

　一方，要介護状態，つまり日常生活を営むのに誰かの直接的な介護が必要になる原因の第1位は脳血管疾患であったが，徐々に減少し，代わって増加傾向にあった認知症が2016（平成28）年以降，第1位を占めるようになった（**図10-3**）．介護予防の3次予防は認知症高齢者に対する対応が急務であり，運動療法を用いた理学療法士による取り組みも進められている．

③ 2次予防の対象者像

　要介護状態の前段階にある2次予防の対象者像については，さまざまな観点から提唱されている．

a．生活機能低下のリスク要因

　厚生労働省は，要介護状態へ陥りやすい**生活機能低下のリスク要因**を6つ提示しており（欄外参照），これらのリスクを有する高齢者に着目し，介護予防の取り組みが行われてきた．

生活機能低下のリスク要因
・運動器機能低下（下肢筋力低下，歩行能力低下，転倒しやすさなど）
・低栄養（低体重，血清アルブミンの低下など）
・口腔機能の低下（咬合力の低下，義歯の不適合，嚥下機能の低下など）
・認知機能の低下
・うつ
・閉じこもり（日常の外出頻度が週1回程度以下）

表 10-2 2020 改定日本版 CHS 基準（J-CHS 基準）

項目	評価基準
体重減少	6 ヵ月で，2 kg 以上の（意図しない）体重減少 基本チェックリスト #11
筋力低下	握力：男性＜28 kg，女性＜18 kg
疲労感	（ここ 2 週間）わけもなく疲れたような感じがする 基本チェックリスト #25
歩行速度	通常歩行速度が＜1.0 m/秒
身体活動	①軽い運動・体操をしていますか？ ②定期的な運動・スポーツをしていますか？ 上記の 2 つのいずれも「週に 1 回もしていない」と回答

[判定基準] 3 項目以上に該当：フレイル，1〜2 項目に該当：プレフレイル，該当なし：ロバスト（健常）
[国立長寿医療研究センター：日本版 CHS 基準（J-CHS 基準）（https://www.ncgg.go.jp/ri/lab/cgss/department/frailty/documents/J-CHS2020.pdf）（最終確認 2022 年 8 月 15 日）より引用]

*フレイル　当初は frailty の訳語として「虚弱」が用いられてきたが，2014 年，日本老年医学会より訳語として「フレイル」を用いることが提唱された．

CHS：cardiovascular health study

*スクリーニング　健康な人も含めた集団から，目的とする疾患に関する発症者や発症が予測される人を選別する医学的手法のこと

*運動器不安定症　11 の運動器疾患と，日常生活の機能評価基準などから診断される．詳しくは，日本整形外科学会ホームページを参照（https://www.joa.or.jp/jp/public/locomo/mads.html）

memo
ロコモティブシンドロームは，国民の健康の増進を進めるための基本方針である健康日本 21（第二次）において，国民の認知度を 2022（令和 4）年度までに 80％とすることが目標とされていたものの 45％程度にとどまった．

b. フレイル

フレイル*とは，加齢とともにさまざまな臓器機能変化や恒常性が低下し，さまざまな疾病，不活発な生活習慣，筋力低下，口腔機能の低下などが原因となって陥る，文字どおり「脆弱な」状態である．おおむね要介護状態の一歩手前の段階とされるものの，適切な介入により再び健常な状態に戻る可逆性がある状態である．フレイルには身体的側面だけでなく，精神・心理的，社会的側面など多面的な要素が含まれている．

フレイルの評価には，身体的フレイルに注目した Fried らの評価基準を日本人向けに修正した改定日本版 CHS 基準（J-CHS 基準）が一般的に用いられる．**表 10-2** に示す 5 つの項目のうち，3 項目以上該当するとフレイル，1 から 2 項目の該当はプレフレイルと評価される．厚生労働省が介護予防における 2 次予防の対象者を早期発見するために作成した**基本チェックリスト**（表 10-3）は，フレイルの身体的，精神・心理的，社会的側面を含む自己回答式の 25 の質問から構成されており，フレイルのスクリーニング*にも用いられている．

c. ロコモティブシンドローム（ロコモ）

関節疾患は要支援状態となる原因の第 1 位（図 10-2）であるように，高齢になると，膝痛や股関節痛，下肢のしびれなど，複数の運動器疾患を合併するようになる．そこで，個々の疾患に治療を施すだけでなく，運動機能の低下そのものを総体的に疾患としてとらえようという考え方が生まれた．

「高齢化に伴って運動機能低下をきたす運動器疾患により，バランス能力および移動歩行能力の低下が生じ，閉じこもり，転倒リスクが高まった状態」を**運動器不安定症***と定義し，診断基準が定められている．

その後，運動器不安定症の前段階でもあり，より広義の概念として，**ロコモティブシンドローム**（略称**ロコモ**）が提唱された．ロコモティブ locomotive は「運動の」という意味である．ロコモティブシンドロームは「運動器の障害により移動機能が低下した状態」と定義され，高齢者だけでなく将来の運動機能低下と要介護状態への移行を予防するために，若年層もターゲットとされている．

表 10-3　基本チェックリスト

No.	質問項目	回答		リスク要因
1	バスや電車で1人で外出していますか	0.はい	1.いいえ	
2	日用品の買い物をしていますか	0.はい	1.いいえ	
3	預貯金の出し入れをしていますか	0.はい	1.いいえ	
4	友人の家を訪ねていますか	0.はい	1.いいえ	
5	家族や友人の相談にのっていますか	0.はい	1.いいえ	
6	階段を手すりや壁をつたわらずに昇っていますか	0.はい	1.いいえ	運動器
7	いすに座った状態から何もつかまらずに立ち上がっていますか	0.はい	1.いいえ	
8	15分くらい続けて歩いていますか	0.はい	1.いいえ	
9	この1年間に転んだことがありますか	1.はい	0.いいえ	
10	転倒に対する不安は大きいですか	1.はい	0.いいえ	
11	6ヵ月間で2～3kg以上の体重減少がありましたか	1.はい	0.いいえ	栄養・口腔機能
12	身長　　cm　体重　　kg（BMI＝　　）*			
13	半年前に比べて固いものが食べにくくなりましたか	1.はい	0.いいえ	
14	お茶や汁物などでむせることがありますか	1.はい	0.いいえ	
15	口の渇きが気になりますか	1.はい	0.いいえ	
16	週に1回以上は外出していますか	0.はい	1.いいえ	閉じこもり・認知機能
17	昨年と比べて外出の回数が減っていますか	1.はい	0.いいえ	
18	周りの人から「いつも同じことを聞く」などの物忘れがあると言われますか	1.はい	0.いいえ	
19	自分で電話番号を調べて，電話をかけることをしていますか	0.はい	1.いいえ	
20	今日が何月何日かわからないときがありますか	1.はい	0.いいえ	
21	（ここ2週間）毎日の生活に充実感がない	1.はい	0.いいえ	うつ
22	（ここ2週間）これまで楽しんでやれていたことが楽しめなくなった	1.はい	0.いいえ	
23	（ここ2週間）以前は楽にできていたことが，いまではおっくうに感じられる	1.はい	0.いいえ	
24	（ここ2週間）自分が役に立つ人間だと思えない	1.はい	0.いいえ	
25	（ここ2週間）わけもなく疲れたような感じがする	1.はい	0.いいえ	

*BMI＝体重(kg)÷身長(m)÷身長(m)　が18.5未満の場合に該当とする．

BMI：body mass index

基本チェックリストによる要介護状態の前段階（フレイル）の判断方法*
- No 6～10の合計が3点以上
- No 11～12の合計が2点
- No 13～15の合計が2点以上
- No 1～20の合計が10点以上

*いずれかに該当する場合．

[厚生労働省：基本チェックリスト（https://www.mhlw.go.jp/topics/2009/05/dl/tp0501-1f_0005.pdf）（最終確認2022年7月11日）を参考に作成]

　ロコモティブシンドロームの前兆を簡便に評価するために，7項目からなる「ロコチェック」が作成されている（**表10-4**）．3段階に区分されたロコモティブシンドローム状態（ロコモ度）を評価するには，実際に動いて計測する2つのテスト（立ち上がりテスト（**図10-4**），2ステップテスト（**図10-5**）と25項目の質問票（ロコモ25）のいずれかを用いる．これらの結果から，移動能力の低下が始まっている「ロコモ度1」，低下が進行した「ロコモ度2」，さらに社会参加に支障をきたしている「ロコモ度3」が判定される．なお，ロコモ度3は運動器が原因の身体的フレイルに相当する．

d.　サルコペニア

　サルコペニア*とは，高齢期にみられる骨格筋量の低下と筋力もしくは身体機能

*サルコペニア　1989年にローゼンバーグ（Rosenberg）によって提唱された概念で，筋肉（ギリシャ語：sarx）と減少（penia）による造語である．

表 10-4 ロコモティブシンドロームの自己チェック票（ロコチェック）

①	片脚立ちで靴下がはけない
②	家の中でつまずいたりすべったりする
③	階段を上がるのに手すりが必要である
④	家のやや重い仕事が困難である（掃除機の使用，布団の上げ下ろしなど）
⑤	2 kg 程度の買い物をして持ち帰るのが困難である（1 リットルの牛乳パック 2 個程度）
⑥	15 分くらい続けて歩くことができない
⑦	横断歩道を青信号で渡りきれない

1つでも該当する場合，ロコモティブシンドロームの可能性がある．
[日本整形外科学会：ロコモティブシンドローム予防啓発公式サイトロコモオンライン]

1）テスト方法

<両脚の場合>

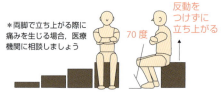

<片脚の場合>

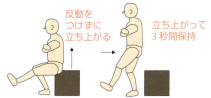

1. 10・20・30・40 cm の台を用意します．
   まず 40 cm の台に両腕を組んで腰掛けます．このとき両脚は肩幅くらいに広げ，床に対して脛（すね）がおよそ 70 度（40 cm の台の場合）になるようにして，反動をつけずに立ち上がり，そのまま 3 秒間保持します．

2. 40 cm の台から両脚で立ち上がれたら，片脚でテストをします．基本姿勢に戻り，左右どちらかの脚を上げます．このとき上げたほうの脚の膝は軽く曲げます．反動をつけずに立ち上がり，そのまま 3 秒間保持してください．

2）測定結果

<片脚 40 cm ができた場合>
→低い台での片脚テストを行う
・左右とも片脚で立ち上がることができたいちばん低い台がテスト結果となる

<片脚 40 cm ができなかった場合>
→30 cm から始め両脚テストを行う
・両脚で立ち上がることができたいちばん低い台がテスト結果となる

3）結果の判定方法

ロコモ度 1：両脚 10 cm もしくは両脚 20 cm

ロコモ度 2：両脚 30 cm

ロコモ度 3：両脚 40 cm もしくは不能

図 10-4 ロコモ度テスト その 1：立ち上がりテスト
[日本整形外科学会：ロコモティブシンドローム予防啓発公式サイトロコモオンライン]

EWGSOP：The European Working Group on Sarcopenia in Older People

SPPB：short physical performance battery

の低下からなる骨格筋疾患である．最新の定義は，2018 年に欧州サルコペニアワーキンググループ（EWGSOP 2）によって「筋肉量低下に加えて筋力低下もしくは身体機能低下を認め，転倒・骨折，身体機能障害および死亡などの転帰不良の増加に関連しうる進行性および全身性に生じる骨格筋疾患」とされている．診断には骨格筋量，筋力，身体機能の 3 つが評価され，筋力は握力が，身体機能は歩行速度，5 回いす立ち上がりテスト，SPPB が用いられている．握力は下肢に比べて加齢の影響が少ないことから，握力の低下が顕在化している場合には，日常

1) テスト方法

1. スタートラインを決め，両足のつま先を合わせます
2. できる限り大股で2歩歩き，両足を揃えます（バランスを崩した場合は失敗とし，やり直します）
3. 2歩分の歩幅（最初に立ったラインから，着地点のつま先まで）を測ります
4. 2回行って，よかったほうの記録を採用します
5. 以下の計算式で2ステップ値を算出します

2) 結果の判定方法

ロコモ度1：2ステップ値が1.1以上1.3未満

ロコモ度2：2ステップ値が0.9以上1.1未満

ロコモ度3：2ステップ値が0.9未満

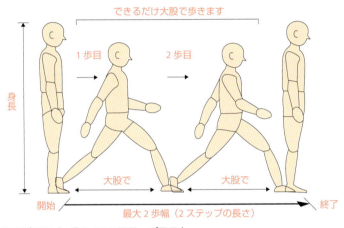

■2ステップ値の算出方法
2歩幅（cm）÷身長（cm）＝2ステップ値

図 10-5 ロコモ度テスト その2：2ステップテスト
[日本整形外科学会：ロコモティブシンドローム予防啓発公式サイトロコモオンライン]

生活の活動性に重要な役割を果たす下肢の筋力低下は先行して加速している可能性が高い．アジア人向けの診断基準は，AWGS2019として発表された．

e．軽度認知障害（MCI）

軽度認知障害（MCI）は，正常加齢と認知症の間に位置する知的グレーゾーンとしてクローズアップされてきた概念である．MCI高齢者のおよそ半数は5年以内にアルツハイマー病に移行することが明らかにされており，正常高齢者とは明らかに異なる高い発症率を示している．一方でMCI高齢者のなかには正常認知機能へ自然回復する者も含まれており，MCIは認知症に進行しうる前駆段階を含む状態と考えられる．

アルツハイマー病の根本治療法がまだない現時点では，その前駆段階であるMCIの早期診断と早期介入による発症予防，あるいは発症の先送りは，認知症予防の重要な取り組みである．

MCIの判定基準を欄外に示す．実際の検査内容や基準値は明確にされていない．

4 介護予防の効果的な取り組み

ここでは要介護状態の主要な原因のうち，転倒と認知症の予防について，エビ

AWGS：Asian Working Group for Sarcopenia

MCI：mild cognitive impairment

MCIの判定基準
・本人や家族から物忘れ（認知機能低下）の訴えがある
・全般的な認知機能は正常とはいえないが，認知症の診断基準は満たさない
・IADLに障害はあっても，ADLは保たれている

IADL：instrumental activities of daily living
ADL：activities of daily living

表 10-5 転倒予防と認知症予防の効果的な取り組み*

		介護予防		
		1次予防	2次予防	3次予防
転倒予防	運動療法	・動的バランス，歩行，筋力トレーニングを組み合わせた運動療法		・運動療法単独は不可 ・運動療法，住環境整備，補装具のメンテナンス，スタッフへの転倒予防教育による複合的取り組み
	住環境の整備	・住環境評価に基づき，適切な改善を行う（理学療法士，作業療法士による評価，改善が有効）		
	ビタミンD	・筋肉量の増加などを促す（高用量の摂取が必要であるため，食事指導のみで効果を得るのは難しい）		
認知症予防	非薬物療法	有酸素運動	（有酸素運動により進行が抑制されるという報告もあり）	―

*エビデンスの確立されたもの．

デンスの確立された効果的な取り組みについて述べる．概要は表 10-5 にまとめた．

a. 転倒予防

①運動療法

　運動療法による取り組みが転倒率を減少させることは，最も推奨レベルの高いグレード A として効果が認められている．なかでも，動的バランストレーニングが転倒率を減らす効果が最も高いとされている．現時点では，対象者の身体状況に合わせたバランス，歩行，筋力トレーニングを選択し組み合わせるのが，転倒予防を目的とした望ましい運動療法とされている．

　介護予防の 3 次予防対象者，すなわち，すでに要介護状態になっている高齢者の転倒，再転倒を予防する場合，運動療法のみによる取り組みでは非常に難しい．とくに，施設入所者に対しては，個別指導もしくは集団指導により，筋力トレーニング，柔軟性，持久力，バランス再教育が試みられているが，エビデンスのある転倒予防効果は得られていない．

　3 次予防の対象者に対する転倒予防は，運動療法に加えて，対象者の住環境を評価，改善し，杖や歩行器のメンテナンス，対象者にかかわるスタッフに対する転倒予防教育などによる複合的な取り組みが効果的とされる．

②住環境の整備

　住環境の適切な評価と改善は，転倒予防の効果が非常に高い（推奨レベル A）．転倒歴のある，もしくは転倒リスクがあると評価された対象者には住環境評価を行い，転倒を引き起こす原因となる箇所を改善する．この際，段差の有無だけにとらわれず，加齢による視機能の低下から生じる問題や，対象者の慣れた動作を活かすための家具配置の工夫など，対象者と住環境との適合性に注目し改善すべきである．

③ビタミン D

　血中ビタミン D 濃度の改善は，在宅高齢者から入院，入所高齢者まですべての高齢者で転倒予防効果が確認されている．作用機序は，ビタミン D が筋肉細胞内のカルシウムイオン代謝や筋蛋白質の合成に関与しているためではないかなどと

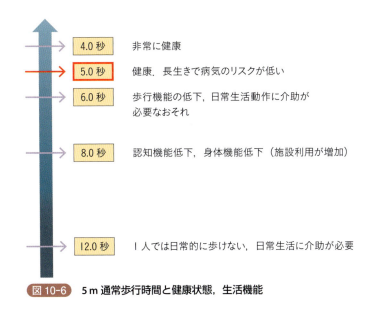

図 10-6　5m通常歩行時間と健康状態，生活機能

される．しかし，転倒予防のためには，厚生労働省の摂取推奨値に比べ約4倍に相当する800 IU/日以上の高用量摂取が推奨されており，食事による摂取のみでは非常に難しいとされる．

IU：international unit

b. 認知症予防

「認知症疾患診療ガイドライン2017」によれば，認知症に対する非薬物療法のうち，認知機能に働きかける運動療法は認知機能障害に対する効果の可能性が示されている．しかしながら，エビデンスはいまだ乏しい．いくつかの疫学研究の結果からは，1日あたりの歩行距離が長くなるほど認知機能低下の抑制効果が高いことが報告されている．一方，認知症患者のうつ症状に対しては運動療法の効果を認めないと結論づけられている．

5 介護予防の評価指標

ここでは，介護予防の代表的な評価視点である歩行能力と動的バランスを評価する指標を紹介する．

a. 歩行テスト（5m通常歩行時間，最大歩行時間）

▷ **5m通常歩行時間**の意味するもの

高齢者において歩行速度は，運動機能や転倒リスクを判断するだけではない．ADL能力，認知機能，余命（健康寿命）をも反映する優れた総合指標である．図10-6には，学術的に報告される5m通常歩行時間と健康状態などとの関係をまとめた．通常歩行（普段の歩く速さ）で5mを5秒，つまり1m/秒であれば，健康状態は良好で，生命予後が長い（長生きできる）可能性が高い．一方，通常歩行時間が6秒になると，ADLに介助が必要なおそれがあるとされ，いわば要介護状態の前段階の可能性がある．

▷ **5m最大歩行時間**の意味するもの

できるだけ速く歩いた時間を「最大歩行時間」と呼ぶ．速く歩ける高齢者は，膝

図 10-7 5m 歩行テストの歩行路
対象者に歩行路の両端が明確に認識できるようにする．

表 10-6 5m 歩行テストにおける年齢別，性別標準値

年齢（歳）	最大歩行時間（秒）				通常歩行時間（秒）			
	男性平均値	標準幅*	女性平均値	標準幅*	男性平均値	標準幅*	女性平均値	標準幅*
65〜69	2.3	1.5〜3.1	2.8	1.8〜3.7	4.1	3.2〜5.0	4.5	3.5〜5.5
70〜74	2.7	1.8〜3.6	3.3	2.2〜4.4	4.6	3.5〜5.6	5.4	4.0〜6.8
75〜79	3.1	2.1〜4.1	3.9	2.6〜5.1	5.0	3.8〜6.2	6.3	4.5〜8.1
80〜84	3.5	2.4〜4.6	4.4	3.0〜5.8	5.5	4.1〜6.8	7.2	5.0〜9.4
85〜89	3.9	2.7〜5.1	5.0	3.4〜6.5	5.9	4.4〜7.4	8.1	5.5〜10.7

*標準幅とは，平均値±1 標準偏差を示す．標準幅に入っていれば，同年代の大部分（68%）の人たちと同程度の体力があると判断できる．
［米国国立老化研究所・東京都老人総合研究所運動機能部門：高齢者の運動ハンドブック，p.89，大修館書店，2001 を参考に作成］

の伸展筋力はもとより全身の持久力（最大酸素摂取量による評価）も優れていることがわかっている．また，最大歩行速度の速い高齢者は，それに比例して通常歩行速度も速い．すなわち，高齢者は普段，自分の体力に見合った速さで歩いていることを意味する．

▷5m 歩行テストの測定方法（図 10-7）

・準備物：ストップウォッチ，テープ

① まず測定区間を 5m とり，助走路を 3m 手前と 3m 先に設ける．場所がない場合は，助走路を 1m にしてもよい．それぞれの区間をテープで示す．床面の色に対して，コントラストの強い色を選ぶこと．

② 測定者の開始の指示に従い，助走路の端から歩いてもらう．
　　測定者の指示：
　　　　通常歩行の場合「普段，歩いている速さで歩いてください」
　　　　最大歩行の場合「転ばないよう，できるだけ速く歩いてください．走ってはいけません」

③ 所要時間の計測は，測定区間 5m の始まりと終わりのテープをこえた時点とする．

④ 測定者も一緒に歩きながら計測する．

▷5m 歩行テストにおける年齢別，性別標準値

表 10-6 に 5m 歩行テスト結果の年齢別，性別標準値（日本人）を示す．

TUG：timed up and go test

b. タイムドアップアンドゴーテスト（TUG）

▷**TUG の意味するところ**

TUG は高齢者の動的バランス機能を評価する指標として 1991 年に発表された．これは，評価者による質的評価 get up and go test であったものを，所要時間の計測という定量的評価指標として改訂され，文字どおり timed となった．TUG の成績が速いほど，動的バランス能力・歩行能力が高いことを示すだけでなく，生活

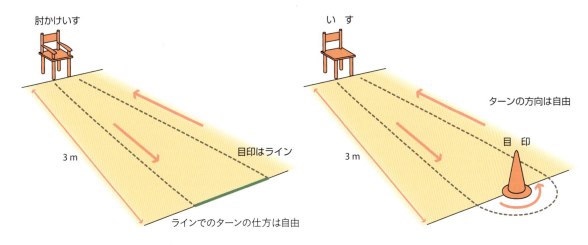

a. 原典（Podsiadlo D, et al, 1991）の測定環境　　　　b. 厚生労働省普及版（介護予防事業）の測定環境

図 10-8　TUG の測定環境

〈TUG における2種類の測定方法〉
a. 原典（Podsiadlo D, et al, 1991）の測定方法
・準備物：肘かけいす，ストップウォッチ，テープ
①いすから3m先にテープでラインを示す．
②対象者はいすの背もたれに背をつけて座る．
③測定者のかけ声により立ち上がり，ラインでターンし，再びいすに座る．
　測定者の指示「普段，歩いている速さで歩いてください」
④測定者は，かけ声をかけた瞬間から，対象者が再び座るまでの所要時間を計測する．
b. 厚生労働省普及版の測定方法
・準備物：いす，ストップウォッチ，ポールまたはコーン
①いすから3m先に目印になるもの（ポールまたはコーン）を置く．
②対象者は背もたれに背中をつけた姿勢をとる．
③測定者のかけ声により立ち上がり，目印を回り，再びいすに座る．
　測定者の指示「できるだけ速く回ってください」
④測定者は，対象者の背中が離れたときから再び座るまでの所要時間を計測する．

　機能の状態や転倒リスクを示すカットオフ値が示されている．10秒以内であれば生活機能に問題のない自立高齢者，転倒リスクが高い者としての判断基準（カットオフ値）は14秒と報告されている．しかし，カットオフ値として使用する場合，測定方法に気をつける必要がある．

　TUG の原典の測定方法と，国内で広く普及している測定方法（介護予防事業での測定方法）は，どちらもいすから立ち上がって3mを往復し再び座るまでの所要時間を計測するのだが，測定開始，ターンする目標物が異なっている（**図 10-8，表 10-7**）．

　表 10-7 の比較でわかるように，国内で広く普及している厚生労働省版のほうが，所要時間が短くなる条件である．これらの測定方法の違いは，個人やグループの経時的変化を評価するためにTUGを用いる場合には，測定条件を一定にすれば何ら問題はない．ただし，転倒リスクがあるかどうかの指標として測定する場合のように，カットオフ値を参照する場合には，その値が算出された測定方法と統一する必要がある．実際には，詳細な計測条件が示されていないことも多く，報告された測定値と自身の測定値を比較する際には，その測定方法を注意深く確

表 10-7 TUG における測定方法の比較

	原典 (Podsiadlo D, et al, 1991)	厚生労働省普及版 (介護予防事業)
歩く速さ	快適かつ安全な速さ	快適かつ安全な速さ ただし指示は「できるだけ速く回ってください」
開始姿勢	いすの背もたれに背をつけて座る	左に同じ
測定開始,終了	測定者の合図から,対象者が座るまで	対象者の背中が離れたときから,着座まで
ターンの目印	ライン	ポールまたはコーン

認する必要がある.

B 健康増進

1 健康増進の概念

a. 予防医学における健康増進

　健康を増進・増強することは,予防医学において1次予防の概念に含まれる.さらに1次予防は,ある特定の疾病の発症を防ぐ場合(**特異的1次予防**)と,とくに1つの疾病を限定せずに,多くの病気に対する抵抗力を高める場合(**非特異的1次予防**)に分けられる.前者の例は,肺がん予防のために行う禁煙指導があげられる.後者の非特異的1次予防は一般に健康増進と呼ばれ,適切な栄養,適度な運動,適度な休養を健康増進の3要因という.

> **memo**
> 1次予防においては,個人への働きかけよりも集団への働きかけに重点がおかれる.このように,ある集団全体に効果的な指導をして,集団の分布全体を適切な方向にシフトさせようという手法を,**ポピュレーション・アプローチ**という.この場合,ハイリスク者のみならず,境界域に含まれる多くの人もそれぞれリスクを減らすので,全体としてのリスク減少は大変大きなものになる.

b. ヘルスプロモーションとしての健康増進

WHO：World Health Organization

　健康増進をヘルスプロモーションととらえた場合,1946年にWHOが提唱した健康の定義「健康とは,肉体的,精神的及び社会的に完全に良好な状態であり,単に疾病又は虚弱の存在しないことではない」に,その考え方はさかのぼる.1950年代には1次予防のなかに健康増進が位置づけられるようになったが,この時代の健康増進は,感染症予防における抵抗力の強化や,感染機会を避けることを意味していた.1970年代にようやく健康増進は,疾病と対比した理想的な状態,「健康」を増強する概念として定義された.1980年代には,個人の生活習慣の改善だけでなく,環境の整備を合わせた健康政策として提唱されるようになった.このように,健康増進・ヘルスプロモーションの考え方は時代によって変遷している.

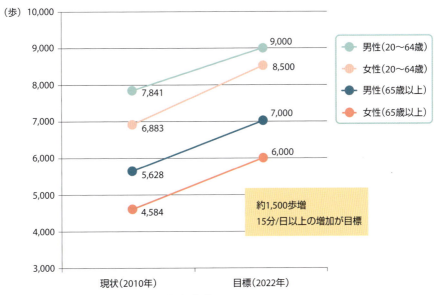

図 10-9　健康日本 21 における歩数の年代別，性別目標値
〔厚生労働省：健康日本 21（第二次），国民の健康の増進の総合的な推進を図るための基本的な方針〔https://www.mhlw.go.jp/bunya/kenkou/dl/kenkounippon21_01.pdf〕（最終確認 2022 年 8 月 24 日）を参考に作成〕

　現在の健康増進・ヘルスプロモーションの概念は，1986（昭和61）年オタワ（カナダ）で開かれた WHO の国際会議で採択された健康戦略を指す．ここでは，健康を単に個々人のものとしてとらえるだけでなく，環境への働きかけ，政策立案までを含んでおり，当事者参加の重要性と地域活動の強化が提唱された．**ヘルスプロモーション**とは，「人々が自らの健康をコントロールし，改善できるようにするプロセスである」とされ，個人が健康を増進する能力を備えることとそれを可能にする環境づくりの大切さを強調している．

② 健康日本 21（第二次）

　WHO の健康戦略であるヘルスプロモーションの理念を踏まえ，わが国では「21 世紀における国民健康づくり運動（**健康日本 21**）」が 2000（平成 12）年から実施された．この主な目的は生活習慣病の 1 次予防である．健康日本 21 のなかでは運動に加え，栄養，休養，メンタルヘルス，喫煙，飲酒など生活習慣が適正でないことから生じる病態（肥満，高血圧，高血糖，歯周病など）がさらに進行して，脳卒中，虚血性心疾患，がんなどの生活習慣病をもたらすと考え，これらのリスク要因の軽減に向けて数値目標が年代別に設定された．2013（平成 25）年からは，**健康日本 21（第二次）**の取り組みが始まった．

　健康日本 21（第二次）に示された年代別，性別の数値目標の例として歩数のそれを**図 10-9** に示す．2022（令和 4）年度までに各年代，男女ともに約 1,500 歩/日の平均歩数の増加が目標とされていたが，ほぼ横ばいで推移している．

学習到達度自己評価問題

1. 介護予防における1次予防，2次予防，3次予防について説明しなさい．
2. 要介護状態へ陥りやすい生活機能低下のリスク要因6つと，フレイル，ロコモティブシンドローム，MCIについて説明しなさい．
3. 介護予防の効果的な取り組み方法を説明しなさい．
4. 1次予防としての健康増進，ヘルスプロモーションとしての健康増進をそれぞれ説明し，国内での取り組みについて説明しなさい．

10-2 これまでの介護予防事業のあり方

一般目標

1. 2006（平成18）年から2011（平成23）年に取り組まれた予防重視型の介護予防事業の概要を理解する．
2. 2次予防重視で取り組まれた介護予防事業から，地域包括ケアシステムへ移行した経緯を理解する．

行動目標

1. 2006（平成18）年から2011（平成23）年に取り組まれた予防重視型の介護予防事業の概要を説明できる．
2. 2次予防重視で取り組まれた介護予防事業から，地域包括ケアシステムへ移行した経緯を説明できる．

調べておこう

1. あなたの住む地域において，通所型介護予防事業で行われた具体的な取り組み（転倒予防教室，栄養指導教室など）を調べてみよう．
2. あなたの住む地域において，訪問型介護予防事業で行われた具体的な取り組みを調べてみよう．

A 介護予防事業

1 介護予防事業における1次予防，2次予防の対象者とは

わが国における介護予防の取り組みは，介護保険制度が，2006（平成18）年度に「**予防重視型システム**」への転換を目指して大きく見直され，このとき，地域支援事業の一環として**介護予防事業**が創設された．これは，要介護認定を受けていないおよそ8割の高齢者にも目を向けて，介護予防に取り組んでいこう，という大きな変換であった．

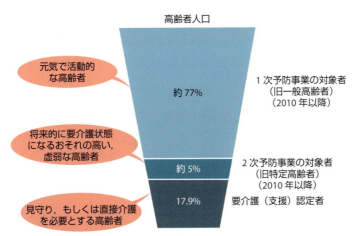

図 10-10 介護予防事業における高齢者の呼称
2016(平成28)年時点

　介護予防事業では，まず，要支援・要介護状態になる手前の段階にある者を的確に把握することが求められた．この，要介護状態になるおそれがある高齢者は**特定高齢者**と称された．その後 2010(平成 22)年から「**2 次予防事業の対象者**」へ改正されている(**図 10-10**)．2006 年当時，特定高齢者は，高齢者人口の 5％程度と見込まれ，**通所型**および**訪問型**介護予防事業(後述)への参加者数の目標値とされた．一方，元気に自立した生活を送る高齢者は**一般高齢者**と呼ばれた(2010 年から「**1 次予防事業の対象者**」へ改正)．

② 1 次予防事業

　要介護状態になるおそれのない 1 次予防事業の対象者(旧一般高齢者)に対する介護予防事業は，介護予防普及啓発事業と地域介護予防活動支援事業がある．介護予防普及啓発事業は，2009(平成 21)年度時点で全国の約 9 割の保険者が実施していた．具体的には，介護予防教室を開催したり，介護予防に関する情報をパンフレットにしたり，講演会や相談会の開催により，介護予防の知識を普及啓発する活動である．地域介護予防活動支援事業は，介護予防のための組織の育成や，介護予防に関するボランティアの育成により，約 6 割の保険者で取り組まれていた．

③ 2 次予防事業

a. 早期発見：基本チェックリストの実施率

　事業開始 4 年後の 2009(平成 21)年度の実施状況(全国 1,607 保険者対象)によれば，スクリーニングである基本チェックリスト(**表 10-3** 参照)の実施率は，高齢者人口の 30.1％であった．早期発見のためには，できるだけ多くの高齢者にスクリーニングを実施してもらう必要がある．この「介護予防受診率」は，要介護状態となるおそれのある高齢者を十分に把握できているとはいいがたい．ただ，わが国は欧米諸国に比べがん検診の受診率も低い現状にあった．たとえば胃がん

検診受診率は，男性48.0%，女性37.1%（2019（平成31）年国民生活基礎調査より）となっている．したがって，介護予防に対する受診率のみが低いわけではなく，2次予防活動に対する国民全体の意識が不十分であるのかもしれない．

> **memo**
> **「特定高齢者」から「2次予防事業の対象者」へ**
> 誰が特定高齢者であるかを把握するために，保険者（市町村）は基本チェックリスト（**表10-3** 参照）などを使って，介護認定を受けていない高齢者に対しスクリーニングを実施した．これにより，要介護になるおそれのある者を把握し，通所型もしくは訪問型介護予防事業に参加して生活機能を維持・向上してもらう（疾病であれば，初期段階で発見し，早期治療を行う）対象者を把握した．つまり，「2次予防」活動といえる．一方，スクリーニングで問題にならなかった一般高齢者には，予防医療では健康行動とされる禁煙やウォーキングの指導がなされるように，介護予防の知識啓発が実施された．すなわち「1次予防」である．したがって，2010（平成22）年の改正は，予防医療の見地にたった名称の変更と考えられる．もっとも，「特定高齢者」という名称は前向きな介護予防の印象を与えられず，事業参加につながりにくい一因だとする現場の声を反映した意図もあったであろう．

b. 通所型・訪問型介護予防事業

保険者である各市町村（特別区など含む）は，人口規模や高齢者率，住民活動の活発さなど，それぞれの地域の実情に応じた手法により，2次予防事業の対象者に対して介護予防のプログラムを展開した．これらは，対象者が開催される場所へ通う「**通所型**」と，保健師や理学療法士などが対象者の家庭を訪問して必要な相談や指導を行う「**訪問型**」がある．基本チェックリストに含まれる6つのリスク要因のうち，主に運動器の機能向上，栄養改善，口腔機能の向上を目指す事業は通所型により，閉じこもりやうつ，認知症の予防事業は主に訪問型により実施された．

c. 早期対処：通所型・訪問型介護予防事業への参加率

事業開始の翌年2007（平成19）年度から2009（平成21）年度の推移（**図10-11**）をみてみると，特定高齢者（2次予防事業の対象者）として把握されたのは厚生労働省の当初の想定5%には届かないものの，3%台であった．しかし，実際に予防活動に参加した者，すなわち通所型・訪問型介護予防事業への参加者は，対高齢者人口の約0.5%，把握されたうちの約12%から15%であった．つまり，スクリーニングにより「このままでは将来，要介護状態になるおそれがある」と「早期発見」された者のうち，7人に1人しか「早期対処」をしなかったのである．この低い参加率を改善するために，事業内容の見直しなどが行われていった．

④ 「予防重視型システム」から「地域包括ケアシステム」へ

「地域包括ケア研究会報告書」では，こうした介護予防事業の成果に対して厳しい評価がなされた．現行の介護予防事業は，ハイリスク者（要介護状態になるおそれの高い者）の把握に手間と費用を要したものの，真のハイリスク者を把握で

> **memo**
> 通所型・訪問型介護予防事業へ実際に参加した特定高齢者の約8割は，機能の改善もしくは維持をしていたことが確認されており，短期的な効果は確認されている．

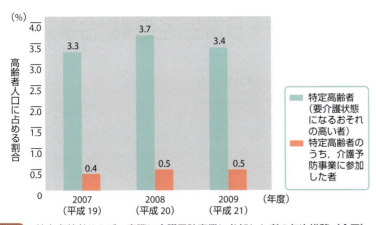

図 10-11　特定高齢者および，実際に介護予防事業に参加した者の年次推移（全国）
[厚生労働省老健局老人保健課：平成 21 年度介護予防事業（地域支援事業）の実施状況に関する調査結果（https://www.mhlw.go.jp/topics/2010/10/dl/tp1029-1a.pdf）（最終確認 2022 年 12 月 22 日）を参考に作成]

きていない，と指摘した．介護予防事業への参加率が 10％台であったことも加えると，2 次予防重視型の介護予防は非常に難しいことが浮き彫りとなった．さらに報告書では，介護予防の取り組み方として，高齢者の生きがいづくり，社会貢献の場の提供など，生活支援を重視した多様なメニューを開発・提供すべきであると指摘している．

こうして，2 次予防活動を主とした「予防重視型システム」から，地域と高齢者の結びつきを促し，虚弱な高齢者を支えるコミュニティづくりへ転換したのが，2012（平成 24）年度からの「**地域包括ケアシステム**」である．

> **memo**
>
> **介護予防の難しさ**
>
> そもそも要介護状態か否かは，制度上の判断であり，医学的な診断基準に基づく病気であるかどうかとは客観性が異なる．がんは国外でもがんであるが，「要支援 1」の状態は国内においてのみ成立する．介護の手間を必要とするかどうかは，本人，家族の意思も関与しており，介護申請をすれば認定されるであろう高齢者でも「できるだけ他人のお世話にならないように」と頑なに申請されない場合もある．一方で，要支援認定を受けても何らサービスを使用しない者も多い．「せっかく保険料を支払っているのだから」「万一のために」と認定をお守り代わりにしているとも聞く．介護予防は，予防する状態像の輪郭が，個人因子に加えて環境，制度に影響を受けるため，ことさら難しい．

学習到達度自己評価問題

1. 2006（平成 18）年から 2011（平成 23）年に取り組まれた予防重視型の介護予防事業について概要を説明しなさい．
2. なぜ予防型の介護予防システムから，高齢者を地域で支えるコミュニティづくり「地域包括ケアシステム」へ転換されたのか説明しなさい．

10-3 介護予防・日常生活支援総合事業の実際

一般目標
1. これからの介護予防について基本的な考えを理解する.
2. 「地域づくり」とはどういったものか理解する.

行動目標
1. 身近な地域の介護予防の取り組みを説明できる.
2. 高齢者の活動・参加について説明できる.
3. リハビリテーション専門職が「地域づくり」にどのようにかかわることができるのか説明できる.

調べておこう
1. 市町村によって介護予防の取り組みは異なる場合があるので,身近な市町村の介護予防の取り組みを調べてよう.
2. 高齢者の人が集まっている場所,通っている場所を調べよう.
3. 高齢者の人が活躍している場を調べよう.
4. 高齢者の人がどのように買い物をしているか調べよう.

A 介護予防・日常生活支援総合事業について

1 これからの介護予防

- **生活機能**(第3章参照)の低下した高齢者に対しては,リハビリテーションの理念を踏まえて,「**身体機能**」「**活動**」「**参加**」のそれぞれの要素にバランスよく働きかけることが重要である.
- 単に高齢者の運動機能や栄養状態といった心身機能の改善だけを目指すものではなく,日常生活の活動を高め,家庭や社会に参加を促し,それによって1人ひとりの生きがいや自己実現のための取り組みを支援して,QOLの向上を目指すために,以下のような取り組みがあげられる.

  a. 生きがい・役割の実感
  - 生活環境の調整や地域のなかに生きがいや役割をもって生活できるような居場所と出番づくりなど,高齢者本人を取り巻く環境への働きかけも含めたバランスのとれたアプローチが重要であり,地域においてリハビリテーション専門職などを活かした自立支援に資する取り組みを推進し,たとえ要介護状態になっても,生きがい・役割をもって生活できる地域の実現を目指すことが必要である.

  b. サービスの担い手として位置づけ
  - 高齢者を生活支援サービスの担い手であるととらえることにより,支援を必要

QOL:quality of life

とする高齢者の多様な生活支援ニーズに応えるとともに，担い手にとっても地域のなかで新たな社会的役割を有することにより，結果として介護予防にもつながるという相乗効果をもたらすことができる．

c. 地域づくり
- 住民自身が運営する体操の集いなどの活動を地域に展開し，人と人とのつながりを通じて参加者や通いの場が継続的に拡大していくような「**地域づくり**」を推進する．また，地域の実情をよく把握し，地域づくりの中心である市町村が主体的に取り組むことが不可欠である．

2 新しい介護予防事業

- 前期高齢者や後期高齢者など，年齢や，介護保険の認定の有無のように心身の状況などによって分け隔てることなく，住民主体の活動の場を充実させることによって，人と人とのつながりを創出していくために，新たな介護予防事業が取り組まれることとなった（第4章参照）．
- これにより，参加者が通いの場にいつまでも継続的に参加することができ，さまざまな工夫で自発的な拡大をしていくような「**地域づくり**」を推進することができる．さらには地域の実情に応じて，効果的な介護予防活動を効率的に実施することが望まれる．

a. 一般介護予防
- 従来の1次予防事業や2次予防事業が見直され，これらを区別せずに，地域の実情に応じた新たな介護予防の取り組みとして**一般介護予防事業**という概念が生じた．
- 一般介護予防事業
  ①介護予防把握事業，②介護予防普及啓発事業，③地域介護予防活動支援事業，④一般介護予防事業評価事業，⑤地域リハビリテーション活動支援事業

b. リハビリテーション専門職の活用
- 一般介護予防事業には，リハビリテーション専門職などを活かした**介護予防の機能強化**が注目されている．地域でのリハビリテーション専門職の活躍が期待されているとともにリハビリテーション専門職は何をすることができるのか考えなければならない．

3 介護予防・日常生活支援総合事業

①介護予防・日常生活支援総合事業（以下，総合事業）
- 市町村が中心となって，地域の実情に応じて，住民などの多様な主体が参画し，多様なサービスを充実することにより，地域の支え合いの体制づくりを推進し，要支援者などに対する効果的かつ効率的な支援などを可能とすることを目指すものである．

②多様な生活支援の充実
- 住民主体の多様なサービスを支援の対象とするとともに，NPO，ボランティアなどによるサービスの開発を進める．併せて，サービスにアクセスしやすい環

境の整備も進めていく．

③**高齢者の社会参加と地域における支え合い体制づくり**
- 高齢者の社会参加のニーズは高く，高齢者の地域の社会的な活動への参加は，活動を行う高齢者自身の生きがいや介護予防などにもつながるため，積極的な取り組みを推進する．

④**介護予防の推進**
- 生活環境の調整や居場所と出番づくりなどの環境への働きかけも含めた，バランスのとれたアプローチが重要．そのため，リハビリテーション専門職などを活かした自立支援に資する取り組みを推進する．

⑤**市町村，住民などの関係者間における意識の共有と自立支援に向けたサービスなどの展開**
- 地域の関係者間で，自立支援・介護予防といった理念や，高齢者自らが介護予防に取り組むといった基本的な考え方，地域づくりの方向性などを共有するとともに，多職種によるケアマネジメント支援を行う．

⑥**認知症施策の推進**
- ボランティア活動に参加する高齢者などに研修を実施するなど，認知症の人に対して適切な支援が行われるようにするとともに，認知症サポーターの養成などにより，認知症にやさしいまちづくりに積極的に取り組む．

⑦**共生社会の推進**
- 地域のニーズが要支援者らだけではなく，また，多様な人とのかかわりが高齢者の支援にも有効で，豊かな地域づくりにつながっていくため，要支援者ら以外の高齢者，障害者，児童などがともに集える環境づくりを心がけることが重要である．

4 地域リハビリテーション活動支援事業

- 地域リハビリテーション活動支援事業とは，地域における介護予防の取り組みを機能強化するために，通所，訪問，地域ケア会議，サービス担当者会議，住民主体の通いの場へのリハビリテーション専門職などの関与を促進する事業である（第5章参照）．
- リハビリテーション専門職などは，利用者・参加者が自立支援に資するように助言を行うことが重要であり，また，そのかかわる市町村の状況を十分に把握し，その上で地域の特性に合わせた取り組みを助言することが求められる．

a. 取り組み事例

リハビリテーション専門職の地域への参加ケースとして以下の場面が考えられる．

①**通所事業所などの通いの場**
- 通所の現場に出向き，要支援の人の自立に向けて目標を設定する．目標達成のためにトレーニングメニューを考え，実際に実施した上で，効果判定・評価を行う．

②地域ケア会議などの検討の場
- 地域ケア会議（10章-3 A-⑥ e 参照）に参加し，アドバイザーとしてその人の自立を阻害している原因を考え，自立支援に向けたアドバイスを行う．改善が必要であればサービス内容・ケアプランの見直しを行う（**図 5-4 参照**）．

③自宅などの生活の場
- 実際に生活している場に出向き，日常生活においてどの動作がどのように問題があるのかを検討する．また，住宅改修や福祉用具などを利用して日常生活動作を安全に行うことが可能か確認する．

④住民主体の通いの場
- 住民主体の通いの場に出向き，効果的な内容であるか確認を行う．また，安全に実施するために，身体機能が低下している人への指導も実施する．最終的に，効果があるものかどうか事業評価を行い，改善につなげていく．

b. 地域づくりと専門職の関係性
- 「**地域づくり**」には，地域のなかにすでにある取り組みや住民の自発性を尊重して，多様な活動を支援していくことが基本原則であるが，それは必ずしもすべてを住民に委ねるということではない．地域包括支援センターや自治体のリハビリテーション専門職，保健師がかかわることで，住民の活動が飛躍的に活発化することも少なくないのである．
- たとえば，「体操教室」の運営は，住民主体で十分に可能だが，専門職がかかわることで，住民の動機づけにおいて期待ができる．さらには技術的な指導による介護予防の効果という点でも，より高いレベルでの活動を促進することができるだろう．
- また，地域リハビリテーション活動支援事業は，地域内の医療機関や介護保険施設に所属するリハビリテーション専門職が地域の活動に専門職として参加した場合，所属元に人件費補てんを事業費として支弁することができる事業であることも着目したい．
- 地域リハビリテーション活動支援事業が目指すのは，「**1 対 1**」の関係をこえた「**1 対多**」の関係性を地域のなかでリハビリテーション専門職が実現することである．

⑤ 地域づくりによる介護予防推進支援事業（2014［平成 26］年～）

a. 事業内容と目標
- これからの介護予防は，高齢者を年齢や心身の状況などによって分け隔てることなく，人と人とのつながりを通じて，参加者や通いの場が継続的に拡大していくような地域づくりを推進するとともに，地域においてはリハビリテーション専門職などを活かした自立支援に資する取り組みを推進し，たとえ要介護状態になっても生きがい・役割をもって生活できる地域の実現を目指す必要がある．
- また，市町村は高齢者人口の 1 割以上が通いの場に参加することを目標に，地域づくりを推進する必要がある．

表10-8 住民運営の通いの場のコンセプト

- 市町村の全域で，高齢者が容易に通える範囲に通いの場を住民主体で展開
- 前期高齢者のみならず，後期高齢者や閉じこもりなど何らかの支援を要する者の参加を促す
- 住民自身の積極的な参加と運営による自律的な拡大を目指す
- 後期高齢者・要支援者でも行えるレベルの体操などを実施
- 体操などは週1回以上の実施を原則とする

[厚生労働省・三菱総合研究所：地域づくりによる介護予防を推進するための手引き，地域づくりによる介護予防の取組の効果検証・マニュアル策定に関する調査研究事業（https://www.mhlw.go.jp/file/06-Seisakujouhou-12300000-Roukenkyoku/0000188243.pdf）（最終確認2022年7月11日）より引用]

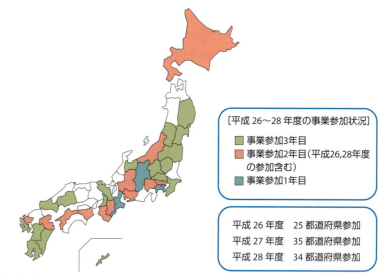

図10-12 2014（平成26）〜2016（平成28）年度の事業参加状況

[平成26〜28年度の事業参加状況]
- 事業参加3年目
- 事業参加2年目（平成26, 28年度の参加含む）
- 事業参加1年目

平成26年度　25都道府県参加
平成27年度　35都道府県参加
平成28年度　34都道府県参加

[厚生労働省：地域づくりによる介護予防推進支援事業の概要（https://www.mhlw.go.jp/stf/seisakunitsuite/bunya/hukushi_kaigo/kaigo_koureisha/yobou/3_gaiyo.html）（最終確認2022年8月24日）を参考に作成]

b．国と都道府県のサポート体制

- 市町村における地域づくりを通じた効率的な介護予防の取り組みが推進するよう，また市町村の取り組みに格差が生じないよう，国（アドバイザー組織）と都道府県が連携しながら市町村の支援を行う必要がある．
- 具体的には，都道府県が管内全市町村の介護予防の取り組みを支援するにあたり，参考となるモデル事例および知見を得るために，各都道府県のモデル市町村が住民運営の通いの場を充実していく各段階において，研修および個別相談などの技術支援を行うことで事業目標の達成を目指していく（表10-8，図10-12）．

c．役割・活動内容

①都道府県
- アドバイザーとモデル市町村との連絡調整，研修会などの開催，モデル市町村における取り組みから得た知見をもとにした管内全市町村の取り組み支援．

②広域アドバイザー
- 1〜3都道府県を広域的に担当し，地域づくりによる介護予防の実践経験を活かした具体的な技術支援．

③都道府県密着アドバイザー
- 1都道府県を担当し，市町村担当者が地域づくりを実践するなかで抱える課題などに対する日常的な相談・支援．

6 新しい総合事業

地域包括ケアシステム，総合事業の概要については，第4章，第5章を参照のこと．

a. 総合事業の目的
- 総合事業は，文字どおり，「**介護予防**」と「**生活支援**」を「**総合**」的に推進する「**事業**」ということである．以下が具体的な事業目的である．

①介護予防

本人の自発的な参加意欲に基づく，継続性のある，効果的な**介護予防**を実施する．

②生活支援

地域における自立した日常生活を実現するために，地域の多様な主体による**多様な生活支援**を確保し，介護専門職は身体介護を中心とした中重度支援に重点化を進める．

b. 地域と専門職の助け合い
- 介護保険制度が導入されて以来，生活を支えるためのさまざまな専門職のサービスが整備されてきた．これらのサービスは，心身の状態の悪化があっても，自立した生活を送れることを目的に整備されており，専門職のサービスの目指すところは，利用者の生活を本来のかたちに近づけることにあった．
- しかし，専門職のサービスが入り介護サービスが提供されることで，これまでの地域生活から切り離され，専門職と利用者だけの生活になってしまっていた．
- 利用者が地域における人間関係や社会関係の構築を前提としながら，地域生活に戻っていけるように専門職が支援するというかたちが望ましい．
- 総合事業では，**専門職のサービスと地域の助け合いの融合**が大きなテーマとなっており，専門職だけですべての地域生活の問題を解消することは難しい．
- 地域包括ケアシステム構築においても，**共助**たる介護保険制度だけで生活を支えるのではなく，まずは**自助・互助**という日常生活を大切にした上で，自らの努力や地域住民だけでは支えることができない部分を介護保険や福祉サービスで補うという考えが重要である．

c. 自立支援の視点
- 介護保険の基本的な理念は，「**自立支援**」である．総合事業では，介護予防や生活支援のなかに自立支援の考え方をあらためてもつようにしている．ただ単に「できないことを代わりにする」というのが自立支援ではなく，「**できないこと**」を可能な限り「**できるようにするための支援**」を提供することにある．
- また，自立支援の実現においては，専門職の介入や「本人の意欲」を高めることも重要になる．近年では，あらためて自立支援型のケアマネジメントの必要性が論じられており，地域ケア会議での個別ケースの検討において，自立支援

- に向けたケアのあり方が議論されている.
- 要支援者の生活は，要介護者に比べれば外出頻度も高く心身の状態も比較的に良好な場合が多い．そのため，本人の参加意欲や生活スタイルに合わせた支援が必要になり，多様性のある支援やサービス，地域の支え合いなどが重要になる．以下はその一例である．
  - ①買い物：スーパーなどの宅配サービス，移動販売，近所で連れ合って買い物など
  - ②調　理：配色サービス，おかずのおすそわけ，ご近所の人に惣菜を買ってきてもらうなど
  - ③洗　濯：クリーニング会社などによるラウンドリーサービスなど
  - ④ゴミだし：シルバー人材センターのワンコインサービス，ご近所のお手伝いなど

d. 高齢者の「したい」「できるようになりたい」を目標に

- 高齢者の「**したい**」または「**できるようになりたい**」生活行為がケアマネジメントのなかでの「**目標**」として明確に設定されることが重要である.
- たとえば，「足腰が弱くなってきて買い物に行くのがおっくうになってきた」という高齢者に対して，ただ単に訪問介護の生活支援や宅配サービスの利用を勧めるのではなく，「近くのスーパーに歩いて買い物に行けるようになりたい」という本人の希望を実現するためには何が必要なのかという視点から，ケアプランを考えることが重要である．以下はその一例である．
  - ①「孫と一緒に近くの公園で散歩できるようになりたい」
  - ②「以前通っていたカラオケ教室にまた行けるようになりたい」
  - ③「自転車に乗って墓参りに行けるようになりたい」
  - ④「家畜の牛の世話をもう一度やりたい」「犬の世話や散歩に行きたい」

e. 地域ケア個別会議（10章-4 B 参照）

- 2015（平成 27）年度の制度改正により，地域支援事業の包括的支援事業のなかに，個別ケースを検討する地域ケア個別会議と，地域の課題抽出やその解決方策を検討することを主目的とした，地域ケア推進会議が明確に位置づけられた.
- とくに，地域ケア個別会議は，個々のケースのあり方について検討を行う場であり，多職種の参加を得て，自立支援に向けたケアのあるべき姿を議論する格好の場所となっている（**図 10-13**）．
- 地域ケア個別会議のなかで，どのようにして本人の自立を支援していくのかを考えることは，単にサービスの組み合わせを考えることではなく，1 人ひとりの生活の多様なニーズに応じた支援をするために，ときには「ご近所づきあい」のような地域の自然な関係性も含め，多様な地域資源が必要であることを知ることである.
- したがって，地域ケア個別会議で事例の検討を重ねていくと，地域に何が必要なのか明らかになり，その上でその地域にないものを話し合ってつくっていくことが必要である．必要な資源を地域のなかから探し，必要ならば支援して地域で育むプロセスこそ「地域づくり」である.

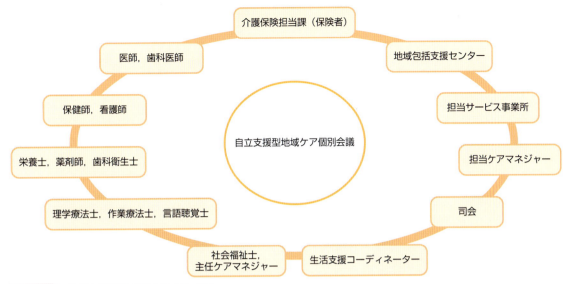

図 10-13　地域ケア個別会議の構成員（例）

司会者は市町村の職員で，市町村の現状をよく知る介護保険担当の部長・課長ならびに専門職（保健師，社会福祉士，主任ケアマネジャー，リハビリテーション専門職など）が望ましい．司会者（市町村）は，地域ケア個別会議の進行役であり，議論のまとめ役でもあり，地域ケア個別会議の要である．司会者（市町村）は，地域ケア個別会議を通じて「多職種の専門的な視点に基づく助言を通じて，検討する事例の自立に資するケアマネジメントを行い，自立支援・介護予防につなげること」を集積することにより，それらがさまざまな市町村の課題の発見につながる．各専門職は助言者として対象者のニーズや生活行為の課題を踏まえ，自立に資する助言をすることが求められており，多職種の視点で事例の課題を解決することが求められている．

B　介護予防の推進と生活支援の充実

- 高齢者がいつでも自分らしく，いきいきと住み慣れた地域で暮らし続けるためには，地域や家庭のなかで何らかの役割を担いながら生活できることが大切である．そのためには高齢者自身がどのような生活を送りたいか，どう暮らしていきたいのかという，主体的な思いを実現することが「**介護予防**」において重要な視点になる（**図10-14**）．
- 地域には，元気な人，虚弱の人，認知症の人，要支援の人，要介護の人などさまざまな高齢者が暮らしている．そのなかでこれからもとくに増えていくと考えられているのが虚弱な人や要支援の人である．そういった人が家に閉じこもるのではなく週1回でも住民主体の通う場に行くことになれば，元気なまま過ごす，または現状を維持することができる可能性がある．これがまさしく「**介護予防**」である．
- また，地域のなかで果たせる役割を最大限に高めることを支援することが「**介護予防の推進**」と「**生活支援の充実**」につながる．
- 地域の特性を活かしながら，高齢者の年齢や心身の状況などによって分け隔てることなく，誰でも一緒に参加することのできる**住民主体の介護予防活動を地域に展開すること**（「いきいき百歳体操」[10章-4 A を参照]）により，住民どうしの支え合いの体制を構築することができる．これにより，地域に秘められ

図 10-14 支え合いによる地域包括ケアシステム

[厚生労働省・三菱UFJリサーチ&コンサルティング：＜地域包括ケア研究会＞地域包括ケアシステムと地域マネジメント（https://www.mhlw.go.jp/file/06-Seisakujouhou-12400000-Hokenkyoku/0000126435.pdf）（最終確認2022年12月23日），p.13より引用]

た住民活動，助け合いネットワーク，インフォーマルサービスといった「**地域の宝**」を探し出すということにもつながり，地域に必要な活動・サービスを住民とともに構築することが可能となる．

- これからは「**自助，互助，共助，公助**」のなかでも，自分のことは自分でする，自分で健康管理を行う「**自助**」と住民の活動，ボランティア活動の「**互助**」が大変重要になってくる．
- 「**地域の宝**」を互助の関係である「**地域づくり**」にまで発展させるためには，リハビリテーション専門職をはじめ医療・保健・福祉の知識・経験を有する専門職の関与が欠かせない．
- 総合事業のなかで，リハビリテーション専門職の支援による地域に根ざした活動をよりいっそう推進することが重要となってくるのである（地域リハビリテーション活動支援事業）．

学習到達度自己評価問題

1. 高齢者はどのように暮らしているのか，生活行為・行動について説明しなさい．
2. 高齢者の集いの場，通いの場に参加することの効果について説明しなさい．
3. リハビリテーション専門職が「地域づくり」に活躍できることを説明しなさい．

10-4 [事例] 兵庫県洲本市の取り組み

A 洲本市いきいき百歳体操（住民主体の通いの場）

1 取り組みにいたった背景

- 洲本市の現状として①人口の減少，②少子高齢化の進展，③高齢化率の増加，④後期高齢者の増加，⑤独居高齢者の増加，⑥要介護認定率の増加，⑦介護保険料の増加などの問題があった．
- 上記の問題点から2006（平成18）年度よりさまざまな介護予防事業を行ってきたが，いくつかの課題が生じた．
  ①スタッフのマンパワー不足により2次予防教室回数が限られる．
  ②地域住民に介護予防の認識をつたえることが難しい．
  ③教室の参加者が集まらない，もしくは参加者の固定化．
  ④以前に行った事業・教室の参加者が再び参加する（リピーター）．
  ⑤時間，お金，マンパワーがかかるが効果が薄い（費用対効果が乏しい）．
  ⑥月1回の教室では身体機能を維持・向上させることは困難．
- これらの反省から「身近な地域で継続して週に1回実施する住民主体の通いの場を構築する」ことを考え，先駆的に取り組まれていた高知市の「**いきいき百歳体操**」を採用した．
- 理学療法士が保健師と協力して高齢者の実態把握，地域診断，事業を進めていくための戦略策定，通いの場の立ち上げ，継続支援を行った．
- 住み慣れた洲本市でいつまでも，いきいきとした生活が送れるように，身体機能，日常生活動作，生活関連動作の維持向上，生活不活発病への認識の向上，閉じこもり予防などの「**地域づくり**」を理学療法士が支援している（**図10-15**）．

2 洲本市におけるいきいき百歳体操とは

- いきいき百歳体操は，重りを各自手首や足首に巻いて行う筋力運動である．0～1.2 kgの0.2 kgきざみの6段階に調節が可能なので，個人の筋力や体力に合わせて行うことができる．歩行や階段の昇り下りに使う下肢の筋力，布団からの起き上がりなどに使う上肢の筋力強化に重点をおいた構成になっており，準備体操・筋力体操・整理体操の約30分の体操である（**図10-16**）．
- 2016（平成28）年12月末時点で，市内77グループ，66会場で取り組みが行われ，体操を1回でも実施したことがある人は約1,858人，対高齢者人口比は12.3％となった．また，要支援1～要介護5までの人については245人が参加した．
- 2021（令和3）年3月末には市内87グループ，74会場で実施した．
- 週に1回の頻度で開催されており，時間帯も午前，午後，夜間と会場によって異なる．曜日，時間はグループで決めている．規模は1会場あたり5～40人が

図 10-15 理学療法士による介護予防の講話の様子
少子高齢化，フレイルなどについて説明している．

図 10-16 洲本市のいきいき百歳体操
[洲本市いきいき百歳体操パンフレットより許諾を得て転載]

参加している（図 10-17）．
- 利用者は自力にて実施会場に通うことが基本であるため，移動手段は徒歩，自転車，バイク，自動車である．なかには乗り合いにて参加している人もいる．
- 各グループによって異なるが，基本的に利用者負担はない．会場によっては，会場使用料・冷暖房費などがかかるため 100 円程度徴収しているグループもある．余った場合は，茶話会や食事会に使用している様子である．
- 平均年齢は 78.2 歳，男性の最年少は 59 歳，最高齢は 91 歳，女性の最年少は 62 歳，最高齢は 97 歳，参加者の男女比は男性 17.8％，女性 82.2％である（2021 年現在）．
- 一般高齢者，ハイリスク高齢者，要支援者・要介護 1 程度の軽度の介護保険認定者，車いすで通う人，軽度の認知症を有する参加者を受け入れているグループもある．整形外科疾患手術後，脳卒中後遺症，難病など病気を有する人も参加している．
- この「地域づくり」（集いの場）は住民どうしの交流を行う新たな機会の創出と

図 10-17　いきいき百歳体操実施の様子

図 10-18　自分たちで血圧を測る

図 10-19　理学療法士による体操説明会

図 10-20　理学療法士による膝伸展筋力測定

なり，見守りや閉じこもり予防にも効果がでた（**図 10-18**）．
- いきいき百歳体操終了後，オセロや麻雀，将棋や囲碁，カラオケや合唱など趣味活動を行うグループができたり，ウォーキングやグラウンド・ゴルフなどの運動を行うグループもできた．
- また，認知症やフレイルの人の見守りや理解を深めるための学習会を行うグループや買い物に困っている人に対して移動スーパーを活用するグループもできた．

③ 洲本市のいきいき百歳体操の支援

- 開始時の説明会（**図 10-19**），初回支援 3 回，3 ヵ月後・6 ヵ月後支援，その後 1 年に 1 度の継続支援（体力測定，アンケート・聞き取り，体操の注意点や効果についての講話など）を理学療法士，健康運動指導士，保健師，看護師，事務員などが行っている．
- 初回支援時に一緒に体操を行い，注意点をつたえる．また同時に次の 4 つの支援を行う．
  ① 体力測定：膝伸展筋力（**図 10-20**），TUG，開眼片足立ち，いす座位体前屈
  ② アンケート・聞き取り：基本チェックリスト，移動・筋力・平衡性，健康観，痛み
  ③ 運動についての講話：運動の注意点やメリット，正しい体操方法など
  ④ グループワーク：継続のための工夫，アドバイス，体操の効果など

表10-9 出前講座一覧（洲本市の例）

	講座	講師
体操	健康体操	健康運動指導士など
	ストレッチ体操	健康運動指導士など
	簡単からだチェック	理学療法士など
認知症	認知症の予防について	認知症地域支援推進員など
防災	防災出前講座 〜南海トラフ地震に備える〜	消防防災課職員
口腔・栄養	フレイル予防について	管理栄養士 歯科衛生士
	知りたい食事について	管理栄養士
	身体を守るためのお口のお手入れ	歯科衛生士
生活	知っておきたい ①高血圧について ②糖尿病について	保健師
	感染症について	保健師
終活	人生会議について	地域包括支援センター
こころ	誰でもゲートキーパーについて （こころの健康づくり）	保健師
制度	高齢期の上手なサービス利用について	地域包括支援センターなど
	成年後見制度について	
交通	交通安全について	洲本警察署
防犯	振込め詐欺について	洲本警察署

図10-21 理学療法士によるウォーキング指導

■ その他の支援活動として，いきいき百歳体操実施グループからの要望があれば，出前講座を行っている（表10-9）．
① 認知症について：地域包括支援センター職員，認知症地域支援推進員
② 介護保険について：地域包括支援センター職員，在宅介護支援センター職員
③ ウォーキングについて：市の理学療法士，健康運動指導士（図10-21）
④ 防災について：市の消防防災課職員
⑤ 生活不活発病について：市の保健師など

表10-10 事業の具体的内容

時　間	内　容
9：30～10：00	・地域住民は徒歩，自転車，車の乗り合いなどで会場へ ・会場の準備はできるだけ自分自身で行う（いす・重りの準備など） ・来た人から順番に血圧測定（自動血圧計など）を実施
10：00～10：30	・いきいき百歳体操を開始（30分） ・87グループ中45グループは，かみかみ百歳体操*も実施（＋15分）
10：40～	・会場の後片付け，掃除など ・体操実施後に，茶話会，食事会，出前講座などを行うグループもある（＋30分～1時間） ・外食，遠足，ウォーキングなどを行うグループもある

*かみかみ百歳体操は，食べる力や飲み込む力をつけるための体操

4 事業の具体的内容

- 事業の内容は各地域に委ねているため一律ではないが，一例を表10-10に示す．

5 国の取り組み状況

- 高知市がはじめに取り組んだ住民主体の通いの場「いきいき百歳体操」の効果は大きく，洲本市のように徐々に拡がりをみせた．国はこの方法をさらに全国の市町村に拡げるために「**地域づくりによる介護予防推進支援事業**」を開始し，2014～2016（平成26～28）年度まで実施した．
- この事業の推進には，先駆的に住民主体の介護予防活動に取り組んでいる市町村職員や，その活動を支援しているリハビリテーション専門職や保健師などがアドバイザーになり，助言を行った．
- この事業を通じて，市町村の保健師は住民とともに「**地域づくり**」を行うことができ，リハビリテーション専門職はそのパートナーとして活動することで，**地域リハビリテーション活動**に再度目覚めることができたと考える．
- 単なる高齢者の下肢筋力を高める体操を全国に拡めるのではなく，**地域住民の集いの場，通いの場，活躍の場，助け合いの場**となっており，これから高齢化が進むわが国にとって重要な取り組みである．

図10-22 理学療法士が司会となって会議を進行

> **memo**
> **司会やアドバイザーの役割（リハビリテーション専門職）**
> 司会は，時間どおりに会議が進行するように調整するとともに，皆の意見をまとめケアマネジャーにつたえる（図10-22）．アドバイザーは，ICFの図をもとにその人の暮らしを想像し，自立支援に向けたアドバイス（身体機能，運動方法，福祉用具，自助具，装具，住宅改修，予後予測，目標設定など）を行う．とくに活動，参加のアドバイスが重要になる．地域ケア個別会議構成員については図10-13を参照．

ICF : International Classification of Functioning, Disability and Health

B　洲本市自立支援型地域ケア個別会議

1 取り組みにいたった背景

- 軽度認定者（要支援1・2，要介護1）の認定にいたった原因の約半数が廃用症候群（生活不活発病）であったこと，いきいき百歳体操の実施にいたった背景と同様に少子高齢化などの問題があり，2016（平成28）年より自立支援型の地域ケア個別会議を週に1回実施する運びになった．
- 事例の先にある1人ひとりが抱える生活課題の解消を目指すとともに，生活課題を深く洞察し，合意形成のための提案力を高め，支援体制を調整できる力を

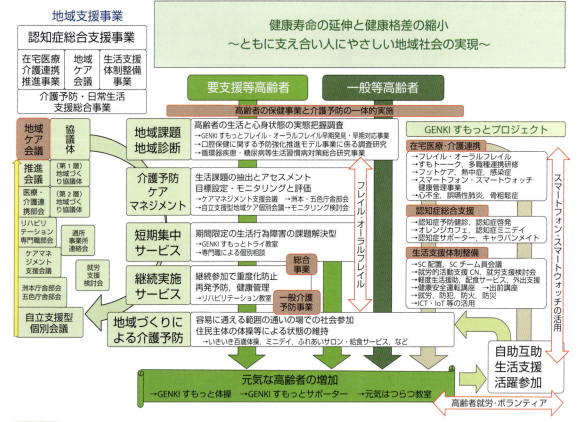

図 10-23
[『洲本市役所介護福祉課長寿支援係が目指す姿，ありたい姿』より引用]

　　培うことを目的に実施している．
- 要支援レベルの人で通所介護（デイサービス）やホームヘルパーを利用している人，フレイル状態にある人，新規で要支援の認定を受けた人，短期集中予防サービスを利用されている人などを対象に，多職種の専門的な視点を持ち寄り，介護予防ならびに自立支援や重度化防止の工夫，介護サービスの適正化ならびに質の向上，本人のやりたいことを検討する場として実施している．
- 個別事例の検討を繰り返して行うことにより，その地域での課題が明らかになり，新たなサービスの創出，新たな職員の確保などの市の施策にもつながっている．
- 地域における課題を発見し，地域のネットワークを構築し，社会資源の開発を行っている（図 10-23）．

2 自立支援型地域ケア個別会議の目的

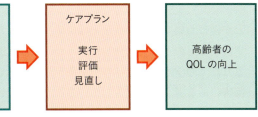

OJT：on the job training

図 10-24 自立支援型地域ケア個別会議の活動内容

3 自立支援型地域ケア個別会議の中身

- 1事例について30分とし，スケジュールを組み立てている．
- 目的・目標を明確にし，利用者の自立支援のプランを多職種で協議する．なお，1事例30分×4〜5事例を目標に週に1回実施する．

表 10-11 自立支援型地域ケア個別会議の具体的なスケジュール

4分	事例資料の読み合わせ
5分	事例紹介→担当ケアマネジャー　補足→サービス事業所
10分	事例について各自から質問
10分	自立支援に向けたアドバイスを助言者より行う
1分	ケアマネジャーの振り返り

10-5 健康増進を目指す取り組み

一般目標
1. 健康増進の必要性を理解する．
2. 健康増進の目標を理解する．
3. 健康増進にかかわる理学療法士の役割を理解する．

行動目標
1. 健康増進の必要性を説明できる．
2. 健康増進の目標を説明できる．
3. 健康増進にかかわる理学療法士の役割を説明できる．
4. 健康増進に必要な理学療法の評価と介入を説明できる．

調べておこう
1. 青年期，壮年期，中年期の特徴（心理社会的要因，身体機能）について調べよう．
2. 行動変容理論について調べよう．
3. 身体活動の評価について調べよう．
4. 勤労者の健康増進にかかわる職種（産業医，衛生管理者，保健師など）について調べよう．

A　理学療法士の健康増進へのかかわり

- わが国において，理学療法士は医療保険および介護保険の範疇での理学療法を実施するものとして活躍してきたが，この背景には，1965（昭和40）年に制定された「理学療法士及び作業療法士法」において，理学療法の対象は「身体に障害のある者」に限定されていることが背景にある．
- 少子高齢化の社会背景とともに，理学療法学を活用した予防理学療法の必要性が増加してきたが，予防の際に理学療法を用いるとき，「医師の指示の必要性」という疑問が生じるため，2014（平成25）年11月27日に厚生労働省医政局から，以下の通知がなされた．

> 理学療法士が，介護予防事業等において，身体に障害のない者に対して，転倒防止の指導等の診療の補助に該当しない範囲の業務を行うことがあるが，このように理学療法以外の業務を行うときであっても，「理学療法士」という名称を使用することは何ら問題がないこと．また，このような診療の補助に該当しない範囲の業務を行うときは，医師の指示は不要であること．

- 上述の通知を考慮すると，社会が理学療法士に求めている期待と責任を十分に理解し，真摯に適切な理学療法を実施し，社会貢献に役立てなくてはならない．
- 超高齢社会に突入したわが国においては，**生産年齢人口**が減少しており，働き盛りの青・壮・中年期に対する健康増進を主に身体機能に着目し，運動面から実施する取り組みを理学療法士が担うことは非常に重要となる．

memo
生産年齢人口
わが国において労働力の中核となる15歳から65歳未満の人口を示す．2021（令和3）年の総務省のデータでは，2020年の7,406万人（総人口に占める割合は59.1%）が，2040年には5,978万人（53.9%）と減少することが推計されている．生産年齢人口の増加および健康増進が重要となることはいうまでもない．

B　青・壮・中年期について

- 青年期を15～30歳，壮年期を31～44歳，中年期を45～64歳とする．
- 2019（令和1）年度の国民健康・栄養調査結果によると，運動習慣のある者の性別，年代別の結果において，青・壮年期の運動習慣の低さが際立っている状況である（図10-25）．
- 平均睡眠時間においては，5時間未満，5時間以上6時間未満という短い睡眠時間の割合が壮・中年期に多く，生活習慣病やメンタルヘルスのリスクと関係する．
- 青年期は学生生活や社会人生活の始まり，壮年期以降の生活習慣の始まりでもあるため，運動習慣の定着に重要な時期である．学生という精神的にも社会的にも成長する時期を過ごし，社会人として独立するころであり，健康への関心が少なく，肥満などが生じる生活習慣が定着しやすい時期である．
- 青年期から健康的な生活習慣の教育が必要であるが，健康教育の機会が少ないため，筆者は親世代に教育を実施している．親は自分のことより子どもを優先

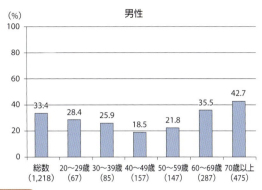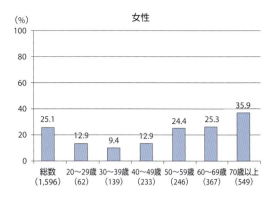

図 10-25 運動習慣のある者の割合（括弧内は人数）

運動習慣のある者とは「1 回 30 分以上の運動を週 2 回以上実施し，1 年以上継続している者」とする．
[厚生労働省：令和元年国民健康・栄養調査報告 結果の概要，2019（https://www.mhlw.go.jp/content/000711005.pdf）（最終確認 2022 年 7 月 12 日），p.54 より引用]

する傾向が強いため，子どものためと思えば学習する意欲が高くなり子どもへの影響力にもなる．
- 壮年期は，運動習慣がない場合に身体機能が低下する時期であり，さらに結婚・子育てをしながら仕事の量や質が増え，責任も重くなってくるころである．心理・社会的ストレスも増加するため，暴飲暴食が出現しやすい上に，多忙なことから運動を実施する時間をつくるのも困難な時期である．
- 中年期になると生活習慣病を発症しやすくなり，かつ肉体的にも精神的にも意欲が低下し喪失感が高くなる時期であるが，健康的な生活習慣に興味が湧く時期でもあるため介入の機会をつくりやすい．
- 生活習慣のなかでも運動習慣は，食習慣などと異なり毎日の生活で必ず実施するわけではないため，実行に移すのが困難なことが多い．

1 生活習慣病対策の必要性

- 医療保険の現場において理学療法の対象となる主な疾患は脳疾患，心疾患，そして関節症や骨折などの運動器疾患が多い．
- 疾患の背景にあるのが生活習慣病（**肥満**や糖尿病，高血圧，脂質異常症）であることから，勤労者の健康増進対策としては生活習慣病予防を目的とした 1 次予防が重要となる．
- 介護が必要となるロコモティブシンドロームのような運動機能の低下に関しても，肥満を抑制し，身体能力（バランス，筋力，柔軟性，敏捷性）の向上が必要である．
- ほとんどの労働災害は減少傾向であるのに対し，近年増加しているのは転倒災害である．
- 転倒災害の大半は 50～60 歳代に集中しており，この理由として「高年齢者等の雇用の安定等に関する法律」が制定され，2021（令和 3）年 4 月 1 日に改正された．主な内容として，①70 歳までの定年の引き上げ，②定年制の廃止，③70 歳までの継続雇用制度（再雇用制度・勤務延長制度）の導入などがある．こ

のような背景により企業で働く従業員の高齢化が進み，加齢による身体能力の低下と重なって，転倒災害が増加している．
- 運動習慣は一朝一夕につくものではなく，行動変容理論においては最低でも6ヵ月以上継続してはじめて運動習慣が定着したといえる．
- 身体能力の低下に関しては，不必要な安静臥床などをしない限り，急激に低下するものではないため，日常生活のなかでいかに身体を動かす機会を増加させるかが身体能力低下を予防する鍵となる．

2 生活習慣病に対する運動効果

DPP：diabetes prevention program

- 海外の大規模試験によるDPPにおいて，高血糖で過体重もしくは肥満があり糖尿病の発症リスクが高い対象者を，週に150分以上の運動と食事のエネルギーおよび脂肪の摂取量を減らした生活習慣改善群，ビグアナイド系薬剤投与群，コントロール群に無作為に割り付け，平均2.8年間のフォロー後の結果は，生活習慣改善群はコントロール群と比較し糖尿病の発症リスクが58％低下，薬剤投与群では31％の低下であった．
- 10年間のフォロー後の糖尿病発症率は，コントロール群と比較して生活習慣改善群で34％，薬剤投与群が18％低かった．これは糖尿病の発症予防および遅延効果が，10年間続くといえる．
- 1回の介入効果が10年間継続する効果はレガシー（遺産）効果とも呼ばれ，糖尿病を発症していない勤労者が健康増進のために食事と運動の生活習慣を改善することは，継続できなくても実施する意義があるということである．
- 追加としてDPPに基づく生活習慣介入により，心血管疾患関連のリスク因子が有意に改善するという研究結果がみられた．
- 2型糖尿病患者に対する食事療法に運動を組み合わせた減量プログラムにおいて，短期間ではあるが膝痛の発症を予防する可能性を示した報告がある．
- 生活習慣への介入により糖尿病発症予防，糖尿病合併症の予防，疼痛の軽減，心疾患のリスク軽減という効果がある
- 生活習慣の介入効果は運動単独の効果ではなく，運動の推奨だけでは生活習慣病予防効果としてのエビデンスは不足している．
- 1次予防にかかわる理学療法士は，食習慣やその他の生活習慣（睡眠，喫煙，飲酒など）に関する知識も必要であり，対象者に適した指導を考慮できるようになることが重要である*．
- その他，薬物療法やサプリメントなどの種類と効果，効果時間なども把握しているとよりよい指導につながる．

*たとえば，筋力や筋量が少ない対象者に筋力増強運動を勧めても，炭水化物（おにぎり）とサラダ（食物繊維）などの食事をしている対象者の場合，明らかに蛋白質が不足するため，筋量の増加は見込めないことは容易に想像できる．

3 評価方法

- 産業保健のなかで，1次予防にかかわる理学療法士が用いることができる評価は少なく，メディカルチェックのような医学的な評価はできない．
- 健康診断の生化学データなどがあると指導に役立てることができる．
- 評価内容に関しては対象者にフィードバック（運動を実行した場合によい変化

前熟考（無関心）ステージ	現在，運動を行っておらず，近い将来（6ヵ月以内）も運動を行う気持ちがない．	
熟考（関心）ステージ	現在，運動を行っていないが近い将来（6ヵ月以内）に始めようかと考えている．	
準備ステージ	現在，運動をときどき行っているが定期的ではない．もしくは生活習慣病予防としての運動量が不足している．	
実行ステージ	現在，生活習慣病予防に必要な運動を定期的に実施しているが，開始して間もない（6ヵ月以内）．	
維持ステージ	現在，生活習慣病予防として必要な運動を定期的に実施しており，継続期間が6ヵ月以上．	

図 10-26　運動行動の変容ステージ

が見込める）できる指標が必要である．
- 以下に代表的な評価項目を記載する．

①年齢，性別，身長，体重

② BMI

BMI：body mass index

- （体重 kg）÷（身長 m）^{2} にて求められ，BMI 18.5 未満と 25 以上は疾病率が増加する．適正体重を求めるには（身長 m）^{2}×22 で求めることができる．

③運動習慣の有無

- 運動習慣としては週に合計 1 時間以上の運動（通勤時の歩行や仕事での肉体作業ではなく，特別に時間をとって行うこと）を定期的（毎週）に実施している場合，運動習慣ありとする．

④運動行動の変容ステージ

- 運動習慣の問診の際，トランスセオレティカル・モデルに基づいた行動変容ステージに分類する（図 10-26）．指導の際には，行動変容のステージに見合った行動変容技法を用いて指導することによって，より指導効果が向上する．行動変容技法に関しては成書を参照するとよいが，代表的なものとして，自己発見，感情的体験，自己の再評価，環境の再評価，社会的解放，反射条件づけ，援助関係，強化マネジメント，自己解放，刺激統制などがある．

⑤セルフエフィカシー

- セルフエフィカシーとは，その行動をする際の自信であり，運動行動セルフエフィカシーは前述の行動変容ステージと相関し，自信が高ければ高いほど，運動行動を実行する可能性が高くなる．運動行動セルフエフィカシーの評価として代表的な質問は，㋐少し疲労していても，㋑あまり気分が乗らないときでも，㋒忙しくて時間がないときでも，㋓あまり天気がよくないときでも，運動をする自信があるかないかを，5 段階のリッカート（Likert）スケール（「自信が全くない」「自信があまりない」「どちらともいえない」「自信が少しある」「自信

が非常にある」）で評価する．この評価を指導前後で実施し，全く変化が得られない場合は指導者の指導力不足と認識し，指導方法やアプローチを変更する必要がある．

⑥身体活動量
- 身体活動量は運動（ウォーキング，野球，サイクリングなど）だけでなく，生活活動（通勤歩行，職場での作業，掃除，洗車など）も含めた活動量であり，近年では運動だけでなく，身体活動量が多いほど生活習慣病のリスクが少ないとされている．身体活動量の求め方は，心拍モニター法，歩数計，活動量計などの機器を用いる方法と，活動記録法がある．活動記録は質問紙などを利用するIPAQ，Seven Day Physical Activity Recall，Minnesota Leisure Time Physical Activity Questionnaire など数多く存在する．簡便な聞き取りにて評価するには厚生労働省からダウンロード可能な，Exercise Guide 2006 などを利用するとよい．

IPAQ：international physical activity questionnaire

Exercise Guide 2006
厚生労働省が健康づくりのための運動指針として公表した，生活習慣病予防のための身体活動量のエビデンスと実践方法である．生活習慣病予防に必要な身体活動量のシステマティックレビューを指標とし，身体活動強度と時間によって活動量が計算できる．

4 介入方法

- 健康増進のために疾病を有していない青・壮・中年期の勤労者が，運動を取り入れることは少ないため，いかに運動および身体活動を増加させるかが重要である．
- 企業の健康診断時に勤労者の体組成を測定し，その結果から必要なアドバイスを個別に指導することや，測定結果を勤労者に把握してもらった上で集団指導を実施することがある．
- 運動を用いた講演などは集団効果などにより個別とは異なった効果を得ることができる．
- 個別および集団による指導効果は，どちらも長所と短所があるため，可能な限り両方のアプローチを実施すべきである．
- 運動に関する介入を実施する場合，理学療法士は疼痛疾患や代謝疾患などの疾病や運動器に関する身体障害を有していても可能な運動を推奨することができる．
- 単に運動を体験させるような指導ではなく，医学的な知識の提供や生活習慣病を放置した場合の末路（心疾患，脳疾患，糖尿病による失明，切断，透析，運動器疾患による寝たきりなど）を知っている理学療法士からの指導は勤労者の心に響く指導となりえる．

5 実際の介入のアドバイス

- 健康増進のために食事内容を考えて実行するのは，日々の生活習慣の一部を変更することなので，比較的実行に移しやすい．
- 運動は対象者自身が特別に時間をつくり，実行（生活習慣に追加）しなければならないため，運動行動を習慣化させるには本人の努力が必要となってくる．
- 対象者に日々の生活習慣をしっかり振り返ってもらい，実際にできる運動を指導しなくてはならない．

6 指導の注意点

- 「頑張って運動しようと思います」という言葉が対象者から出た場合に「頑張ってくださいね」という言葉で終わってはいけない．
- 次に質問すべきことは，「①実際に運動する時間は何曜日の何時から行いますか？」「②どのような運動を何分行いますか？」「③頑張らなくてもできることはありますか？」などである．
- ①に関しては，勤労者の運動できない理由で最も多いのが「運動する時間がない」であるため（月曜から土曜まで朝7時出勤，深夜に帰宅し，休日はひたすら休養しているようなケースがある），実際に何曜日の何時から運動する時間を設定できるのかを具体的に聞くべきである．
- ②は運動といってもどのような運動の種類（ストレッチ，有酸素運動，筋力増強）を選択するかで，効果的な運動の時間帯などがあることと，増加した運動量を計算する（Exercise Guide 2006を参照）のに必要な情報である．
- ③は頑張らないとできない運動は継続しにくいということであるため，運動の種類の変更（過度な負荷とならない運動の選択）や時間の短縮（短時間でも効果的な高強度の運動），運動時間帯の変更などを行い，対象者の負担になりにくく，かつ効果的な運動もしくは身体活動を推奨すべきである．

7 運動セルフエフィカシーの活用

- 運動セルフエフィカシーなどを評価し，疲労の項目に関する自信が低い場合の指導は，疲労しやすい運動ではなく，精神的疲労を回復させる有酸素運動や，筋疲労を回復させるストレッチや軽い有酸素運動などを用いて，疲労回復のために運動を用いることを推奨する．また，仕事だけで疲労しやすい身体能力であるということを認識させ，体力が向上するような筋力増強運動や高強度の運動を対象者に合わせて推奨する．
- 気分が乗らないときに運動する自信がない場合，毎日必ず実行する生活習慣を「きっかけ」として運動もしくは身体活動を取り入れる*．
- 仕事で運動する時間がないという場合は，平日は電車・バスで立つ，スタンディングテーブルを配置する，通勤の自転車を歩行に変える，昼食を遠い場所に変更し早歩きで行くなどのアドバイスを与える．また，休日の過ごし方は，外出を心がける，連続して2時間以上テレビをみない，などを考えさせる．
- 天気が悪いときの運動に自信がない場合は，室内で可能な運動を提示する，大型ショッピングモールで歩く，運動しやすい雨具の購入を推奨するなど，自信が向上するような助言を与えることである．

*たとえば，食事の前にスクワットなどの筋力増強運動や，テレビを見始めた最初の10分だけ足踏みをする．職場でお手洗いに行った後に階段昇降を行うなどである

memo

産業保健における予防について
産業保健における予防活動は，勤労者の健康問題の多様化に伴って内容も変化している．平成の労働災害の中心は，作業関連疾患である腰痛などの筋骨格系障害であったが，近年では腰痛とストレスとの関連性が見い出され，メンタルヘルス不調による自殺なども増加しているため，未然に防止することを目的にストレスチェック制度が50人以上の労働者を抱える企業では義務化されている．また令和においては，COVID-19（新型コロナウイルス感染症）による労働災害の増加により，労働災害における疾病バランスも変化している．このように産業保健における予防活動は年々変化しており，テレワークや高年齢労働者の増加，そして情報機器端末の変化に伴って，介入方法も変化していくため，産業保健分野にかかわる理学療法士には柔軟な対応が望まれている．

COVID-19：coronavirus disease 2019

8 今後の健康増進における理学療法について

- 運動量のみならず，身体活動量をも含めて増加させるツールとして，歩数計やウエアラブルな活動量計，そして活動量を客観的なデータとして表示できるスマートフォンやコンピューターのアプリを中心としたICTなどを活用していくことを推奨する．
- 壮年期を中心とした勤労者に対する健康増進の取り組みは，今後の生産年齢の高齢化を考慮しても重要である．
- この分野に介入する理学療法士に必要な知識は，行動変容理論に関する知識と経験，さまざまな疾患に関する臨床経験，そして産業保健に関する3管理（作業環境管理，作業管理，健康管理）の知識が必要である．
- 健康増進のためには生活習慣病のみならず作業関連疾患（腰痛，頸肩の痛み，メンタルヘルスを含む心身症，高血圧，虚血性心疾患，慢性非特異性呼吸器疾患）も含めた介入が必要となる．

ICT：information and comunication technology

学習到達度自己評価問題

1. 理学療法士が健康増進にかかわる際の法的な背景と注意点を説明しなさい．
2. 青・壮・中年期における特徴を説明しなさい．
3. 生活習慣病予防対策について説明しなさい．
4. 1次予防における評価項目について説明しなさい．
5. 健康増進もしくは1次予防のための介入方法を具体的に説明しなさい．

各論 11 リハビリテーション介入の効果判定

一般目標

- 介護予防の効果判定を行うために，研究の基礎と統計解析の基礎を理解する．

行動目標

1. 介護予防の効果判定として適切な指標を考え，説明できる．
2. 介入効果を調べるために研究デザインを主とした基礎事項を説明できる．
3. 統計解析の手法とその解釈に関する基礎事項を説明できる．

調べておこう

1. 介護予防事業などで使用されている評価法について調べよう．
2. 介護予防事業などの効果に関する研究論文や報告書を調べよう．

A 何をもって効果判定とするか

1 運動機能の評価

- 運動機能の評価項目としては一般に，握力，開眼片足立ち時間，タイムドアップアンドゴーテスト（TUG，図10-8参照），通常の5m歩行時間，最大の5m歩行時間を主として，さらにはファンクショナルリーチテスト（FR，図11-1），いすからの立ち上がり回数などがあげられる．
- 介入前に評価することによって，対象者の運動機能を把握でき，また対象者ごとに介入方法を選択するための参考となる．
- 介入後に再評価することによって，介入前後の変化から効果を判定する指標となる．また，プログラム変更の指標となる．

2 介入効果としてのエンドポイントとアウトカムを考える

- 介入の内容によって，どのような効果が期待されるか．
- 介入効果の目標としてのエンドポイント*endpointを明確にする．その上で，サロゲートエンドポイント*surrogate endpointを目標とするときもある．これらのエンドポイントを客観的に表すために妥当なアウトカム*outcomeを探索し，決定しておく．
- 少し大雑把なたとえをいえば，介入の長期目標がエンドポイントで，短期目標

TUG：timed up and go test
FR：functional reach test

*エンドポイント 介入効果の最終的な目標となる事実上の指標である．たとえば，QOLの向上や運動機能の維持などである．

QOL：quality of life

*サロゲートエンドポイント 代用のエンドポイントとも呼ばれる．これに対してエンドポイントを，真のエンドポイントtrue endpointと呼ぶこともある．サロゲートエンドポイントは，エンドポイントに行き着くまでの途中経過である．サロゲートエンドポイントの評価によって，十分なエンドポイントの予測が可能であれば，主要なエンドポイントとしてとらえることができる．あくまで1つの例であるが，歩行時間の短縮が間違いなく運動機能の維持に結びつく妥当な指標であると認められているなら，運動機能の維持をエンドポイントとしたとき，歩行時間の短縮はサロゲートエンドポイントとなる．

*アウトカム 結果変数のことである．介入によって，影響を受けると考えられる計測値であり，数学的・統計的手続きを行って得られる結果である．介入による効果として限定される必要はなく，エンドポイントを包含するものである．ゆえに，アウトカムとエンドポイントが同義に使われるときもある．

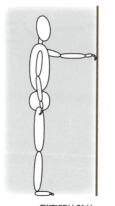
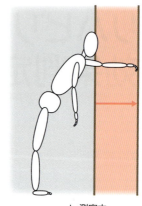

a. 測定開始肢位　　　　　b. 測定中

図 11-1　ファンクショナルリーチテスト
壁に向かって平行に立ち，両足を開いて安定した立位姿勢をとる．手を軽く握り，両腕を 90°挙上（およそ肩の高さ）して伸ばした上肢の先端をマークする（a）．上肢はほぼ同じ高さを維持して足を動かさずにできるだけ前方へ伸ばす．その際の上肢の先端をマークする（b）．踵を上げてつま先立ちになってもよいが，膝を曲げる，バランスを崩す，もとの開始肢位に戻れないときはやり直す．

がサロゲートエンドポイントとなる．これらは，対象者と共有できる表現が望ましい．「1 km の範囲は休まずに歩ける」や，「青信号のうちに横断歩道を渡れる」といった表現をする．その計測指標（アウトカム）として，「5 m 歩行時間が何秒以下」などをあげる．

- ただし，ここで述べる介入効果は，個々人の介入効果というよりは集団としての介入効果を意味しているため，上述の例は，単一症例を対象とした理学療法で設定される長期・短期目標とは異なることに注意する．
- 握力，開眼片足立ち時間，TUG，5 m 歩行時間などはテストバッテリー* test batteryとして活用されるだろうが，エンドポイントの指標として適切かどうかも考える必要がある．
- 上述したテストは標準的な共有データとして必要である．さらに加えて，対象者の身体機能だけではなく，対象者のニーズ，そして家族，家屋，地域の環境などをできる限り考慮した効果判定指標を考案して使用するのもよいだろう．
- 注意点として，効果は介入によって得られるものであり，因果関係の説明が理論的に難しい効果指標は列挙されてはならない．しかし，直接的な因果関係は認められなかったとしても，思わぬ発見に結びつく可能性はある．

*テストバッテリー　多面的な概念を表現するために組み合わされる，複数の評価指標のことである．検査を個々に解釈することに加えて，全検査を総合的にも解釈する．

B　介入効果を調べる

1 研究デザイン

- 効果判定のためには，評価指標の変化をみればよい．複数の指標がある際には，すべての値が向上すればよいとか，特定の指標が向上すればよいとか，さまざ

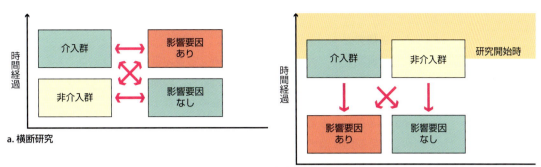
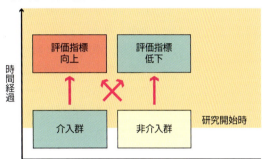

図 11-2　時間要因による研究デザインの分類

まなとらえ方があるだろう．したがって，あらかじめ効果判定の基準を決定しておく必要がある．
- 効果は，妥当性のある評価指標を客観的な手続きによって測定し，客観的な解析と解釈によって判定する．
- 客観的な手続きとは研究デザインの利点，欠点の周知と，当初決定した研究デザインに従うこと（恣意的にデザインを変更しない）である．

a. 横断研究

- 横断研究とは，介入群と非介入群に分けて，それらの群の違いに影響すると思われる要因を評価して比較する研究デザインである（**図 11-2a**）．
- 現状を調べるという研究の導入段階で用いられるデザインであり，介入群と非介入群に分けて比較するというより，ある属性をもった単独の集団を対象とすることが多い．たとえば，介入前の段階で，対象者の身体機能の状況を知るために，対象者の握力や開眼片足立ち時間などを評価する．さらにこれらの評価値に対して，年齢や体重，日常の運動習慣，住居地の違いが影響しているだろうか，などの現状を調べる．
- 利点は，現状で得られたデータをもとに比較，解析するため，時間，費用の面で効率がよいことである．
- 欠点は，得られた結果の信憑性としては，最も低いことである．とくに，**因果関係**については，明確なことはいえず，関連があるという事実しかとらえることができない．

b. 縦断研究
①後ろ向き研究
- 後ろ向き研究とは，次に述べる前向き研究と並ぶ縦断研究の1つである．これらは時間の経過を経て項目を評価するために，**縦断研究**と呼ばれる．
- 現在の時点で，結果がわかっている事象の介入群と非介入群（結果）の違いに影響すると思われる要因（原因）を調べる場合，過去にさかのぼって原因と思われる影響要因を調べ，その比較を行う（図11-2b）．
- たとえば，介入群と非介入群に分け，過去6ヵ月間の運動習慣を聞き取り調査したとする．介入群と非介入群において過去の運動習慣の頻度に差があるかどうかを調べる，という方法があげられる．
- 利点は，横断研究と同様に現状で得られたデータをもとに比較，解析するため，時間，費用の面で効率がよいことである．
- 欠点は，結果の信憑性が低いことである．また，因果関係については推定レベルに止まる．ただし，いずれも横断研究よりは質が高い．

②前向き研究
- 前向き研究は，縦断研究の1つである．まず，研究開始時に介入群と非介入群に分ける．次に，一定の期間を経てから評価指標を調べる．将来にわたって原因と思われる評価指標を調べ，その比較を行う（図11-2c）．
- たとえば，運動の介入群と非介入群に分ける．その後，6ヵ月間，介入群には特定の運動を行わせる．6ヵ月後に，5m歩行時間などを調べて，介入群と非介入群を比較する．
- 利点は，あらかじめ注目する基準で群分けしてしまい，影響すると考える要因に注目して，期間を経てから，因果関係を評価する点である．横断研究や後ろ向き研究では，介入群と非介入群に分けてから原因となる運動の効果を評価するため，介入群はよい方向に評価し，非介入群は悪い方向に評価するなどの恣意的な要素（バイアス）が入りやすい．しかし，前向き研究では，介入群と非介入群に分けてから将来にわたって運動の効果を調べるため，恣意的な要素は入りにくいといわれる．こうした意味で，横断研究，後ろ向き研究と比較して結果の信憑性が最も高い．
- 前向き研究では因果関係が明確になる．ただし因果関係の成立条件のうち，時間的順序性が保証されるのみである．本当に原因と結果の関係が真であるかについては，さらに検証を必要とする．
- 欠点は，研究を行うにあたって時間と費用がかかる点である．

c. 比較研究
- 比較研究とは，対象を2つ以上の群に分けて，群の違いに影響する要因を比較する研究デザインのことである．上述では主に，介入群・非介入群の比較研究を例としてあげている．
- 対象を群分けせず，現状を調査したり，経過を追ったりする研究デザインは比較研究ではない．
- 図11-2の研究デザインの分類法とは，また別の分類法である．

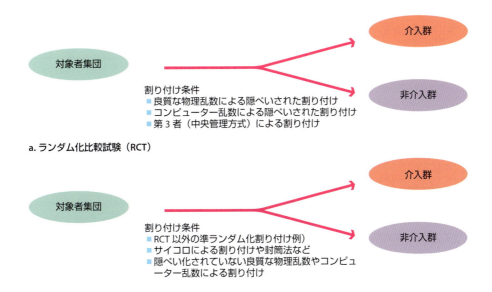

図 11-3 実験的研究の割り付けによる分類

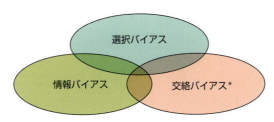

図 11-4 データの3つのバイアス
*交絡因子，交絡要因とも呼ぶ．交絡はバイアスとは別として扱う場合もある．

- 対象を2つ以上の群に分けるとき，属性に従って分けるか，ランダム割り付けを行って分けるかによって，研究の質が大きく変わる．
- たとえば，属性に従って，疾患を有する群と有さない群に分けるとか，A町住民群とB市住民群に分ける，という分け方は単なる比較研究である．
- 前向き研究かつ，ランダム割り付けを意識して群分けした場合は，ランダム化の程度によって，ランダム化比較試験（RCT，図 11-3a）と，準ランダム化比較試験（CCT，図 11-3b）に分けられる．RCT は，最も信憑性（エビデンスレベル）の高い研究デザインといわれている．

RCT：randomized controlled trial
CCT：controlled clinical trial

d．データのバイアス

- 研究データのバイアスには，選択バイアス，情報バイアス，交絡バイアスという3つのバイアスがある（図 11-4）．
- **選択バイアス** selction bias とは，対象者を選ぶときに生じるバイアスである．介入に積極的参加をしてくれる人しか対象にしないとか，男性だけを対象にするといった偏りである．

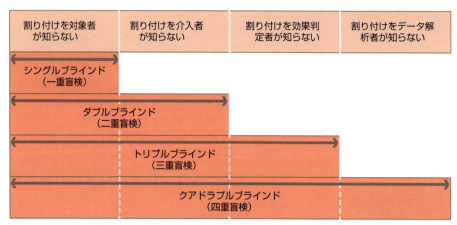

図 11-5　ブラインディングの方法

- **情報バイアス** information bias とは，評価，測定を行う際に生じるバイアスである．介入を積極的に遂行してくれる人はよい方向（介入効果のある方向）に評価してしまう，などの偏りである．
- **交絡バイアス** confounding とは，原因と思われる項目と結果が関連をもつとき，その背後に隠れた要因（**交絡因子**）が存在することである．介入群が運動機能の向上を得たとき，実は介入群に若年者が多かった（交絡因子），男性が多かった（交絡因子）というために介入効果があったようにみえるという例がある．

e. ランダム化比較試験（RCT）

- RCT におけるランダム化割り付けでは，隠ぺい（図 11-3）と，ブラインディング（盲検化，図 11-5）が重要となる．ブラインディングとは，研究に関与する者が，どの群に割り付けられたかを知らないようにする方法である．ブラインディングのレベルによって，4 段階に分けられる．
- なぜランダム化割り付けを行う必要があるのか．データのバイアス（偏り）のうち，交絡バイアスを最小限にするためである．ランダム化割り付けが理想どおりに行われているなら，交絡因子は無視できるほどに小さい．
- RCT であっても，選択バイアスと情報バイアスは存在するため，完璧な研究デザインとはいいきれない．
- RCT は介護予防における効果判定の研究デザインとして，倫理的にもかなり困難であろう．
- RCT 以外の研究デザインでは，交絡バイアスを少なくする対策が必要である．割り付けした群間で，交絡因子と思われる要因を同程度にするマッチングを行うか，データ解析の段階で多変量解析という手法を適用する．
- **マッチング**とは，介入群，非介入群間で，年代層の割合を同じにする，性別の割合を同じにする，運動機能のレベルを同じにするなどの調整をすることである．
- **多変量解析**は，介入群と非介入群の握力の差を検定するとき，年代層，性別などの割合も考慮した複雑な解析手法である．代表的な手法に重回帰分析，多重

表 11-1 さまざまな基本統計値

	A	B	C
	50	40	40
	40	40	20
	20	20	20
	60	60	1,000
	30	1,000	1,000
平均	40.0	232.0	416.0
中央値	40	40	40
標準偏差（SD）	15.8	429.6	533.2
最大値	60	1,000	1,000
最小値	20	20	20

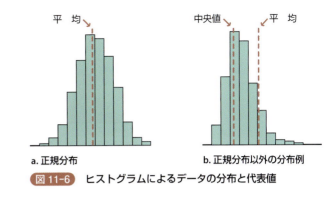

図 11-6　ヒストグラムによるデータの分布と代表値

SD：standard deviation

ロジスティック回帰分析，因子分析，共分散構造分析などがある（統計の専門書参照）．

2 データの考え方

- 効果判定に使用するデータは，信頼性を高めた手順で複数回測定することが望ましい．
- しかし，ほとんどのデータは理想どおりにとられていないことのほうが多い．だからといって，効果判定の材料にならないというわけではない．自らのとったデータの信憑性，すなわち誤差の程度を周知しておくことが大事である．
- 最も単純な解釈法として，介入/非介入のそれぞれの測定値の間に誤差範囲をこえた変化があれば効果ありと考える．また，正しくデータを提示し，適切な統計解析を行って公表すれば，他者が正しく解釈でき，複数の類似した報告の比較も容易となる．そのためにも，研究に関する基礎知識は必要不可欠である．

C　効果の判定

1 データの観察

- データの量が莫大でなければ，すべての実際のデータを直に観察することが基本である．基本統計値として，平均，中央値，標準偏差（SD），最大値，最小値も求めておいて参考とする（表 11-1）．
- 平均や中央値は，データの代表値である．つまり，大小ばらつくデータの中心的な値を表すものである．平均は，データの和を人数（標本の大きさ，n で表す）n で割った値である．中央値は，データを小さい順または大きい順に並べて，ちょうど真ん中に位置する値である．
- データが正規分布に従うときには，代表値として平均が役立つ（図 11-6a）．
- データが正規分布に従わないとき，平均は代表値として有効ではなくなる．したがって，中央値を使用しなければならない（図 11-6b）．たとえば表 11-1 で

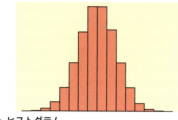

a. ヒストグラム
データの分布を観察するときに有効である．

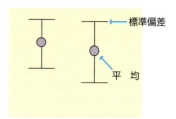

b. エラーバーグラフ
正規分布に従うデータに使用する．平均と標準偏差で表すことが多い．複数のデータを一度に表現するときに有効である．

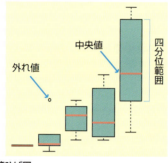

c. 箱ひげ図
中央値と四分位範囲を用いたグラフ．正規分布に従わないデータを観察するときに有効である．

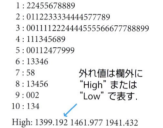

d. 幹葉表示（ステムアンドリーフ）
数値を詳細に表したヒストグラム．データ数が多量でなければ簡単にかける．

e. 散布図
2変数の関係を観察できる．

f. 3次元散布図
散布図を3次元で表して，交絡の存在などを観察できる．

図11-7 さまざまなグラフ

は，AよりもBの平均が大きい．個々の値をみるとAもBも，ほとんど同じであるが，Bには異常に高い「1,000」の値が影響しているのである．このような値に影響を受けにくいのが中央値である．AとBの中央値は同じ値をとる．

- 最大値，最小値や，標準偏差は，データのばらつきを表す統計値である．**表11-1**のBとCを比べると最大値と最小値は同じでも，標準偏差はCのほうが大きい．最大値と最小値は単にデータの範囲を表すものであり，標準偏差は，平均に対する各データのばらつきを表すものである．したがって，標準偏差はデータが正規分布に従うときに使用できる指標である．
- データはさまざまなグラフで表して観察し（**図11-7**），個々のばらつきを検討する．他と大きく離れているデータや，一定の関係に背くデータなどを発見し，

その原因を探るという作業が思わぬ発見につながるときもある．
- 適切な統計解析を行って数値で表すことが，客観的かつ必要な手続きと思われがちだが，生データを眺めることや，グラフを描いて観察することから有益な情報を得るときもある．

2 統計解析

統計解析を行うにあたって，統計ソフトウェアが必要となる．有償のソフトウェアは扱いやすいメリットがあるが，高価であることがデメリットである．そこで，多少利便性に欠けるというデメリットをもつものの，世界的にも信頼性の高い R というオープンソース（無料で統計計算ができるソフトウェアと考えてもよい）がある．

a. 差の検定

- 差の検定とは，2 つのグループ間，または条件を与える前後間のデータを対象として，各々の代表値に差があるかを統計的に検定する．
- 単純にデータから計算される平均差や中央値の差を算出するのではなく，対象者がかなり多くなった状態の集団（母集団）を推定し，その母集団間の平均差または中央値の差を推定する．
- たとえば，介入群と非介入群の平均に差があるか，介入前の握力データの中央値と介入後の中央値に差があるか，などの差を調べる．統計解析では，データ（標本）をもとに母集団の平均差または中央値の差を推定し，母集団の平均，中央値に差がない確率を出力する．
- 統計学では，計算によって出力された「差がない可能性」が 5％未満（$p<0.05$）または 1％未満（$p<0.01$）のときに，差がないとは考えにくい＝有意な差がある，と判断する決まりになっている．したがって，結果の表現として「$p<0.05$ で有意な差があった」とか「$p<0.01$ で有意な差があった」などと記載する．当然ながら，「$p<0.01$ で有意な差があった」ときのほうが，差のない確率は低い．つまり，差のある確率は高い．
- 注意すべきは，$p<0.05$ または $p<0.01$ で有意な差があると記載されていても，差の程度は不明である点である．つまり p の大きさと差の程度とは関係がない．
- 結果の記述で，$p<0.05$ または $p<0.01$ で有意な差があったという記載があるときは，次に実際のデータの平均・中央値の差を観察する．その差の程度が実際に差として認められるほど大きな差でなければ，「統計的に有意な差」でも「臨床的に有意義な差」ではない．
- たとえば平均の比較で握力が 0.5 kg しか改善しないとか，FR が 2 cm しか改善しないという場合で $p<0.01$ の有意な差が認められたとしても，0.5 kg や 2 cm が「臨床的な差」と考えてよいかを再考しなければならない．**図 11-8** は差の検定の結果を述べた架空の例である．介入前後で有意な差が認められており，効果は大きいと考察している．しかし，介入前後の平均の差は 1.2 秒，歩行速度に換算すると 57.1 m/分から 64.5 m/分への改善である．この差を大きいとみるか小さいとみるかは，臨床家の判断に委ねられる．

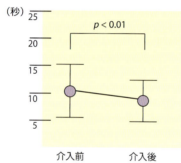

図 11-8　差の検定の例

65 歳以上の高齢者 60 人を対象に，4 ヵ月間の筋力トレーニングを行った．介入前後の 10 m 歩行時間を比較したところ，
- 介入前は 10.5±7.6 秒
- 介入後は 9.3±7.9 秒

と有意に改善した（$p < 0.01$；左図）．これによって筋力トレーニングの効果は大きいことがわかった．

- 差の程度を把握する妥当な統計指標として，最近は 95％信頼区間や効果量 effect size の提示が求められている．図 11-8 の例では，95％信頼区間は 0.33〜1.99 秒であった．推定される母集団の平均の差は，95％の確率で最小 0.33 秒〜最大 1.99 秒の差という意味である．$p < 0.01$ で有意な差があっても，95％の確率で最小 0.33 秒の差でしかない．これは効果というよりは，単に測定の誤差と考えられるかもしれない．少なくとも信頼区間の最小値が測定の誤差範囲をこえる必要がある．

b．相関係数

- 相関係数とは，2 つのデータの一方が大きくなると他方が大きくなる（正の相関），または一方が大きくなると他方が小さくなる（負の相関），といった関係を客観的数値で表すものである．値の範囲は，−1（負の相関）〜1（正の相関）の範囲をとり，0 に近づくほど，関係が小さい．
- 一般的には，相関係数 $r > |0.7|$ だとかなり相関は高いと評価する．$r > |0.4|$ であれば相関は高いと考えてよいだろう．$r < |0.2|$ のときは，ほとんど関係がない（図 11-9）．
- 相関係数も差の検定と同様に，検定結果と，相関係数の大きさで評価する．まず，検定が $p < 0.05$ で有意であることが条件となる．次に，$r > |0.4|$ であれば相関は高いと判断してよい．
- 相関係数の検定結果が有意とならない（5％以上）ときは，$r > |0.7|$ であろうが $r > |0.4|$ であろうが，相関はあるとはいえず，相関が高い，低いといった程度も記述できない．

c．χ^2 検定

- ピアソン（Pearson）の χ^2 検定，分割表の検定とも呼ばれる．図 11-10 に示した表が分割表である．行要因（運動継続，運動中止）と列要因（低下群，維持向上群）の 2 つの要因の関係を検定する．
- $p < 0.05$ で有意な結果が得られたときは，2 つの要因に関連があるということになる．ただし，どの程度関連があるかは不明である．
- 関連の程度を表す指標として，連関係数がある．連関係数は相関係数と同義の指標である．主な連関係数として，ファイ（ϕ）係数とクラメール（Cramer）の V 係数がある．ファイ係数は，2×2 分割表（2 行 2 列という意味）の際に適

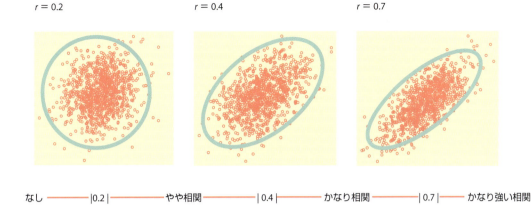

図 11-9 相関係数の大きさの判断目安

図 11-10 分割表の検定（χ^2検定）の例

65 歳以上の高齢者 444 人を対象に，2 カ月間の筋力トレーニングを行わせた．介入後に片足立ち時間が短縮した者を低下群（253 名），変更なし・延長した者を維持向上群（174 名）として分けた．低下群のうち運動を中止した者は170名，維持向上群のうち運動を継続した者は100名であった．χ^2検定による結果，$p<0.01$ で有意に関連があった．

- ピアソンの χ^2 検定 $p<0.01$
- Φ 係数 0.245
- オッズ比 0.362（95%信頼区間 0.238-0.550）

用となる指標で，それ以外の分割表のときは，クラメールの V 係数を適用する．
- ファイ係数は，相関係数と同様に $-1 \sim 1$ の範囲をとり，ファイ係数 $\Phi > |0.7|$ だとかなり連関は高い，$\Phi > |0.4|$ であれば相関は高い，$\Phi < |0.2|$ のときは，ほとんど関係がないと解釈する．
- クラメールの V 係数は $0 \sim 1$ の範囲をとる．負の値をとらないというだけで，解釈は相関係数，ファイ係数と同様である．
- 分割表でよく用いられる指標としては，オッズ比もある．オッズ比は影響の度合いを倍率で表すという特徴があり，臨床的にも理解しやすい指標なので，近年よくみられるようになった．オッズ比は倍率なので，1のときは関連がないことになる．
- 図 11-10 の例では，オッズ比は 0.362 となっている．これは，「運動を継続した場合，維持向上群に比較して低下群となる可能性が 0.362 倍である」という意味になる．0.362 倍とは，逆数を計算すると $1/0.362 \fallingdotseq 2.76$ 倍となり，「運動を継続した場合，低下群に比較して維持向上群となる可能性が 2.76 倍である」とも解釈できる．
- オッズ比の 95%信頼区間は，母集団のオッズ比の推定値となる．図 11-10 では，95%信頼区間は 0.238～0.550 と記述されているので，「運動を継続した場合，維持向上群に比較して低下群となる可能性が，95%の確率で 0.238～0.550 倍の範囲をとる」と解釈する．95%信頼区間の間に「1」が含まれないときは「オッ

表 11-2 介入効果判定の歩行速度データ

群	対象 No.	研究開始前	研究開始 1 ヵ月後
介入	1	35.8	66.7
	2	76.0	76.0
	3	88.9	94.3
	4	89.3	88.0
	5	77.9	147.1
	6	67.0	126.3
	7	75.0	108.7
対照	1	27.3	43.5
	2	53.4	71.3
	3	48.3	74.7
	4	23.4	21.5
	5	58.1	40.5
	6	58.9	37.4
	7	64.0	62.4
	8	79.8	72.0
	9	47.1	60.9

表 11-3 歩行速度（m/分）の記述統計値

	研究開始前	研究開始 1 ヵ月後
介入群	72.8±18.1	101.0±28.4
対照群	51.1±17.5	53.8±18.7

平均±SD

ズ比は $p<0.05$ で有意に 1 とならない」と判断する．

D 具体的な効果判定の解釈例

1 効果判定例①

　介護予防事業を例にあげて，参加者の身体機能に対する効果判定を検討した例題をもとに，説明する．下記の説明は，あくまで架空の例題である．

　介護予防事業参加者 7 名（介入群）と非参加者 9 名（対照群）に対して，一定期間経過後に歩行速度の変化が起こるかどうかを調べて，効果判定を行った．実際のデータは表 11-2 のようであった．
　平均値と標準偏差は表 11-3 に示した．平均値をみると，介入群のほうが約 30 m/分ほど速くなっている．対照群は約 2 m/分の改善にとどまっている．
　これに対して，分割プロットによる分散分析を適用させたところ，研究開始前の介入群と対照群の間で，また介入群の研究開始前と 1 ヵ月後の間で，有意な差（$p<0.05$）が認められた（図 11-11）．さらに，1 ヵ月後の介入群と対照群の間でも有意な差（$p<0.01$）が認められた．
　このことから，対照群よりも介入群では歩行速度が大きく改善したといえる．

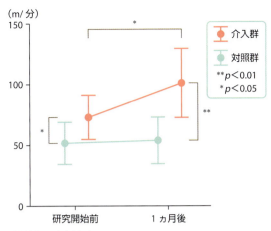

図11-11　研究開始前後の歩行速度

- この記述によって，対照群よりも介入群で歩行速度が有意に改善したということがわかる．歩行速度を例として挙げているが，TUGやFR，ADL尺度（機能的自立度評価法［FIM］やバーセル指数［BI］でも置き換えて，同じような解析ができる．
- 具体的にどのようにデータを解析したかは，本書の範疇をこえるので説明しないが，上述のような効果判定を述べた研究報告は多い．もちろん，研究報告しないとしても，具体的に行っている介入効果を客観的に表して記録しておくことはエビデンスの蓄積としても大切なことである．
- しかし，こうした効果判定の結果の解釈は妥当であるかについて，疑ってみることも必要である．統計解析によって数字を提示されて「有意な差があった」と書いてあるから，間違いなく効果があると信じることは危険である．
- まずは研究デザインを判断してみよう．この例では，研究の開始前に歩行速度を測って1ヵ月後に再度測っているので，**前向き研究**となる．
- また，介入群と対照群に分けて比較しているので比較研究となる．ただし，**ランダム割り付け**をしたかどうかは不明であるので，RCTかどうかはわからない．ゆえに信憑性には疑問があり，結果の解釈には十分注意しなければならない．
- どのように割り付けたか不明なときは，群間の特性に差があるかどうかを疑わなければならない．最も簡単なのは，アウトカムとなっている歩行速度に影響する要因（交絡因子）を列挙することである．歩行速度には，年齢や性別，身長，体重が影響するかもしれない．それらの要因は群間で大差ないと考えてよいだろうか？　もし，その情報が見当たらないなら，この結果の信憑性は低い．
- この例題では，研究開始前の歩行速度に有意な差が認められている．これは，**交絡バイアス**となる．介入群は研究開始前の歩行速度が速いということは，若年の者が多いとか，男性が多いとか，そもそも身体活動性の高い意欲的な者が多い可能性も否定できない．
- また，ブラインディングの状況も不明であるため，**情報バイアス**については読み取れない．これらの文面だけを考えると，介入群の歩行速度が対照群よりも

ADL：activities of daily living
FIM：functional independence measure
BI：Barthel index

改善したと結論づけるのは困難である．
- 介入群7名の研究開始前と開始1ヵ月後の差について95％信頼区間は提示されていないので，差の程度も不明である．ただし，**表11-2**のデータをみて，対応のあるt検定を行って95％信頼区間を求めると，差の平均は28.17 m/分，95％信頼区間は1.82〜54.52 m/分であった．これは，介入群7名の差の平均は28.17 m/分であるが，もし，このデータを$n ≒ ∞$まで増やしたとすると，その差の平均は95％の確率で1.82〜54.52 m/分の間にあるだろう，という意味である．
- 介入群の研究開始前と開始1ヵ月後の差の平均は，今後$n ≒ ∞$まで増やしたとすると，95％の確率で最低，推定で1.82 m/分程度である．もちろん，最高で推定54.52 m/分の差となるのだが，最低，1.82 m/分程度の可能性もあると考えれば，大きな差と認めるには難しい．
- ゆえに研究デザイン，バイアスの問題もさることながら，検定の結果についても，疑問が残る結果である．このように効果判定については，慎重に適切な判断をできる知識が重要となってくる．

2 効果判定例②

> A町在住の介護予防事業に参加した64名（参加群）と，無作為に抽出した事業への不参加者60名（不参加群）を対象として，1年後の身体機能の変化と医療費の増減（過去1年間の費用と調査開始から1年間の差）について，どのような効果がみられるか調査した．両群とも年齢，性別，BMI，調査開始時の身体機能の程度には有意な差はなかった．
>
> 1年後の調査結果の各人数は，**表11-4**のようであった．マンテル・ヘンツェル（Mantel-Haenzel）検定の結果，$p<0.01$で有意な人数の偏りが認められた．調整済み残差をみると，医療費の増加した者のうち，参加群で有意に身体機能が維持向上し，不参加群で身体機能が低下していた．医療費が維持または低下した者は身体機能と有意な関係はなかった．

BMI：body mass index

- 研究デザインは，**前向き研究**である．参加群と不参加群で，調査開始時の年齢や性別などの基礎データ，身体機能には有意な差が認められないということなので，疑わしい**交絡因子**の影響は少ないかもしれない．
- 参加群と不参加群のランダム割り付けではないが，ある程度のマッチングは行われている．
- もともと参加群は事業に興味のある意欲的な者もしくは，健康状態に不安を感じている者などが集まりやすく（選択バイアス），不参加群であっても自主的にトレーニングをしている者もいるかもしれない．そうした要因の調査も行っておくべきである．
- アウトカムの評価として，医療費は対象者の自己申告であるのか，調査者の確認によるものなのかでまた違ってくるかもしれない（情報バイアス）．もちろん，何の医療費なのか（介護予防事業とは明らかに無関係な診療科の受診）も重要

表11-4 調査結果（マンテル・ヘンツェル検定）

				参加/不参加		合計
				参加群	不参加群	
医療費増加	身体機能	維持向上	人数 調整済み残差	8 3.1	1 −3.1	9
		低下	人数 調整済み残差	21 −3.1	41 3.1	62
	合計人数			29	42	71
医療費維持または低下	効果	維持向上	人数 調整済み残差	10 1.4	2 −1.4	12
		低下	人数 調整済み残差	25 −1.4	16 1.4	41
	合計人数			35	18	53
合計	効果	維持向上	人数 調整済み残差	18 3.4	3 −3.4	21
		低下	人数 調整済み残差	46 −3.4	57 3.4	103
	合計人数			64	60	124

$\chi^2=8.597$　$p=0.003$

である．また，身体機能の判断は，何をもって維持向上，低下と分けているかも知りたいところである．
- 統計解析は，3要因の分割表になるので，マンテル・ヘンツェル検定という方法を使っているが，多重ロジスティック回帰分析を適用したほうがよいかもしれない．
- 検定の結果では有意となっているが，どの部分が有意になっているかを知るためには，表11-4の調整済み残差というところをみる．人数が多い少ないで判断してはならない．これは単純な分割表の検定でも共通である．+2以上のところは有意に多い，−2以下のところは有意に少ない，と判断する．
- したがって，有意であったところは医療費の増加した者のみで，参加群の身体機能が維持向上し，不参加者の身体機能が低下したというところである．
- 自らが効果判定を行う，また他者の報告を読解する上で，研究デザインや統計解析に関する知識は必須である．ただ経過を追って効果をみるだけではさまざまな問題がつきまとう．実践を客観的に記録・報告することは専門家として必要なことであり，わずかでも知識を身につけておく必要がある．

学習到達度自己評価問題

1. エンドポイントとアウトカムについて説明しなさい．
2. 横断研究，後ろ向き研究，前向き研究の違いを説明しなさい．
3. 3つの主要なバイアスを説明しなさい．
4. 基本統計値の意味を説明しなさい．
5. 差の検定の結果を解釈する上での注意点を説明しなさい．
6. オッズ比とはどのようなものか，説明しなさい．

各論

12 住環境整備

一般目標
1. 理学療法における生活環境学の必要性を理解する．
2. 生活環境学に関連する制度について理解する．
3. 福祉用具に関連する制度について理解する．
4. 福祉用具の種類やその特徴について理解する．

行動目標
1. 生活環境学に関連する制度について説明できる．
2. 障害者の生活継続のために適切な生活環境の整備をイメージできる．
3. 福祉用具に関連する制度について説明できる．
4. 福祉用具の種類やその特徴について説明できる．
5. 障害者の身体障害や生活状況，住まいなどさまざまな要素を配慮し適切な福祉用具導入ができる．

調べておこう
1. 介護保険における住宅改修サービスの内容について調べよう．
2. 自分が車いす生活になったとして，自分の家の問題について調べよう．
3. 介護保険制度によって給付される福祉用具について調べよう．
4. さまざまな福祉用具のおおよその値段について調べよう．
5. 車いすの各部名称について調べよう．

12-1 福祉用具の導入による生活環境整備

A 理学療法士養成における生活環境学

2000（平成12）年に始まった介護保険制度においては，居宅サービスとして，福祉用具の貸与および購入，住宅改修というサービスが給付されている（表3-6参照）．

B 生活環境改善の手法

1 生活環境学を基盤とする具体的サービスとその効果

a. 具体的サービスとは

- 理学療法学を基盤とした生活環境学による具体的サービスとしては，**福祉用具導入**と**住宅改修**である．これら2つのサービスに深くかかわり合い，理学療法士として適切な指導を行うことで，福祉用具や住宅改修が利用者に対して，より高度に適合する．
- また，これら2つのサービスは，双方切り離せないサービスでもある．適切な福祉用具を導入することによって住宅改修の効果が格段と高まり，また逆に，適切な住宅改修を行うことによって福祉用具の選択肢が広がる．
- このように福祉用具導入と住宅改修は相互に好影響を及ぼし合い，相乗効果的に住環境を向上させるものである．障害者のより高度な生活上の自立を促進し，介護者の介護による負担を少なくするような住環境を提供する支援を行うために，関連法制度を最大限利用しつつ，福祉用具導入と住宅改修のサービスを適切に行えるようになることこそ，理学療法士が生活環境学を学ぶ意義でもある．

C 福祉用具導入の視点とポイント

1 移動にかかわる主な福祉用具

a. 車いす

- 車いすは**自走用車いす**と**介助用車いす**に，大きく分けることができる．ここで確認したいことは，車いすとは本来，「自立のための補装具」であるということである．
- 介護保険のなかでの車いすは，「障害者を介助して移送するための用具」として取り扱われている場面を多々目にするが，自走用車いすこそが本来の車いすであり，介護用車いすは床走行リフトの部類に入るものである．
- また，車いすはその走行性も重要であるが，さらに重要な点が「良好な座位姿勢の保持」に関する性能である．
- 逆に，よい姿勢で座ることにより，障害者の動作遂行能力が高まり，走行性も向上することになる．
- 結果として，多少の段差や傾斜した場所を走破する可能性が高まり，住宅改修手段の選択肢が多様になる．

b. 杖

- 杖は，長さを障害者に適合させる必要がある．
- わずか1cmの長さの不適合が，歩くことに対して悪影響を及ぼすことがあり，

慎重に長さを合わせる必要がある.
- 松葉杖や腋窩杖は，T字杖よりも多くの体重を支持する必要がある場合に用いられる.
- 腋窩杖という呼称であっても，体重を腋窩で支持するのではなく「にぎり」で保持することから，にぎりの高さを障害者に合わせる必要がある．この合わせ方もいろいろな方法があるが，にぎりについては，肘を30°程度屈曲したときの母指球中央から地面までの長さにするという方法がある.
- また，床に杖を突いている状態（足指小指から外側に15 cm離した状態）で，腋窩と杖の「脇あて」との間に3横指（4〜5 cm）程度の空きをつくる必要がある（腋窩神経麻痺への対策）.
- その他，ロフストランドクラッチや多点杖，サイドケイン（**図12-1**）なども，T字杖よりも多くの体重を支持する必要がある場合や，歩行安定性が低い場合に用いられる．高さは，T字杖と同じである.

図12-1 サイドケイン

c. 歩行器，歩行車

- 歩行補助車を含む歩行器は，杖では歩くことの安全を確保できないときに，杖に移行することを目的（前提）として一時的に使用することを基本とする福祉用具である.
- 当然，身体状況によっては使い続ける障害者もいる．たとえば，病院などの病棟でよくみかけるようなキャスター付きの比較的大きめの歩行器では，使用する人が立っているときの肘頭の高さに合わせるか，それよりも少し高く設定する.
- 肘から前腕全体を歩行器上に載せ，そこに体重を多めに支持させることによって，杖での歩行が不可能な状況であっても，歩くことが可能になる.
- しかし，このようなタイプの歩行器はやや大きくつくられており，日本の家屋内で使用する場合，出入り口を通過できないなどの支障が出ることがある.
- また，キャスターが小さく，数センチメートルの段差であっても通過できないことがあることから，住宅改修では細やかな段差解消が必要である.

2 睡眠環境整備にかかわる主な福祉用具

a. 特殊寝台（介護用電動ベッド）

- 介護用電動ベッド（以下，電動ベッド）は，その動力に使用するモーターの数によって，「1モーターベッド」や「2モーターベッド」「3モーターベッド」とも呼ばれている．ベッドに組み込まれているモーターの数によって，そのアシスト能力も異なる.
- たとえば，1モーターベッドでは，背上げ機能（ギャッチアップ）か，臥床面昇降機能（ハイ，ロー）のいずれかであるものがほとんどであるが，3モーターベッドでは，背上げおよび臥床面昇降機能に加え，足上げ機能（膝立て機能）が可能となる.
- ベッドは「**睡眠のための道具**」であり，それに関する機能が最も重要である.
- 寝心地のよさの条件の1つである「ある程度の硬さをもったマットレス」，いわ

図12-2 スライディングボード

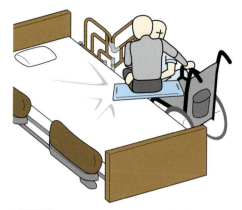

図12-3 車いすからベッドへの移乗

　ゆる沈み込みの小さいマットレスのベッドは，臥位で寝返りなどの動作が自力にて可能である障害者にとって，「**動きやすさ**」という面でも効果的である．
- 沈み込みの大きいベッドでは，とくに寝返り動作の中心となる腰部と殿部の動きが，その沈み込みによって制限されるために，非常に動きづらくなっていることがあり，そのことは起き上がり動作にも影響することから，マットレスの硬さは重要である．
- スライディングボード（図12-2）によってベッドから車いす，またはその逆の移乗動作を行っている障害者では，ベッド高を車いす座面高よりも高くすることで車いすに移り，その逆の動作を行うことで車いすからベッドへ移ることから，ベッド高の電動調節機能は，重要なものとなる（図12-3）．

b. 電動ベッドに付随する福祉用具
- 寝返りに関しては，その補助手段として，**ベッド柵**を利用することが多々ある．
- 寝返る側にあるベッド柵を上肢にて引っ張ることによって寝返り動作が容易になることから，ベッド柵は強固なものを導入する必要がある．
- さらにベッド柵は，ベッド端に座っているときやその状態から立ち上がるときの「介助バー」を兼ねているものも多くあることから，これも利用者の状況に応じて適合するものを導入する必要がある．

3 トイレにかかわる主な福祉用具

a. ポータブルトイレ
- ポータブルトイレは，オムツ使用と通常のトイレ使用との中間に位置するものであり，それを導入する障害者の身体機能レベルは，比較的幅が広い．ほぼ寝たきりで介護者による全介助状態の者から，歩行などが可能で日中は通常のトイレを使用しているが，夜間のみポータブルトイレを利用する者まで，さまざまである．
- 種類も豊富であり，プラスチック製が主流であるが，外装が木製のものも多く市販されている．
- 導入層の幅が広いポータブルトイレではあるが，実際に導入している者は，移

乗や移動が困難である場合が圧倒的に多い．したがって，ポータブルトイレに求められる機能としては，ベッドからポータブルトイレ，またはその逆のときに，安全かつスムーズに移乗できるための機能が重要となる．

4 浴室にかかわる主な福祉用具

a．シャワーいす，バスボード，浴槽内いす

- シャワーいすは入浴に関する福祉用具のなかで，非常に多く導入されているものの1つである．シャワーいすの座面を浴槽縁の高さに合わせることで，シャワーいすに座ったままの状態から直接，浴槽内に入ることができる．
- 通常は座面が平らであるが，殿部の形状に合わせて，座面が彎曲しているものもある．前者は動きやすさを優先する場合，後者は座位安定性を優先する場合に導入される．
- 以前は白色系のものがほとんどであったが，最近では赤や青，ピンクなど，さまざまな色が選べるようになった．白内障のある障害者では，青色系は黒色にみえることから，赤色系を推奨する．
- 背もたれがついているものやいないもの，肘あてがついているものなど，多様な選択肢があり，障害者の身体状況と趣向に合わせて導入する．
- **バスボード**は，シャワーいすなどから移乗し，そして浴槽に入るための用具である．浴槽縁で座位をとることができるために，浴槽へ出入りする動作が安定する．
- しかし，シャワーいすから直接浴槽に入ったほうがよい場合も多々あるので，その導入時に慎重な見極めが必要となる．
- 浴槽内いすは，浴槽内に沈めて使用する福祉用具である．
- 浴槽の出入り時には，踏み台の代わりとなって段差を小さくし，浴槽に入っているときには低めのいすとなり，立ち座りを楽にするものである．
- 欠点としては，肩までお湯に浸ることができないことである．

b．入浴用リフト

- 浴槽内へ入るときに介助が必要な障害者は，入浴用リフトの導入を一考する価値がある．入浴用リフトは，浴室内に支柱を立てその支柱から出たアームの吊り具によって入浴させる**懸垂式リフト**と，浴槽縁や浴槽内に設置して障害者が座った台座を昇降させて入浴補助を行う**浴槽固定式リフト**に大きく分けられる．
- 懸垂式リフトはシート型の吊り具を使うことから，肩までお湯に浸かることが可能であるが，浴槽内で体が浮いて不安定になりやすいことから，入湯時や移動時には常に，介護者などが障害者の体を支える必要がある．
- 浴槽固定式リフトは，シャワーいすからリフトの座面へ移乗し，両下肢を浴槽内へ入れるなどの動作が必要となることから，「移乗のしやすさ」を優先的に検証する必要がある．当然，これら一連の動作に不安定な部分がある場合には，介助が必要となる．

OA：office automation

> **memo**
>
> **IT および ICT，そして IoT**
>
> それぞれ，はっきりとした定義づけがなされているわけではないが，大まかには以下のとおりである．
> IT とは，「information technology」の略で，「情報技術」と訳される．業務効率の改善を目的に，仕事のデジタル化や，OA 化を進めるための「技術」そのものである．
> 一方，ICT とは，「information communication technology」の略語で，そのまま訳すと「情報伝達技術」となる．現在では「IT」，すなわち情報技術を仕事に取り入れて，業務の効率を上げるのはあたり前のことである．メールなどの情報伝達もしくは通信技術をフル活用して，仕事の効率を上げることが，ICT の醍醐味である．IT は技術そのものを指すが，ICT には技術に加え，通信技術による多職種連携などの「方法論」という意味も含まれていると理解できる．
> さらに IoT とは「internet of things」，直訳して「モノのインターネット」である．通信技術からもう一歩進んで，世の中に存在するさまざまなモノに通信機能をもたせ，インターネットに接続したり，相互に通信することによって，自動認識や自動制御，遠隔計測などを行うことである．リハビリテーション機器も，利用者や患者が使ったとたんに，その身体状況などが関係各所に送られ，かかわる専門職が情報を共有した上で，遠隔から，より適切な負荷などを設定して，リハビリテーションを効率化するなどという時代がきている．

学習到達度自己評価問題

1. 生活環境学に関連する制度について説明しなさい．
2. 障害者の生活継続のための生活環境の整備の一例をあげ，その内容について説明しなさい．
3. 福祉用具に関連する制度について説明しなさい．
4. 介護保険制度で給付される福祉用具をあげなさい．
5. 福祉用具の種類やその特徴について説明しなさい．
6. 福祉用具導入の一例をあげ，その内容について説明しなさい．

12-2 生活環境改善に必要な建築用語の知識

木造在来軸組み工法（もくぞうざいらいじくぐみこうほう）	わが国の一戸建ての家屋で最も多く採用されている工法．いわゆる大工が建てる木造住宅は，ほとんどがこの工法となっている．後々の改修工事がしやすいなどのメリットがある．
2×4工法（ツーバイフォー）	北米から輸入された工法で，後から壁を撤去したり間口を拡げるなどの改修をする際，慎重な検討を要する．
大壁（おおかべ）（構造）	柱が壁のなかに隠れていてみえない構造．最近の住宅，とくに洋室はほとんど大壁となっている．
真壁（しんかべ）（構造）	柱が壁の表面にみえている構造のこと．昔の和風住宅はすべて真壁構造であった．最近の住宅でも，和室や和風の空間などは真壁にすることがある．

耐震壁（たいしんかべ/へき）	地震時に建物の横揺れを抑える役目の壁．耐震壁として設定されている壁は，撤去すると建物の耐震性能が下がる．やむをえず，耐震壁を撤去せざるをえないときには，撤去した後の耐震性能を診断し，必要に応じて代わりの耐震補強工事を行うなど慎重な対応が必要となる．通常は，構造計算に精通した建築士がこの検討を行う．
筋交い（すじかい）	在来軸組み工法の木造住宅において，耐震壁のなかに斜めに設置されている材木のこと．耐震壁の項目で述べたとおり，筋交いを安易に撤去することは，その建物の耐震性能を低下させる可能性があるので慎重な検討を要する．逆に，耐震性能が劣っている住宅を補強するのに筋交いを入れることがある．
玄関ポーチ	玄関の扉を開けてすぐの屋外のスペースのこと．玄関ポーチの段差が障害になるケースもある．
アプローチ	道路から敷地内に入って玄関にいたるまでの通路の総称．アプローチに階段や飛び石などの段差があり，障害者の動きを阻害するケースは少なくない．飛び石の場合は，取り除いたり庭に埋め込んでしまうなどの対策もある．傾斜が急な階段がある場合は，緩やかな階段に造りかえる方法などが検討される．
外構（がいこう）	玄関のアプローチ，庭，塀，スロープ，駐車スペース，など家の外周りの空間，およびその空間に存在するさまざまな構築物の総称．外周りの空間にスロープを設置したり，駐車スペースに屋根を設けたりする工事を，外構工事と呼んでいる．
共用部	分譲マンションの場合，原則的に，各住居内はそれぞれ所有者の持ち物であるので，改修工事などは自由にできる．一方で，玄関ドア，エントランスホール，廊下，床，隣の住居との境界の壁などは，マンションの住人全員の共有物とみなされる．これを共用部と呼んでいる．たとえば，玄関ドアを改造したい，エントランスや廊下にスロープを設置したいと思っても，これらは共用部であるため所有者の一存では勝手に改修できない．どうしても改修したい場合は，マンションの管理組合の同意が必要となる．天井走行式リフトを設置する場合も，上の階の住居との間の床自体は，共用部であるため，許可なく取り付け工事を行うことができない．
段差解消	住まいの内外に存在するさまざまな段差は，車いすユーザーなど障害者の生活にはバリアとなっている．この段差をなくして安全，快適に生活できるように改修することを段差解消という．敷居の段差をなくして，フラットにすることは，最も典型的な段差解消である．ただし，広い意味では，スロープを設置したり，段差解消機（車いすに乗ったまま昇降する福祉機器）を設置するなど，何らかのかたちで段差＝バリアを除去することも含めて段差解消と呼んでいる．
スロープの勾配	スロープの勾配は，スロープの横の距離（長さ）に対する高さの比率（分数）で表現されることが多い（高さが20 cmで距離が240 cmの場合は1/12，300 cmの場合は1/15，など）．一般的に勾配といえば角度で表現するが，建築業界では古くから大工さんなどが屋根の傾きを4寸勾配とか6寸勾配などと比率でいい表してきたことに由来すると思われる．
玄関土間（げんかんどま）	玄関の靴を脱ぐスペース．
上がり框（あがりかまち）	玄関段差の部分にある材木のことを指す．玄関土間と床の段差（玄関の靴脱ぎ段差）のことを上がり框だと思われていることが多いが，これは誤解である．上がり框は，その家の正面の顔ともいえる部位なので，高価な材木を使われることもある．このため，とくに純和風の家屋においては，玄関に踏み台などを設置する際に安易に釘を打つべきではないケースもあるので注意が必要である．
在来工法の浴室	床や壁などがタイルでできた浴室．すべて，職人が現場でつくるため，どのような形状でも対応できるのが特徴．使う人の身体機能などに合わせて，比較的自由なデザインが可能である．ただし，タイルの床や壁は掃除が面倒であることや，冬場は冷気を感じることから，最近ではユニットバスのほうが好まれる傾向にある．
ユニットバス（UB）の浴室	工場で生産され，現場で組み立てるタイプの浴室．正確には，システムバスという．在来工法の浴室と比べて，汚れがつきにくく掃除が楽なため，近年主流となっている．基本的に工場で生産される規格品のため，浴槽のサイズや蛇口の位置，扉の形状など，すべてメーカーが設定しているカタログのなかから選択するしかない．

水栓（カラン），吐水口	キッチンや浴室，洗面所などの水道蛇口のこと．水栓の先の水が出る部分のことを，吐水口という．	
グレーチング	水が流れる溝の上に設置され，網目状もしくは格子状になって，水が下に落ちる構造になっている蓋のこと．浴室の入り口付近，玄関ドアの付近，道路の側溝などに設置される． 網目の間隔が広いものと狭いものがある．広いものは車いすのキャスターがはまり込みやすいので，車いすが通過することが想定される場合は狭いものを採用する．	
浴室暖房乾燥機	浴室内に設置される専用の暖房機．近年では，新築の住宅では最初から標準装備されることも珍しくない．冬場の浴室で，入浴前に浴室を温めることで，急激な体温変化に体がダメージを受けるヒートショックを予防する効果があるとされている． 浴室だけではなく，洗面脱衣所内に設置するものもある．	
ＣＦ（クッションフロア）	主に，洗面所やトイレなど水周りの床に用いられることの多いビニール製の床材．その名のとおり，多少のクッション性があるが，高齢者が転倒した際，骨折を防ぐほどの効果は期待できない．	
フローリング	床の仕上げに使われる木製の板．自然の木をそのまま使った無垢のフローリングと，ベニヤ板の表面に木目のプリントを施した複層フローリングがある．	
建具	ドア，扉，窓，障子，ふすまなど，建物のなかで動く部分（開閉する部分）の総称．	
有効開口寸法，有効幅	ドアなどの建具を開いたとき，実際に通れる幅．いい替えると，通路の最も狭い部分の寸法．有効開口寸法は，車いすが通れるかどうかなどのチェックをする際に，非常に重要な要素となる．	
モジュール	住宅を設計するときの基準となる単位寸法．1モジュール＝910 mm（3尺）の住宅が最も一般的だが，必ずしも全国標準というわけではない．地域ごとに，標準的なモジュールが存在しているケースもある．また，近年メーターモジュールといわれる，1モジュール＝1 mの住宅も増えている．	
掃出し窓	床から2 m前後の高さの窓のこと．昔は掃除の際，この窓からごみを庭に掃き出したことから，こう呼ばれている．たとえば車いすユーザーなどで，玄関からの出入りが困難と思われる場合，掃出し窓からの出入りの可能性も検討される．ただし，掃出し窓の場合は，玄関ドアと違って，外から鍵をかけられないことに注意する必要がある．	

腰窓(こしまど)	掃出し窓が,床の高さから設置されているのに対して,腰窓とは,おおよそ腰くらいから上の高さに設置されている窓のこと.	
開き戸(ひらきど)	扉の片側を軸に回転する建具.いわゆるドアのこと.車いすユーザーなど身体障害者にとっては,開閉しにくいこともある.	
引き戸(ひきど)	開き戸と違って,直線上で横移動する建具.片引き戸,スライドドアなどと表現することもある.車いすユーザーなどにとっては,開き戸よりも,引き戸のほうが,開閉動しやすいことが多い.ただし,引き戸を採用する場合は,引きしろといわれる,建具が動くスペースが必要となるため,このスペースがない場合は設置できない.	
折れ戸(おれど)	建具の中央が折れる形式のドア.浴室の入り口などで使われることが多い.開き戸と比べて,省スペースで開閉できる.また引き戸のように引きしろを必要としないのが特徴である.	
引き違い戸	左右2枚でワンセットになっている建具のこと.	
3枚引き戸	3枚でワンセットになっている建具.開いたときには,3枚のうちおおむね2枚分が有効幅となるため,広く開口をとることができる.浴室用の3枚引き戸,玄関用の3枚引き戸などがある.各建具が連動して動くタイプと,別々に動くタイプがあり,用途に応じて適切に選定する.	
蹴上げ(けあげ)	階段の一段ずつの高さのこと.	
踏み面(ふづら)	階段の足踏みの面.もしくは,その面の奥行きの寸法のこと.安全な階段の条件は,踏み面が,ややゆったりしていることである.	
段鼻(だんばな)	階段の段の角のこと.弱視者などで,段差の境界がみえにくく,踏み外してけがをするケースもある.その対策として,段鼻が識別しやすいように,踏み面と色の濃淡をつけることがある.	
石膏ボード	一般的に,住宅の壁に用いられる材料.比較的安価で,耐火性があり,加工もしやすいのが特徴である.しかし,強度はあまり期待できないので,石膏ボードに手すりなどを直接取り付けることはできない.石膏ボードの上から手すりを設置する方法としては,①石膏ボードの裏側に柱などの下地がある部分に取り付ける,②補強材を用いて補強することにより取り付ける,などの方法がある.	

ビス	手すりなどを取り付ける際に使用するネジ釘のこと．釘と違って，ネジ状になっているので，引っ張っても簡単に引き抜かれることはない．逆に，電動工具を使うと容易に抜けるため，取り付け直しがしやすく建築現場ではよく使われる．
建築士	建築の設計などを業務とする国家資格．設計してもよい建築物の規模により，1級，2級などランク分けされている．しかし一般的な住宅の改修工事業務においては，必ずしも建築士の資格は必要とされていない*．言い替えると，小規模な住宅改修においては，とくにこの資格がないと行えないという規定がないので，一定のスキルやモラルの確保が非常に難しい領域ともいえる． （*ただし，増改築や大規模な改修工事などは，建築士が設計に関与することが義務づけられている）
現場監督（工事監督）	改修工事などの工事現場で，職人の仕事を取り仕切り，正しく工事を完成させる現場責任者．手すりの位置指定など細かい部分についても，現場監督にきちんと情報がつたわっていれば，指示どおりに工事されるはずである．逆に，現場監督に話が通じていなかったり，現場監督が工事の主旨を理解していなかったりすると，間違った工事をされてしまう可能性もある．現場監督は，改修工事のキーパーソンといえる．

各論

13 障がい者スポーツ

一般目標
1. 障がい者スポーツの概要を理解する．
2. 障がい者スポーツの意義を理解する．

行動目標
1. 障がい者スポーツの概要を説明できる．
2. 障がい者スポーツの意義を説明できる．

調べておこう
1. パラリンピック，全国障害者スポーツ大会の歴史について調べよう．
2. 理学療法士として障がい者スポーツにどのようにかかわれるか，調べよう．

A　障がい者スポーツとは

　障がい者のスポーツは，障がい者が余暇を楽しみながら，健康でより活動的な人生を充実させていこうとする1つの手段であり，種目数も個人競技，団体競技ともに多く，その内容も競技からレクリエーショナル的要素を含んだスポーツまで多岐にわたっている．障がい者スポーツの最高峰の大会であるパラリンピックは，1960（昭和35）年に第1回大会がローマで開催されて以来，4年に一度，オリンピックに続いて同じ都市で開催されている．2021（令和3）年に開催された東京2020パラリンピックは第16回夏季競技大会である．競技種目を**表13-1**に示す．

　一方，パラリンピックなどの競技スポーツとは異なり，障がい者の社会参加の推進や国民の障がい者に対する理解を深めることを目的に，全国障害者スポーツ大会がある．この大会は，1964（昭和39）年に開催された東京パラリンピックをきっかけに，その翌年から始まり，毎年，国民体育大会の後，同じ開催地で行われている．正式種目は**表13-2**のとおりである．

　障がい者スポーツは，特別なスポーツではない．障害のためにできないことや安全上してはいけないことがあるために，ルールを変更したり，車いすや義足に代表される補装具など，工夫を凝らして行うスポーツである．このため，アダプティッドスポーツとも称されている．たとえば，頸髄損傷のアーチェリー選手は弓を射るために手指機能の損失を補うリリーサーなどの補装具を利用し，障がい

表 13-1　パラリンピック競技種目（例，東京 2020 パラリンピック）

1	アーチェリー	12	ボート
2	陸上競技	13	射撃
3	ボッチャ	14	水泳
4	自転車競技（トラック，ロード）	15	卓球
5	馬術	16	シッティングバレーボール
6	（視覚障がい者）5 人制サッカー	17	車いすバスケットボール
7	ゴールボール	18	車いすフェンシング
8	柔道	19	車いすラグビー
9	カヌー（スプリント）	20	車いすテニス
10	トライアスロン	21	バドミントン
11	パワーリフティング	22	テコンドー

表 13-2　全国障害者スポーツ大会種目

個人競技	陸上競技，水泳，アーチェリー，卓球，フライングディスク，ボウリング，ボッチャ
団体競技	車いすバスケットボール，グランドソフトボール，フットベースボール，バレーボール，バスケットボール，ソフトボール，サッカー

者のスポーツ大会のみならず健常者とも競技を行っている．これらのスポーツ用補装具は種目によって，さまざまである．また，最近ではパラリンピックの競技種目に限らず，障がい者スポーツをパラスポーツと呼ぶようになってきている．

本項では，パラスポーツの大きな特徴の 1 つである障害区分について概説し，主なパラスポーツを紹介する．

B　パラスポーツの大きな特徴「障害区分 classification」

クラス分け（障害区分）は，各々の選手の障害度に応じてクラスを設定し，軽度から重度のあらゆる障がい者に，より平等な条件のもとで競技へ参加できるようにするためのシステムである．

たとえば水泳では筋力テストや関節可動域テストなどからなるベンチテストによって機能障害を点数化し，次いで実際に水中で行うウォーターテストにおいて障害が水泳運動に及ぼす影響について観察評価を行うことにより，総合的に判定している．このようなクラス分けは，健常者における性別や体重による階級別といった対戦相手との公平性の保障を目的とした区分（クラス分け）と同様のものといえる．その他にもクロスカントリースキーのように，障害に応じたタイムに対するハンディが計算され，障害の程度が異なっていても 1 つの競技で勝敗を決めることができるようにしているものなどがある．また，団体競技の車いすバスケットボールのように，実際の試合場面でそれぞれの選手の主に体幹の動きを観察し，1 点から 4.5 点までのポイントを与え，5 名の出場選手の総クラスポイントが 14 点をこえないようにチームを構成することで，チーム間での平等性をは

a. トラック競技　　　　　　　　　　b. 投てき競技

図 13-1　陸上競技

かっているものもある．その他にも脳性麻痺については CP-ISRA（脳性麻痺国際スポーツレクリエーション協会）により，障害の重さとタイプ別に C1～C8 の 8 クラスに分ける方法が定められている．2013 年に，ボッチャがそれまで属していた CP-ISRA より離れ，BISFed（国際ボッチャ競技連盟）として独立しているが，クラス分けでは，C1 および C2 相当の重度の脳性麻痺者を中心とした四肢麻痺者を対象に，BC1～BC4 の区分を設定している．

CP-ISRA：Cerebral Palsy-International Sports and Recreation Association

BISFed：Boccia International Sports Federation

C　パラスポーツの紹介

1　アーチェリー

クラスは，頸髄損傷などの四肢障がい者を対象とする W1，両下肢麻痺者を対象とした W2，そして立位もしくはいす使用の ST の 3 クラスに分かれている．一般的なリカーブという弓と，弦を引く力が弱くても滑車を用いて矢を放つことができるコンパウンドの 2 種類の弓具を用いて行われる．クラス分けにおいて，選手自身で矢をつがえることができなかったり，バランスが悪いと判断された選手では，リリーサーに代表される補助具の使用やアシスタントをつけることができる．他は，一般のアーチェリーと同じである．

2　陸上競技

陸上競技は，トラック競技，フィールド競技，ロード競技に大別される（図 13-1）．トラック競技には，短・中・長距離そしてリレーなどが，またフィールド競技には，砲丸投げ，円盤投げ，やり投げ，こん棒投げ，走幅跳，走高跳などがある．ロード競技には，ハーフマラソン，フルマラソンがある．主に，切断，四肢機能障害，脊髄損傷（頸髄損傷含む），脳性麻痺，視覚障害，聴覚障がい者が出場し，各障害の状態によってクラスが決定されている．

a. トラック競技

　下肢切断者向けのカーボンファイバーを用いた軽量のフレックスフット（Flex foot）などのエネルギー蓄積型足部の競技用義足が特徴的である．リオパラリンピック（2016）の男子 100 m では，イギリスのジョニー・ピーコック選手（T44 クラス，下腿切断）が 10 秒 81 でパラリンピック記録を更新している．

　車いすは，直進安定性に秀でたロングホイールベースの車いす（レーサー）が主となる．ハンドリムは，スピードを出すため，タイヤより小径のものが使用される．

　視覚障害では，コーラーの声によって選手を誘導し，セパレートのレーンは用いない．100 m 競争では，音響装置を用いての誘導も可能である．また，伴走者が許されており，50 cm 以下の紐を両者でもったり，手をつないだりして競走を行い，選手および伴走者がメダル対象となる．

b. フィールド競技

　フィールド競技は，投げる，跳ぶなどの動作が必要となる．砲丸投げ，やり投げ，こん棒投げなどの投てきでは，投てき用の特製のスローイングフレームが用いられる．比較的，重度障がい者が出場できる．

c. ロード競技

　マラソンは陸上競技のなかでも最も競技人口が多い種目である．

③ ボッチャ

　ボッチャは，皮革製の各々 6 球の赤・青のボールを投球して目標球である白のジャックボールに近づけるターゲットスポーツで，一見シンプルだが，非常に奥の深い競技である．主として重度の脳性麻痺および筋ジストロフィーや C5〜C6 頸髄損傷のような，四肢，体幹に重度の機能障害がある，電動車いす利用者もしくは手動車いすの駆動能力が非常に低い人を対象にヨーロッパで考案されたスポーツである．BC1〜BC4 の 4 クラスがあり，なかでも重度の障害のために上下肢でボールを投げたり蹴ったりすることができない BC3 選手は，競技アシスタントやランプ（勾配具）という専用の補装具を用い，自身の意思と責任に基づき，すべての競技を遂行する（図 13-2）．競技アシスタントが，ボールの転がる状況やジャックボールの位置を振り返って目視するような行為は反則として扱われる．このように，自身で直接ボールを投げられなくても，パラリンピック選手になりえるところが，他の障がい者スポーツ競技に比べ「ボッチャ＝重度障がい者のスポーツ」として位置づけられている所以である．

④ 自転車競技（トラック，ロード）

　選手は障害の種類と使用する自転車により 4 つのクラスに分けられ，さらに障害の度合いにより分類される．参加する選手の障害は四肢障害（切断，機能障害），脳性麻痺，視覚障害，両下肢麻痺がある．ロード競技とトラック競技がある．
① C クラス（通常の二輪自転車）：切断，機能障害，麻痺などの四肢の障害：C1〜C5 に分類

生活場面での疾患・状態像の理解

16 認知症

一般目標
1. 認知症の症状と原因疾患について理解する．
2. 認知症の人が体験していることを理解する．

行動目標
1. 認知症の中核症状，行動・心理症状について説明できる．
2. 認知症の原因疾患による症状の違いを説明できる．
3. 認知症の人にリハビリテーションを行うときの留意点について説明できる．
4. 地域で認知症の人や家族を支えていくためには，何が必要か説明できる．

調べておこう
1. 国の認知症対策には，どのようなものがあるか調べよう．
2. 地域に認知症の人のためのどのような支援があるか調べよう．

　認知症があるとリハビリテーションが十分には行われなかったり，なかには全く対象外とされる場合もある．しかし，認知症の人にもリハビリテーションを受ける権利があり，適切な時期に適切なリハビリテーションを受けることによって，能力を維持したり，QOL を向上させることができる．

QOL：quality of life

　認知症の人の特徴を知り，どのように行えば効果的なリハビリテーションが可能になるのかを工夫することが必要である．また，作業療法士，言語聴覚士が専門とする分野もあるので，どのような場合に他の専門職に照会したらよいのかを見極めることも重要である．

A　認知症とは

1 認知症の定義

- 認知症とは，一度発達した知的機能が，脳の器質的障害によって継続的に低下した状態のことであり，記憶障害，認知障害など共通した症状を示す症候群である．原因疾患により症状の出現状況が異なる．
- 原因疾患が，神経変性疾患（アルツハイマー Alzheimer 型認知症など）の場合は，徐々に神経細胞が変化し正常に働かなくなる．進行速度は，個人によって

表 16-1　認知症の診断基準（DSM-5）

A. 1つ以上の認知領域（複雑性注意，実行機能，学習および記憶，言語，知覚-運動，社会的認知）において，以前の行為水準から有意な認知の低下があるという証拠が以下に基づいている：
　(1) 本人，本人をよく知る情報提供者，または臨床家による，有意な認知機能の低下があったという懸念，および
　(2) 可能であれば標準化された神経心理学的検査に記録された，それがなければ他の定量化された臨床的評価によって実証された認知行為の障害

B. 毎日の活動において，認知欠損が自立を阻害する（すなわち，最低限，請求書を支払う，内服薬を管理するなどの，複雑な手段的日常生活動作に援助を必要とする）．

C. その認知欠損は，せん妄の状況でのみ起こるものではない．

D. その認知欠損は，他の精神疾患によってうまく説明されない（例：うつ病，統合失調症）．

［日本精神神経学会（日本語版用語監修），髙橋三郎・大野裕（監訳）：DSM-5 精神疾患の診断・統計マニュアル，p.594，医学書院，2014より許諾を得て転載］

異なるが，徐々に進行する．
- 一方で，甲状腺機能低下症など，早期に対応すれば，治療が可能な疾患もある．
- 認知症は一般に治らない病気と認識されているが，早期の診断により治療可能な原因疾患でないか判別することが重要となる．
- また，認知症は高齢者の病気と思われがちであるが，働き盛りにも発症する場合がある．18～65歳未満に認知症を発症する場合は，若年性認知症とされ，高齢者と異なる支援が必要である．
- 近年は，診断技術の進歩から，若年性認知症や初期認知症と診断される人が増え，診断後もすぐに介護保険の利用を必要としない状態の人が増え，診断から介護が必要になるまでの診断前後の「空白期間」の充実が必要とされている．

② 診　断

- 診断の基準は，「精神疾患の診断・統計マニュアル」（DSM-5*）では，認知症は**表 16-1**のように定義されている．
- DSM-5 では，各原因疾患別にさらに定義されている．
- 認知症の診断は，原因疾患別に他の病気の可能性を削除するかたちで行われる．
- 診断には，画像診断，心理検査，問診，血液検査などが用いられる．日常生活のなかで，後述するような記憶や認知機能が障害されていると思われるエピソードも重要である．
- 画像診断は，CT，MRIなどのような，形を明確にし，脳梗塞および出血や脳の萎縮部位などを明らかにするものと，SPECT（単一光子放射型コンピューター断層法）など血流の低下部位を明らかにするものがある．また，PIB-PETは，アミロイド蛋白質の蓄積状況を明らかにするものなどが用いられている．
- 心理検査は，認知症のスクリーニングテストとして改訂長谷川式簡易知能評価スケール（HDS-R），MMSEなどがある．他に，知能テストや認知機能テストなどが使用される．
- HDS-R は，30点満点で20点以下が認知症が疑われるが，25点でも認知症が

---

*DSM　DSMとは，米国精神医学会が発行する「精神疾患の診断と統計マニュアル」である．2013年に第5版が出版された．日本語版は2014年に出版．

DSM：Diagnostic and Statistical Manual of Mental Disorders

CT：computed tomography
MRI：magnetic resonance imaging
SPECT：single photon emission computed tomography
PIB-PET：pittsburgh compound-B-positron emission (computerized) tomography
HDS-R：Hasegawa dementia scale-revised
MMSE：mini mental state examination

表 16-2 認知症の原因となる疾患

分類	疾患名
神経変性疾患	アルツハイマー型認知症，レビー小体型認知症，前頭側頭葉変性症（ピック病を含む），皮質基底核変性症など
脳血管障害	脳出血や脳梗塞による血管性認知症など
中毒・栄養障害	アルコール依存症，ビタミン欠乏症（B_1，B_6，B_{12}，C，葉酸）など
髄液循環障害	正常圧水頭症など
内分泌疾患	甲状腺機能低下症など
脳腫瘍	原発性や転移性などによる脳腫瘍
感染性疾患	クロイツフェルト・ヤコブ（Creutzfeldt-Jakob）病，脳炎，進行麻痺など
頭部外傷によるもの	

疑われる場合がある．内容は，1：年齢，2：日時の見当識，3：場所の見当識，4：言葉の即時記銘，5：計算，6：数字の逆唱，7：言葉の遅延再生，8：物品記銘，9：言語の流暢性を確認していく構成である．点数だけでなく，失点している内容をみることによって障害されている機能が明確になる．とくに，4：言葉の即時記銘，7：言葉の遅延再生，8：物品記銘など，記憶の再生に問題がある場合は，アルツハイマー型認知症の可能性が高い．
- MMSE は，文章理解や文章構成，図形把握など HDS-R に比べると質問項目が多く複雑であるが，国際的には広く使われている．

3 原因疾患

- 認知症の原因疾患は，神経変性疾患としてアルツハイマー型認知症（AD），レビー（Lewy）小体型認知症（DLB），前頭側頭葉変性症（FTLD）などがある（表 16-2）．これらは，障害部位により，中核症状に特徴がある．
- 脳血管障害として，脳出血や脳梗塞による血管性認知症（VD）は，出血や梗塞の部位によって症状が異なる．脳出血や脳梗塞が発症して数年から十数年後に認知症の症状が現れることがある．
- その他，脳腫瘍や正常圧水頭症や甲状腺機能低下症は，早期に適切な治療を行うことによって認知症の症状は改善する．
- 原因疾患の発症率は，アルツハイマー型認知症が最も多く約 50％を占め，ついで血管性認知症，その他の認知症となる．高齢になるに従い認知症の発症率は高くなる．

AD：Alzheimer's dementia
DLB：dementia with Lewy bodies
FTLD：frontotemporal lobar degeneration
VD：vascular dementia

4 中核症状と行動・心理症状（BPSD）

- 認知症の症状を大きく分けると，**中核症状**と**行動・心理症状（BPSD）**に分けられる（図 16-1）．
- 中核症状は，認知症の共通の症状で，その症状があることが診断基準になるものである．
- 中核症状は，記憶障害，認知障害（失行，失認，失語，見当識障害など），実行機能障害などに分けられる．

BPSD：behavioral and psychological symptoms of dementia

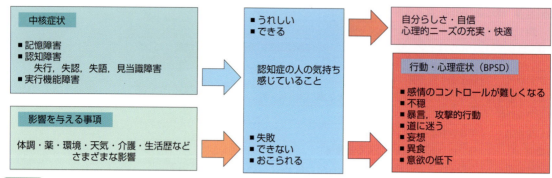

図 16-1　中核症状と BPSD

BPSD について，詳しく述べていく．

a. 本人の気持ちや感じていることを理解する

- BPSD は，中核症状でわからなくなったことにより生じてしまうことがほとんどである．加えて体調や薬，環境，天気，介護などの影響が悪く働くと，より混乱を招き適切な表現ができなくなる．BPSD は，認知症の人の感じていることがうまく表現できずに生じる SOS と考えてほしい．
- たとえば，記憶障害や失認によって自分の財布を置いた場所を忘れ，自分で探せないと「誰かに盗られたのではないか」と思い「被害妄想」として表現される場合がある．
- たとえば，便秘などで体の不快感があるのに，それは便秘だとわからず，言語障害もありうまく表現できないために，イライラして歩き回り，壁などを叩いたり，大きい声を出す（図 16-2）．
- しかし，介護者が認知症の本人の気持ちや感じていることを，想像し対応することで，本人のニーズが満たされれば，本人は BPSD として表現しなくてもすむ．
- たとえば，財布がみつけられない場合は，記憶障害（置き場所を忘れる）や失認（自分が探している財布だと認識できなくなっている）の可能性が考えられる．本人が探せるように範囲を狭めるなどして一緒に探し，**本人が手にとったところ**で，「探していた財布ですね」と声をかける．それによって，本人は自分が探していた財布だと認識でき，自分で探せたという気持ちが残り安堵できる．
- 便秘になることは，便意があるときにうまくトイレに行けないことが原因の場合も多いので，排便がスムーズに行くように，服薬などの対処だけでなく，排便のタイミングやサインを読み取り，適切にトイレに誘導したり，自然な排便が行えるようにケアしていくことが必要となる．
- 支援者は認知症の人にとってできたことができない状態になることが，どんなに不安なことであるかを認識し，単に BPSD だけにとらわれずに，本人がその行動をとっている背景や原因を想像することが重要である．
- 中核症状への対応は，原因となる疾患や認知症のステージに合わせた支援が必要であり，原因疾患別に詳しく，後述する．
- また，BPSD にいたる背景や原因を読み取るためには，アセスメントが必要で

a. 中核症状のためにBPSDにいたる. 財布を置いた場所を忘れ, みていてもそれが自分の探しているものか見分けがつかず (失認),「誰かが盗った」といっている.

b. 本人のニーズが満たされれば, BPSDにならずにすむ.

c-1. 体調不良（便秘など）でイライラしている.

c-2. 排泄のパターンやサインを読み取り便秘を解消する.

図 16-2　BPSDの症状と対応例

ある.

- アセスメントは「できないこと」だけでなく, むしろ生活背景や「できること」「やりたいこと」のアセスメントが必要で, これらのアセスメントのために, **認知症の人のためのケアマネジメントセンター方式（センター方式）**が開発されている.
- センター方式の特徴は, 本人の言動には●をつけ, 家族の言葉には△, ケア者の判断には○をつけるというように, 介護者の思いと本人の思いを確認していくことである. 本人の言葉に注目し, その原因や背景を考えようとするところである.「できること」「やりたいこと」にも目を向け, 本人の言動に注目していく.

b. できることをサポートする

- 認知症の人は, 自分らしい表現やそれによって自信を回復できれば, BPSDとして表現しなくてもすむようになる.
- 中核症状の特徴を知り, 記憶や認知障害を補っていく方法を考え, 本人のできることを増やしていく.

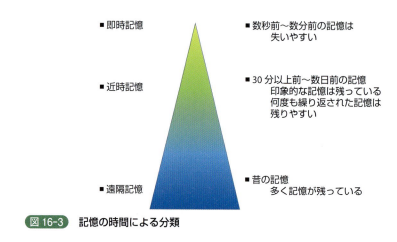

図16-3　記憶の時間による分類

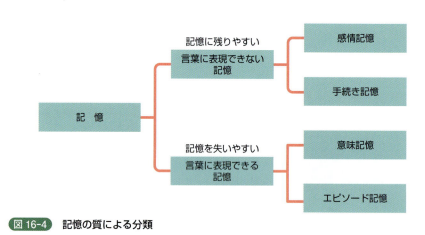

図16-4　記憶の質による分類

できることを増やしていくために以下の点に留意する．

①記憶を補う

　認知症の記憶障害は，最近のことを記憶できないというものである．海馬の萎縮などで，即時記憶（数秒前〜数分前の記憶）や近時記憶（30分以上前〜数日前の記憶）が失われやすく，遠隔記憶である昔のことは失われにくい状態である（**図16-3**）．また，身体で覚えた手続き記憶（米のとぎ方，野菜の皮むきなど作業記憶ともいう）や，感情記憶（楽しかった，嫌だったなどの感情）は記憶に残りやすい．反対にエピソード記憶（どこに行って何をしたかなど）は，記憶に残りにくい（**図16-4**）．つまり，失敗して怒られると，何を失敗したかは忘れるが怒られて嫌だった気持ちだけが残る．リハビリテーションのときも，最後にはよくできたことを印象づける，褒めて終わることでモチベーションの維持ができる．

　通所介護（デイサービス），通所リハビリテーション（デイケア）などでは，ミーティングなどによりスケジュールを一緒に決め，そのスケジュールを時間の節目（朝のミーティング，昼食の後のプログラム開始前，帰宅前の振り返りなど）に確認を一緒に行うことで，認知症の人も自分のやるべきことを認識することができる．また，何度も繰り返すことによって，記憶に残りやすくできる．

a．スケジュールを繰り返し確認する

b．写真を掲示したり，連絡帳に貼る

図 16-5　記憶を補う

　さらに，写真でリハビリテーションやレクリエーションを楽しんでいる本人の姿を残し連絡帳などに貼って持って帰ってもらうことで，家族とも振り返りができる（図 16-5）．

②失認や失行を補う

　失認により，私たちとは見え方が異なっている可能性があることを認識し，工夫をしていくことが大切になる．たとえば，家族から「ご飯を食べなくなった」という相談があった．食べるときもあるのか尋ねると「カレーなどは食べます」ということだった．食器の内側が白いと聞いたので，白飯のときは食器の内側を色のついたものに変えてもらい食べることができた．白い食器では白いごはんがみえにくくなっていたのである（図 16-6）．

　また，階段を降りられなかったり，エスカレーターに乗れなかったりする場合は，段差やエスカレーターの動きがわからなくなっている場合がある（図 16-7）．

　類似性の判断も認識しにくくなる．ATM や携帯電話，電気器具など似ているボタンの違いがわからなくなり操作できなくなる．できるだけ単純で，昔から使っている使い慣れている道具を生活のなかでも用意することが自分で判断してできるためには重要である．

　「解除ボタン」を押して「注ぐボタン」を押すタイプのポットは，ボタンの違いがわかりにくい．昔ながらのポットは，使い方がわかりやすい（図 16-8）．

　お菓子を同じような皿に分けることも苦手になる．1 つの皿に 3 個ずつのお菓子を分けようとしても，2 個入れた皿や，3 個入れた皿の見分けがつかなくなり，いつまでも作業が達成できない．このような場合は，3 個入った皿をお盆に載せてしまうなど，空間を別にすると作業がはかどりやすく，本人の達成感も得やすい（図 16-9）．

　失行が出現すると，服の着方がわからない（着衣失行），いすへの座り方がわからないなど，生活の動作を言葉だけで促そうとしてもうまくいかなくなる．服の着方がわからなくなっている場合は，いつも着ているほうの袖から片袖だけを通して，もう片袖を通しやすいようにすれば，着ることができる（図 16-10）．言葉の指示だけでいすに座れない場合は，介助者が横のいすに座り，座り方の見本をみせると座れることがある．野菜の皮をむいてもらうと，次に「切ってください」と指示しても，そのままかつらむきのようになり，実の部分もむいてしまう．前の動作を引きずってしまう（保続）ためである．一緒に横で切り方を示すと，モ

図 16-6　失認を補う
白ごはんを見えやすくするため，色のついた器を使用．

a. 階段は上からみると線にみえてしまう．下からみると立体感はわかりやすい．降りるときにはとくに注意が必要．

b. エスカレーターは，どこから乗ったらよいかわかりにくいためタイミングを合わせて一緒に乗る．

図 16-7　階段，エスカレーター利用の際の注意事項

＊ピアサポート　同じ障害や病気の人が共通の体験を共有し，助け合うことである．自分だけの悩みや問題ではないと知り，意欲をもてるようになったり，問題を社会化することができるようになる．

デルになりみてもらうことで適切に切ることができる．

　体操を向かい合ってすることでも，失行や失認があるかわかる．前に立ち，一緒に動作できるかをみることによって，うまく真似できている間は問題ない（図16-11）．

c. 言語障害へのサポート

- 話し手として，あるいは聞き手としての障害であるかを見極める．
- 話し手として，①意図・欲求をもち→②思考・判断して→③言語化して→④発音・発声することによって発語される．
- 聞き手として，⑤音の聞き取りができ→⑥言語理解ができ→⑦思考・判断ができ→⑧意図の理解・納得ができる．
- 脳血管性障害などにより，**構音障害**が起きると④発音・発声できなくなる．
- 前頭側頭葉変性症（FTLD）のうち，**進行性流暢性失語**の場合は，③言語化が難しくなり，話さないことで④発音・発声しないことにより，その部分も難しくなる．「コーヒーを飲みますか？」と尋ねると，コーヒーを飲みたくなくても「飲みます」と，相手の言葉に同調してしまうことがある．
- FTLDのうち，**意味性認知症**の場合は，⑥言語理解が難しくなり，「コーヒーを飲みますか」と尋ねると「コーヒーって何？」と返されることがある．「コーヒー」という単語が何を指すのか理解できなくなる．決まった言葉を繰り返し話す場合が多く，発語は保っており，聴覚も問題ない．
- 対応としては，字で書いて示して理解できているかみる（図16-19参照）．
- 脳血管性障害（頭部外傷や脳腫瘍などを含む）の場合は，漢字のほうが理解しやすい．
- 変性疾患（アルツハイマー型認知症，FTLDなど）の場合は，ひらがなやカタカナのほうが理解しやすい．
- 言語障害があっても歌が歌える場合が多く，リハビリテーションに活用できる．

d. 環境整備

- 生活歴のなかで使っていたような，使途がわかりやすい道具を使うことが重要であるが，新しいことでも繰り返せば，使い方を覚えることができる場合もある．
- 片付けたものがわかりにくくなる場合は，物の置き場所を決めておき，他の場所においていたのを発見した人がその場所に戻すようにする．引き出しは中がみえるような物に，中身がわかるように明示する．
- 作業するときには，そのときだけ必要なものを机の上に置き，使わないものに影響されないようにする．
- 作業は何行程も一度に行わず，行程数を少なくするか，作業工程を分けるか，作業を分担して行う．
- 忘れることは簡単なメモに書いて，横に置いておく．

e. 仲間づくり

- 集団の凝集性や，ピアサポート＊の機能を大切にする．認知症の人は，いろいろなことができにくくなってくると，自信をなくし，家族などと離れられなく

a. 昔ながらのポット　かたむけたり，押すだけのものは使いやすい．

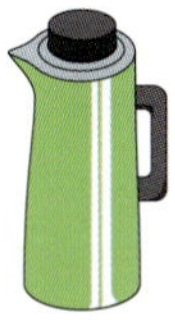

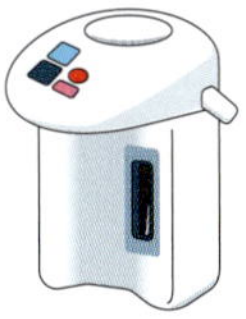

b. 電気ポット　解除ボタンと注ぐボタンのツータッチのものはわかりにくい．

a. 皿に3つずつお菓子を入れるが似たものの違いがわかりづらいのでいつまでも3つ入れられない．

b. 3つ入れた皿を別の空間に移してしまう．

図 16-9　類似性の判断を助ける工夫

図 16-8　ポットにおける，類似性の判断の例

図 16-10　行動の最初だけを行う
片袖を通して，その後は自分で着られるかをみる．

図 16-11　モデルになる
体操は前に立ち，モデルになり真似をしてもらう．

なることがある．認知症で悩む人どうしが話し合える，ピア（仲間による）カウンセリングの場を必要としている人も多い．

- 通所介護や通所リハビリテーションなどでは，ミーティングでスケジュールを決めたり，折々に参加者の希望を聞いたり，一緒に何かを達成したりすることで，意欲も出てくる．集団で過ごしにくいと考えられている，FTLD の人も仲間だと認識しはじめると，歩調を合わせていくことができる．
- お互いのコミュニケーションがうまくいくように，話しかけたり，共通の話題をふる，隣の人にお茶を淹れてもらうなどの行動を促す（図 16-12）．

図 16-12
使い方がわかりやすく，予測できるお茶のセットを用意しておけば，認知症の人も自分でお茶を淹れることができる．

5 認知症のステージ

認知症は，その進行により各ステージに分けられ，各ステージで必要とする支援が異なる（図 16-13）．

①**軽度認知障害（MCI）**：客観的な記憶障害があるが他の認知領域が正常な状態である．正常と軽度認知障害の段階での認知症予防の取り組みが有効であるといわれている．

使っている筋肉を意識して筋肉トレーニングを行うことが脳の認知機能を向上

MCI：mild cognitive impairment

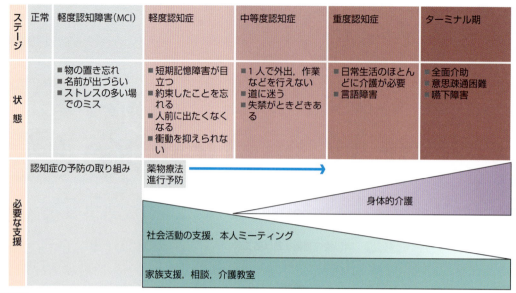

図 16-13 認知症のステージとそれぞれに必要とする支援

させるといわれている．また，グループで旅行の計画を立て，旅行に行く，料理づくりを計画して調理するなどの活動も脳の活性化に有効であるといわれている．いずれも行う内容が，本人にとって快刺激であることが重要である．

②**軽度認知症**：記憶障害のみでなく認知障害により，具体的な生活の支障がみられる状態である．仕事をするが能率が低下し時間がかかり，疲れやすくなる．次第に，小銭で支払いなどができなくなる．アルツハイマー型認知症では，早期に薬物療法を始めることによって進行を遅らせることができる場合もあるので早期発見，早期治療が重要である．また，服薬だけでなく同時に非薬物療法として回想法や運動・音楽療法・本人どうしで話し合う本人ミーティングなどにも参加できることが進行の予防につながる．

③**中等度認知症**：慣れないところでは道に迷ったり，周りで何が起こっているのか判断が難しくなり落ち着かなくなる状態である．着替えや入浴が次第に自分 1 人では困難になり，日常生活に介護が必要となってくる．ただし，まだできることもある時期なので，できること，できるような援助方法をみつけてすべてを介護しないことが重要である．

④**重度認知症**：失禁や歩行障害が起こる状態である．次第に身体介護の割合が多くなる．

▷**若年性認知症の場合**（図 16-14）

- 高齢者の場合，認知症ではないかと思われるのは，中等度くらいで気づかれて診療につながるケースが多いが，若年性認知症の人の場合は仕事や家事でミスが目立つようになり診療につながっていく．働き盛りであったり，子育て中であり，就労や子育ての支援が必要となる．
- 就労支援では，とくに在職中の人の場合，障害者職業センターなどで職業評価を受け，仕事を遂行する上で必要な能力の見極めや，仕事を続ける上での工夫

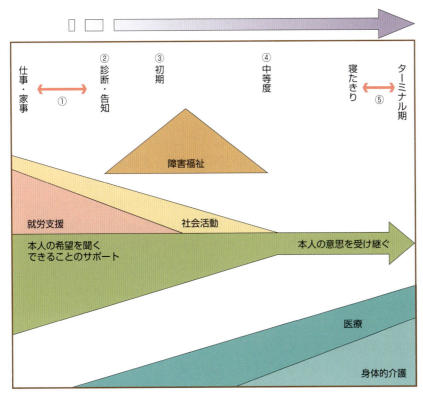

図 16-14　若年性認知症の人のステージと必要とする支援
①診断までの時期，②診断のとき，③初期，④中期（排泄ケアなど身体的なケアが必要になり始めた時期），⑤寝たきりからターミナル期

を明確にするとより就労継続が行いやすくなる．
- 就労の継続が難しい場合は，初診から半年経てば精神障害者保健福祉手帳の取得が可能となるので，ハローワークで障害者枠での仕事探しや，就労移行や就労継続支援A・B型事業所を活用することもできる．介護保険のデイサービスで職員の見守りのもと，第三者からの仕事の依頼で作業などを行った場合，謝礼を受け取ることもできる．認知症カフェで活躍している人もいる．
- 初期には，認知症の本人どうしが話すことによってピアカウンセリングを行うことも重要である．
- 若年性認知症の人は，介護だけでなくその人のライフステージに合った支援を求めており，スポーツや登山，音楽活動などを楽しんでいる．家族だけで閉じこもらないで仲間をみつけられるようにすることが重要である．

B　疾患の特徴と治療および対処法

1　血管性認知症（VD）

血管性認知症（VD）とは，脳梗塞，脳出血などにより，脳の一部または広範

囲に障害を受けることによって認知症の症状が出現するものである．VDの記憶障害の特徴は，すべての記憶がなくなるのでなく，まだらに記憶が欠落する点である．現実を認識するための記憶（情報）が欠落するため，誤認が起こり，本人は自分の思ったようにならないと怒っている場合があり，周りとトラブルになる．進行防止のためには，**高血圧のコントロール**など脳血管障害が生じないようにすることが重要である．

また，脳の障害される部位によって出現する症状は異なり，部位によっては運動機能や感覚・知覚機能が障害され，四肢に麻痺，小刻み歩行，言語障害，感情表現の障害，嚥下障害，顔面・舌・咽頭の随意運動障害などが起こる．基本的に麻痺などの身体障害に対しては，**脳梗塞後遺症のためのリハビリテーション**が必要である．とくに言語障害は，認知症が進んでいると誤解される場合もある．認知症であっても，覚えられないからとか，認知症が進行したからなどの理由でリハビリテーションをあきらめないことが重要である．

①**転倒防止のための下肢筋力強化**
- 下肢の麻痺や小刻み歩行が生じると，歩行が困難となり，転倒の危険性が増す．
- 歩行が困難なために，行動範囲が狭く，閉じこもりがちになり，ますます運動機能や筋力が低下してしまう．
- 歩行時に転倒に注意するとともに，運動不足にならないように，歩行のリハビリテーションや身体を動かす体操，ゲームなど**アクティビティへの参加**を積極的に促す必要がある．

②**コミュニケーション障害への対処**
- 言語障害は，そのなかでも**構音障害**と呼ばれる発音の障害で，呼吸や発声などの過程に困難を生じた状態である．
- 話をしようとしたときに急に息を吸い込んでしまい発語できなかったり，爆発的に発音したりする．
- 自分の頭のなかでは，話そうと思っていることがあるのに発音できず焦ったり，イライラして余計に発音できなくなる．
- 構音障害のある患者は，周りの人々が何度も同じ問いを繰り返したり，それに答えたいのに答えられないことに苛立ち，結局話すことをあきらめてしまう．
- また，表情の統制が障害されると，泣き出して止まらないという**感情失禁**のような状態になり，表情の動きが過度に続き制御できなくなる．
- このように，言語や感情表現が障害されると，コミュニケーションをとりにくくなるため，自分の意思がつたえられなくなり，周りの人々も意思の確認が困難になってしまう．そのことが，患者本人を孤立させたり，年齢相応のその人らしさを失わせ，意思の疎通がとりにくいことから介護困難にもつながる．**言語のリハビリテーションやコミュニケーションのとり方を工夫する必要がある．**
- 介護者は，患者が話をするときに一息ついてもらい，焦らせないように誘導する必要がある．
- 質問するときも，できるだけ簡単に答えられるような内容とし，一度に多くを聞かないようにし，文字盤などを使って，患者が自分の意思を表現できる手段

をつくる工夫を行う．
- 話はうまくできないが，歌ははっきりと発音できるという人もいるので，思うように話せないストレスを歌で解消してもらうのもよい．
- 表情のコントロールができずに泣き出して止まらない場合（**感情失禁**）は，それが単に悲しみを表しているという理解でなく，表情のコントロールの障害として理解する必要がある．介護者は，泣き出すことをおそれ泣き出すような刺激（なつかしい歌など）を控えるより，多少表情のコントロールがきかなくなっても，話しかけなどによって**患者が孤立しないように**心がけることが重要である．

③**食事摂取や水分摂取の障害への対処**
- 嚥下障害，顔面・舌・咽頭の随意運動が障害されることによって，食事摂取や水分摂取が困難となる．
- 口の開閉，下顎の動き，咀嚼，咽頭反射，嚥下反射の状況を確認し，経口摂取が可能かを評価する．
- リハビリテーション，**食事の形態**の決定は，脳血管障害の患者のケアに準ずる．
- 上肢に麻痺がある場合は，上肢のリハビリテーションや，箸やコップを使いやすいよう**自助具の工夫**を行うことが必要である．

④**排泄の障害への対処**
- VDの場合は，歩行困難や，コミュニケーションの障害によって，尿意があってもトイレに行けなかったり，排泄の意思をつたえられなかったりする．
- 大脳白質や基底核の梗塞の際に，排尿中枢などが障害されると**切迫性尿失禁**が起こる．切迫性尿失禁は，尿意を感じるとすぐに膀胱が収縮し，排泄行動をとる間がなく排尿が起こってしまう失禁で，下着を下ろす前に尿が出てしまう．夜に多く，感情など精神的刺激によっても誘発される．
- 治療には，骨盤底筋群強化の訓練や薬物療法などがあるが，認知症があると治療への導入が困難な場合が多く，介護による対応が必要となる．
- 失禁に対する介護は，排泄のチェックにより，個人の**排泄パターンや排泄のサイン**を読み取り，適宜の排泄誘導を行うことが必要である．
- 失禁用具を使用する際は，**失禁のパターンや量**，**活動能力**に合わせて選択する．

⑤**精神・心理状態への対処**
- 脳血管障害によって神経細胞が切断されると，身体の障害ばかりでなく，情報を統合して処理する機能や記憶が障害される．このため，感情の不安定，感情失禁，言動の興奮・鈍化などが起こる．
- 言語障害や情報を統合化してうまく処理できないために起こる失認などによって，自分の意思をつたえることが困難になる．自分の意思を表現しようとしてもできず，焦り，とまどい，結局は断片的な表現となってしまい，つたわらなかったり，別のものになってしまう．自分の意思が思うようにつたわらないと，感情的になって怒鳴ったり，暴力をふるう場合もある．
- 事実を誤認して頑固になってしまうこともある．
- また，前頭葉や大脳基底核，視床などに脳血管障害があると，何事にもやる気

が出ないなどの自発性の低下や，抑うつ症状が出現しやすい．
- 運動機能の障害は目立たない人のなかにも，意欲低下などにより生活に支障をきたしている場合があるため，本人の状態によって必要なサポートを行う．

② アルツハイマー型認知症（AD）

アルツハイマー型認知症（AD）は，脳の変性疾患の1つで原因は不明である．大脳皮質連合野や海馬領域を中心にβアミロイド沈着を徐々にきたし，さらに神経ネットワークが崩壊して認知症を発症する．症状の特徴は，海馬病変による**短期記憶障害**（新しいことを覚える記銘力障害）と，時間や場所がわからなくなる**失見当識**である．また，大脳皮質連合野の障害によって思考，判断，実行，注意力などの低下が起こる．初期には麻痺や運動失調などの運動機能の障害はなく，症状は緩徐進行性で，徐々に寝たきりとなっていく．

根本的な治療はないが，初期から**ドネペジル塩酸塩**などの治療薬（表16-3）の服用によって症状の改善や進行の抑制ができる場合がある．また，新薬の開発やワクチン療法などの治療法が試行されている．基本的には，各ステージで患者自身ができることを多くもてるような支援によって能力の維持をはかることが重要である．

①アルツハイマー型認知症の初期
- ADの初期には，これまで長年行ってきた慣れた仕事や家事でのミスが目立ち，患者自身も病気に気がついている．
- 患者は，いままで自分でできたことができなくなってきていることに失望を感じている時期なので，できるだけ**自分でできる部分を増やせる**ように援助する．

②アルツハイマー型認知症の中期

ADL：activities of daily living

- 症状が進行してくると，声かけや簡単な援助だけでは，自分でADL（日常生活動作）ができなくなってくる．
- ADの初期から中期にかけては，孤独や不安が原因で歩き回ることが多いことも特徴で，外出中に帰る道がわからなくなり，行方不明になってしまうことも多い．
- また，空間の構造をとらえることが困難となり（**空間失認**），段差がわからずにつまずいたり，台から落ちて転んだりするので，転倒に対する注意も必要となる．安全に歩き回れる場所の確保や地域住民の協力など，行方不明にならないような対策をとることも必要である．
- 歩き回ることは体力を消耗するため，疲労を防ぐために疲れたころを見計らって休憩を促したり，体重の増減などをみて，間食や水分の補給を行うことが重要である．
- また，このころ，鏡に映る姿が自分だと認識できなくなり，鏡やガラスなどに映る自分の姿に話しかけたり，「誰かが私をみる」とおびえたりすることがある（**鏡症状**）．自分の姿に怒ったり，おびえたりする場合は，鏡やガラスに布や紙を貼りみえないようにする．この症状は，認知症の進行とともにほぼ1年以内に消失する場合が多い．

表 16-3 アルツハイマー型認知症の治療薬

一般名	商品名	剤形	適応	作用
ドネペジル塩酸塩	アリセプトなど	錠剤，OD 錠，ゼリー 1日1回	軽度〜重度	コリンエステラーゼ阻害薬
ガランタミン臭化水素酸塩	レミニール	錠剤，OD 錠，内服液 1日2回	軽度〜中等度	コリンエステラーゼ阻害薬 ニコチン性アセチルコリン受容体刺激作用
メマンチン塩酸塩	メマリー	錠剤 1日1回	中等〜重度 コリンエステラーゼ阻害薬との併用が可能	グルタミン酸の受容体に拮抗
リバスチグミン	リバスタッチ イクセロンパッチ	貼り薬	軽度〜中等度	コリンエステラーゼ阻害薬 ブチリルコリンエステラーゼ阻害薬

③アルツハイマー型認知症の後期
- AD の後期にさしかかると，姿勢が真っ直ぐに保てなくなったり，**てんかん発作**，**パーキンソン（Parkinson）症候群**などが起こってくる場合もある．
- 姿勢が真っ直ぐに保てず斜めになったり，前屈，後屈しながら歩行を続けると，壁にぶつかったり転倒しやすくなる．
- 姿勢が変形するのは，毎日少しずつではなく急に起こる場合がある．このような場合は，できるだけ早期にマッサージなどで姿勢の矯正が必要である．
- てんかん発作は歩行時に起こると外傷につながる．歩き回る状態が止められない場合は，帽子やヘルメット，サポーターの着用によって身体を保護するとともに，介助者が付き添ったり，目の届くところで歩いてもらう．
- てんかん発作で痙攣が生じた場合は，安全な場所で臥床させ，顎を上げ顔を横に向けて舌根沈下と誤嚥を防ぐ．発作は数十秒から数分で治まるので，その後ベッドに移し意識の回復を待ち，医師に報告し発作防止の投薬の必要性を相談する．
- その後徐々に歩行困難となり寝たきりになるので，**拘縮防止**のためのリハビリテーションが必要となる．
- 食事についても次第に経口摂取が難しくなるが，できるだけ長く経口摂取できるように食事の形態，介助方法を工夫する．
- 食物を認識したり，咀嚼，嚥下動作をスムーズに行うことが困難となるので，介助に際しては，スプーンや箸で口唇を刺激し，食事の認識を促してから口腔内に食物を入れる．食後の口腔清潔を保持することも誤嚥性肺炎の防止に重要である．
- いままでと同様に食べていても体重低下がみられるので**体重測定**が必要である．

③ レビー小体型認知症（DLB）

　レビー小体とは，パーキンソン病で変性する中脳の細胞内にみられる封入体である．大脳皮質を含む広範囲な中枢神経系に多数のレビー小体が出現し認知症の症状が現れる．AD と同様に CT や MRI では広範囲な大脳の萎縮を認め，**PET**（ポジトロン断層法）や **SPECT** では後頭葉の血流の低下がみられる．

- 症状の特徴は，パーキンソン症状（筋のこわばり）や幻視，日や時間によって激しく変動する認知障害があることである．はっきりした幻視が起こりやすいにもかかわらず向精神薬などに対し過敏に反応するため，服薬は十分なモニタリングが必要となる．ドネペジル塩酸塩の服用によって症状が軽減することもある．
- 対処としては，パーキンソン症状の評価と，幻覚に対する薬物療法の副作用などの観察が重要となる．

▷生活のなかでのサポート

①見間違えやすい環境を避ける

　幻視はきっかけになる影や模様などがあるので，そのきっかけになるようなものを避ける．室内を明るくし影ができないようにする．模様のある食器や，ゴマやのりなどが虫にみえたりする場合はそれを避ける．

②幻視のつらさを理解する

　幻視は本人にしかみえないので，介護者はみえるという必要はないが，本人がみえていることを否定しない．「○○さんにはみえるのですね」と本人にみえていることを受け止める．

③リセットする方法をみつける

　明るいところから暗いところに入ったときなど，光の影が残るようなときにそれが幻視のきっかけになることがある．目を閉じて一緒に10数える，おまじないのようなことを一緒にするなど，本人のつらさを一緒に取り除くリセット方法を考える．

④幻視が本人に危害を加えないことをつたえる

　幻視は，幻なので本人を叩いたりして痛みが伴うことはないと知らせる．

⑤転倒の危険がないように環境整備する

　パーキンソン症状により筋にこわばりが出る場合，転倒の危険性が増す．足元が危なくないように環境整備を行う．

⑥筋のこわばりに対してストレッチを行う

　とくに前かがみの姿勢になりやすいので，マットに寝た状態で全身のストレッチを行ったり，いすに座って後ろから介助して胸部のストレッチを行う．

⑦好きなことができる環境を整える

　縫い物，編み物などADの人が難しくなるような作業もできる人が多いので，本人が好きなことがあれば，できる環境をつくる．好きなことに集中しているときは幻視は出現しにくい．

4 前頭側頭葉変性症（FTLD）

　前頭側頭葉変性症（FTLD）は，図16-15のように認知症全体の約1割を占める疾患である．さらに，FTLDは，**前頭側頭型認知症（FTD）**と，**進行性非流暢性失語（PNFA）**，**意味性認知症（SD）**に分けられる（図16-16）．FTDのなかにピックPick病が含まれる．FTDの場合，前頭葉穹窿面（図16-17の1）が障害されると発動性が低下し（無欲型），前頭葉基底面（図16-17の2）と側頭葉（図

FTD：fronto temporal dementia
PNFA：progressive non-fluent aphasia
SD：semantic dementia

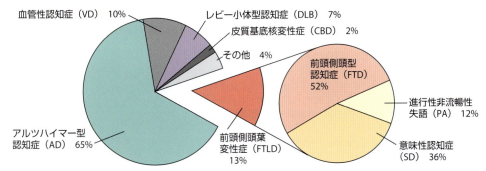

図16-15 愛媛大学附属病院精神科神経科高次脳機能外来（1996年1月から2002年12月）の認知症性疾患の連続330例
FTLDは13%を占め，そのうちの52%がFTDである．
[M Ikeda, T Ishikawa, H Tanabe：Epidemiology of frontotemporal lobar degeneration. *Dement Geriatr Cogn Disord* **17**（4）：265-268, 2004/
池田学：前頭側頭型認知症の臨床．*Dementia Japan* **20**：18, 2006を参考に作成]

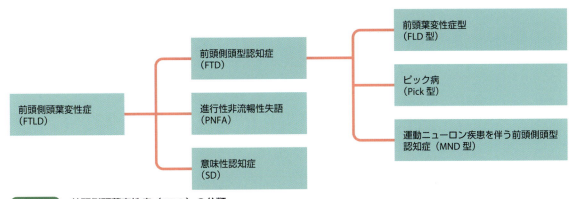

図16-16 前頭側頭葉変性症（FTLD）の分類

16-17の3）が障害されると欲動的脱抑制を示すとされている．また，PNFAは弁蓋部・上側頭回（図16-17の4），SDは側頭葉前部（図16-17の5）が障害されている．PNFAは，言葉に流暢さがなくなり，音韻，文法の障害が生じる．SDは，話す言葉は流暢であるが，話しかけられたときに意味を理解することができない．

- ADが記憶障害から始まるのに対して，FTDの初期症状は，**脱抑制行動**，**発動性低下**（自発性低下）と**常同行動**である．また，図16-18にあるように，FTDとSDは，食行動の変化も高頻度で認められる．
- 脱抑制行動とは，これまで抑制可能であった行動が抑制できなくなることである．たとえば，買い物をたくさんする，売り場で欲しい物を手にとり支払いをせずに帰る，他人の体を触るなど，抑制せずに思うままに行動してしまう．本人には悪気はなく，行動したことの記憶がないこともある．無銭飲食や浪費などにつながるので対応が必要である．
- 発動性低下（自発性低下）とは，四肢に麻痺などがあるわけではないが，自分から食事をとろうとしない，無気力で寝てばかりいるなどの症状である．
- 常同行動とは同じことを毎日繰り返す症状で，同じところを1日に何度も往復

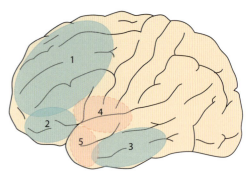

図 16-17 前方型認知症の臨床類型（FTD，PA，SD）と対応する脳萎縮領域

FTD（1，2，3 の実線円領域）は性格と行動の変化が中心症状．さらに前頭葉穹窿面（1）の発動性低下，前頭葉基底面（2）と側頭葉（3）の欲動的脱抑制を示す領域に分けてもよい．失語群（破線円領域）は，弁蓋部・上側頭回（4）の PA と，側頭葉前部（5）の SD に分けられる．

[池田研二：前方型痴呆（anterior type dementia），その概念と病理．老年精医誌 **15**：1308, 2004 より引用]

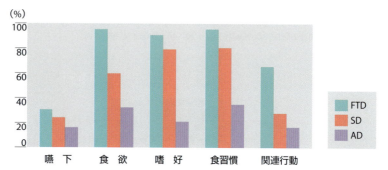

図 16-18 前頭側頭型認知症（FTD），意味性認知症（SD），ならびにアルツハイマー型認知症（AD）における食行動異常

FTD と SD では AD と比較して，食欲の増加，嗜好の変化，常同的食行動などの食習慣の変化が高頻度に認められる．

[M Ikeda, et al：Changes in appetite, food preference, and eating habits in frontotemporal dementia and Alzheimer's disease. *J Neurol Neurosurg Psychiatry* **73**：371-376, 2002／池田学：前頭側頭型認知症の臨床．*Dementia Jpn* **20**：22, 2006 より引用]

し道に迷わずに帰ってくる（**常同的周遊**），同じ食品を食べ続ける（**常同的食行動**），決まった時間に決まった行動をする（**時刻表的生活**）などがある．家族の介護負担の軽減のためには，同居家族との生活が可能となるようなパターンの常同行動を定着させることが必要である．

- 食行動の変化により体重の増加が著しい場合も多いが，症状の進行とともに自発性の低下が生じると，数ヵ月で体重が大幅に減少するケースも多いので，糖尿病などの疾患がない場合は，無理な食事制限を行わなくてよい場合もある．
- 食事にあまりに固執するような場合には，注意力が散漫なこと（影響されやすいこと）を活かして，他に注意を向けることも有効である．
- FTLD は，その症状の特異性や症例の少ないことから介護が困難になることが多い．しかし，AD に比べて空間の失認がないこと，記憶が保たれていること，影響されやすいことを利用しケアを進めていくことができる．
- 担当の理学療法士，作業療法士や看護師を決めたり，リハビリテーションを行う場所を決めることにより，**立ち去り行動**や**考え不精**の目立つ例でも作業などに導入することが可能である．

▷**作業の導入方法**

①本人のやりたいことを昔の職業や趣味などから発想していく．

②道具の使い方の能力は失われにくいので，道具を使った作業を行う．
③最初は集中力があまりないので，一緒に付き添い実施し，10分，20分と時間を増やしていく．
④周りからの他の刺激があまりない場所で始める．
⑤毎日同じ時間に実施する．
⑥手順などを繰り返す作業が向いている．パズル，タオルたたみ，ハンコ押し，メモ帳づくりなど．

- 影響されやすいことを利用して，療法室に入るとすぐに作業台がみえるようにし，道具を渡すなどして注意を引きつけることが必要である．過去の仕事や趣味から**患者が興味をもつメニューを選択する**ことも重要である．
- さらに，FTLDのコミュニケーション障害や嚥下機能の障害に対しては，言語聴覚士に照会し，コミュニケーションの代替策や嚥下を促すための方法を検討することが必要である．

▷**失語症に対して**

- 意味性認知症（SD）
  聴力には問題ないが，いわれている言葉の意味が理解できないので，「トイレに行きましょう」といわれても，「トイレって何？」と返事をしたりする．
  ＜対処＞
    - 実物をみせる．
    - ジェスチャーで示す．
    - 字で書く．

- 進行性非流暢性失語（PNFA）
  話したいことがあるが，どのような言葉で話したらよいかわからなくなる．相手の言葉につられて，本意でないことを答えてしまう．コーヒーを飲みたくないのに，「コーヒーを飲みますか？」と聞かれると，「コーヒーを飲みます」と答えてしまう．
  ＜対処＞
    - 語尾までいわずに相手にいってもらう（「コーヒーを飲み…」で止めて，語尾をいってもらう）．
    - 絵カードなどを示してもらう．
    - 字で書いたものを指さしてもらう（図16-19）．
    - 表情を読み取る．

図16-19

C　認知症の本人どうしの支え合い（ピアサポート）

- 認知症の人は，自分の変化に気づき，それが認知症のためであるとわかるまで戸惑い，認知症とわかってからも，その後「自分はどうなっていくのか」という不安のなかにいる．また，自分が認知症であることを隠したり否定しようとする人もいる．

表 16-4　認知症とともに生きる希望宣言

一足先に認知症になった私たちからすべての人たちへ
1. 自分自身がとらわれている常識の殻を破り，前を向いて生きていきます．
2. 自分の力を活かして，大切にしたい暮らしを続け，社会の一員として，楽しみながらチャレンジしていきます．
3. 私たち本人同士が，出会い，つながり，生きる力をわき立たせ，元気に暮らしていきます．
4. 自分の思いや希望を伝えながら，味方になってくれる人たちを，身近なまちで見つけ，一緒に歩んでいきます．
5. 認知症とともに生きている体験や工夫を活かし，暮らしやすいわがまちを，一緒につくっていきます．

［一般社団法人日本認知症本人ワーキンググループホームページ（http://www.jdwg.org/statement/）（最終確認 2022 年 5 月 18 日）より引用］

- これは，変化していく自分への戸惑いだけでなく，社会がもっている認知症への偏見に対してのおそれも影響している．
- 「ぼけてなんかいない」「忘れていない」など自分の症状を否定する言葉の裏に，認めたくない悲しみを想像しつつ，介護者は「忘れてもいいよ，私が覚えておくから」といえる関係づくりが必要である．
- 最近は，自分でブログを立ち上げたり，認知症の人どうしで集まり話し合うなかで，抑うつ的な気分が改善し前向きになる人が多い．認知症の人が他の認知症の人の相談に乗ったり，認知症の人どうしで体験を共有したりする活動を全国で進めるため，厚生労働省はピアサポート事業を各地域で進めている．
- 2015（平成 27）年に策定された認知症の国家戦略「新オレンジプラン」では，「認知症の人やその家族の視点の重視」が柱の 1 つとなり，ピアサポート活動の他，当事者の意見を政策に反映させるために，認知症の人たちが集まって語り合う本人ミーティングについても全国での普及を目指している．
- 認知症の人たちが集まって「日本認知症本人ワーキンググループ」もつくられ，「認知症とともに生きる希望宣言」が出された．そのなかには「認知症とともに生きている体験や工夫を活かし，暮らしやすいわがまちを，一緒につくっていきます．」と提言されている（**表 16-4**）．
- 介護家族の会と同様に本人どうしで集える場をつくっていくことが必要である．

D　家族の介護負担の軽減

- 認知症の人の家族は，はじめは「自分の家族が認知症になるはずがない」と否定したり，病気を認めたがらない場合が多い．認知症の人が誤った行動をとるたびに，正しく訂正させようとする．認知症の人の行動を強制的に修正させようとすると，双方のストレスは増すばかりで，行動・心理症状も激しくなる場合もある．
- 家族自身が心を楽にし認知症の人に接すると，同じ介護でも拒否が少なくなり，

- 結果的に双方のストレスが軽減される．
- そのような対処方法を学ぶには，**介護家族の会**が大きな助けになる．認知症の介護は，行ったことがある家族にしか理解できない部分が多いため，同じ体験をもつ人々や，先輩の意見が聞けるように，家族の会に参加するとよい．
- また，介護家族が身内のみで抱え込まないように，介護保険のサービスを利用できるようにアドバイスすることも重要である．

E　地域の協力

1 安心して住める地域づくり

- 厚生労働省は2005（平成17）年から，**認知症を知り安心して住める地域づくり**をキャンペーンとして進めている．認知症を地域住民に正しく知ってもらい，認知症への偏見を払拭し，認知症になっても安心して住める地域をつくることが目的である．
- その1つが，各地でキャンペーンメイトを養成し，彼らが居住地域で講演することによって，**認知症サポーター**をつくることである．
- 認知症サポーターに期待されていることは，地域住民どうしの理解と協力である．たとえば，ゴミ出しや買い物の手伝い，ちょっとした声かけがあることで，認知症があっても地域に住むことができる人は多い．また，洗濯物や郵便物，電灯のつく時間などで，隣近所が安否確認を心がければ，高齢になっても安心して住むことができる．
- 地域が認知症の人を排除しようとせずに，暮らしを支える体制をもつことで，「認知症になったら，この地域に住めないのではないか」という不安を取り除くことができる．
- 多少の物忘れが出現したときに，閉じこもりを引き起こし，その結果認知症を招くとも考えられる．安心して住めるということが，認知症になることへのおそれを軽減させ，結果として早期受診を促す．
- 2015（平成27）年に「新オレンジプラン」が厚生労働省から発表され，認知症の人やその家族の視点が重視され，施策づくりや当事者がそれらに参加することを促進させることが加えられた．
- さらに2019（令和1）年には「認知症施策推進大綱」が厚生労働省から認知症施策の指針としてとりまとめられた．重点項目は5つで①普及啓発・本人発信支援，②予防，③医療・ケア・介護サービス・介護者への支援，④認知症バリアフリーの推進・若年性認知症の人への支援・社会参加，⑤研究開発・産業促進・国際展開で，その概要を**図16-20**に示す．
- ③医療・ケア・介護サービス・介護者への支援として，新オレンジプランから引き続き，認知症初期集中支援チームが早期に必要な医療や介護サービスにつなげられるように期待されている．

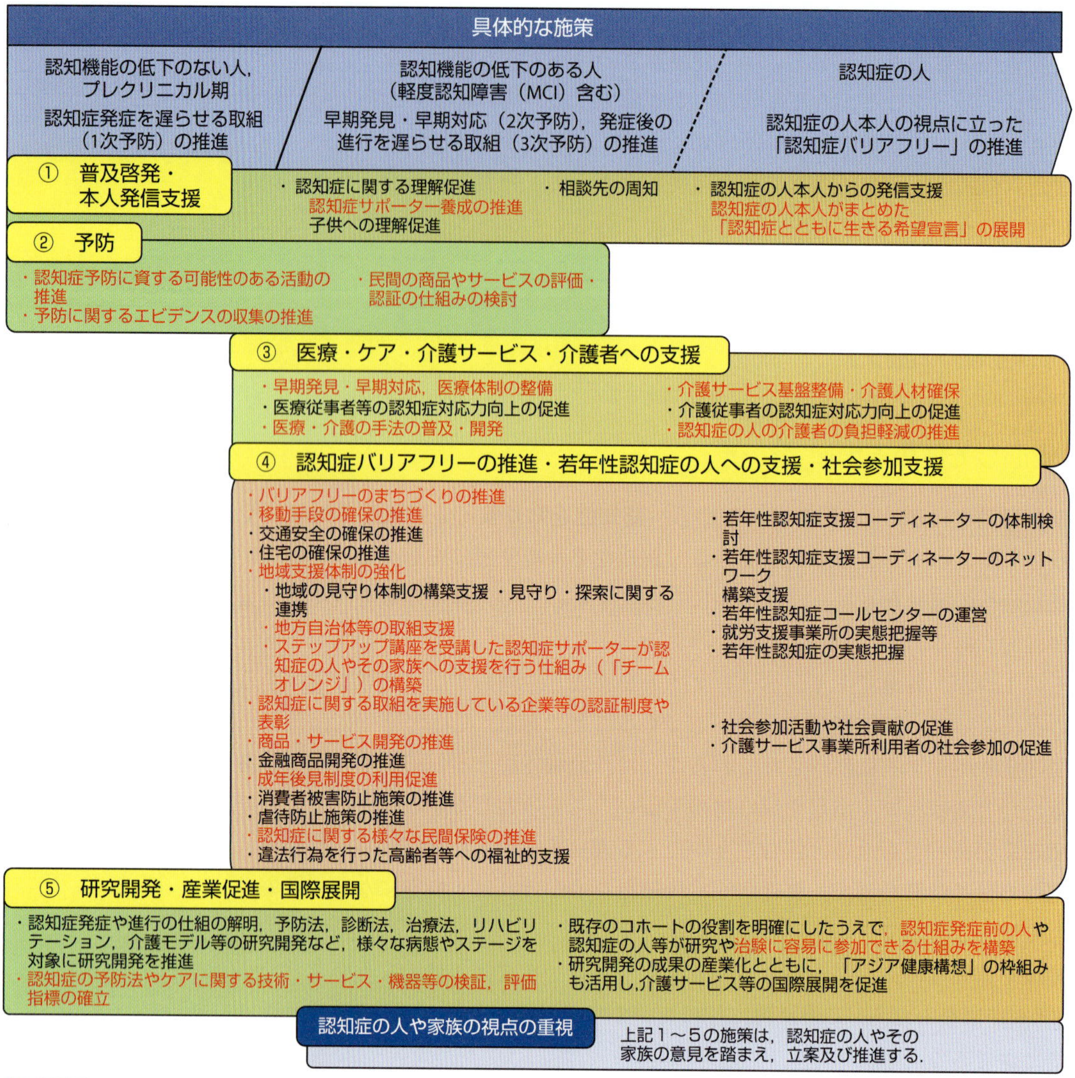

具体的な施策

認知機能の低下のない人，プレクリニカル期	認知機能の低下のある人（軽度認知障害（MCI）含む）	認知症の人
認知症発症を遅らせる取組（1次予防）の推進	早期発見・早期対応（2次予防），発症後の進行を遅らせる取組（3次予防）の推進	認知症の人本人の視点に立った「認知症バリアフリー」の推進

① 普及啓発・本人発信支援
- 認知症に関する理解促進
  - 認知症サポーター養成の推進
  - 子供への理解促進
- 相談先の周知
- 認知症の人本人からの発信支援
  - 認知症の人本人がまとめた「認知症とともに生きる希望宣言」の展開

② 予防
- 認知症予防に資する可能性のある活動の推進
- 予防に関するエビデンスの収集の推進
- 民間の商品やサービスの評価・認証の仕組みの検討

③ 医療・ケア・介護サービス・介護者への支援
- 早期発見・早期対応，医療体制の整備
- 医療従事者等の認知症対応力向上の促進
- 医療・介護の手法の普及・開発
- 介護サービス基盤整備・介護人材確保
- 介護従事者の認知症対応力向上の促進
- 認知症の人の介護者の負担軽減の推進

④ 認知症バリアフリーの推進・若年性認知症の人への支援・社会参加支援
- バリアフリーのまちづくりの推進
- 移動手段の確保の推進
- 交通安全の確保の推進
- 住宅の確保の推進
- 地域支援体制の強化
  - 地域の見守り体制の構築支援・見守り・探索に関する連携
  - 地方自治体等の取組支援
  - ステップアップ講座を受講した認知症サポーターが認知症の人やその家族への支援を行う仕組み（「チームオレンジ」）の構築
  - 認知症に関する取組を実施している企業等の認証制度や表彰
- 商品・サービス開発の推進
- 金融商品開発の推進
- 成年後見制度の利用促進
- 消費者被害防止施策の推進
- 虐待防止施策の推進
- 認知症に関する様々な民間保険の推進
- 違法行為を行った高齢者等への福祉的支援

- 若年性認知症支援コーディネーターの体制検討
- 若年性認知症支援コーディネーターのネットワーク構築支援
- 若年性認知症コールセンターの運営
- 就労支援事業所の実態把握等
- 若年性認知症の実態把握

- 社会参加活動や社会貢献の促進
- 介護サービス事業所利用者の社会参加の促進

⑤ 研究開発・産業促進・国際展開
- 認知症発症や進行の仕組の解明，予防法，診断法，治療法，リハビリテーション，介護モデル等の研究開発など，様々な病態やステージを対象に研究開発を推進
- 認知症の予防法やケアに関する技術・サービス・機器等の検証，評価指標の確立
- 既存のコホートの役割を明確にしたうえで，認知症の人等が研究や治験に容易に参加できる仕組みを構築
- 研究開発の成果の産業化とともに，「アジア健康構想」の枠組みも活用し，介護サービス等の国際展開を促進

認知症の人や家族の視点の重視　上記1～5の施策は，認知症の人やその家族の意見を踏まえ，立案及び推進する．

図 16-20　認知症施策推進大綱の概要
赤字：新規・拡充施策
［厚生労働省：認知症施策推進大綱（概要）（https://www.mhlw.go.jp/content/000519053.pdf）（最終確認 2022 年 12 月 23 日）より引用］

- 認知症サポーターも含め地域の関係機関とのネットワークが図16-21のように整備されることがイメージされている．
- ④認知症バリアフリーの推進としては，全市町村で，本人・家族のニーズと認知症サポーターを中心とした支援をつなぐ仕組み（チームオレンジなど）を整備することが進められている．たとえばスローショッピングのような，認知症の人が自分で選んで買い物をするのを地域の人やショッピングセンターがサポートするような取り組みが始まっている．
- ④若年性認知症の人への支援・社会参加については，各都道府県に若年性認知症支援コーディネーターが配置されるようになっている．

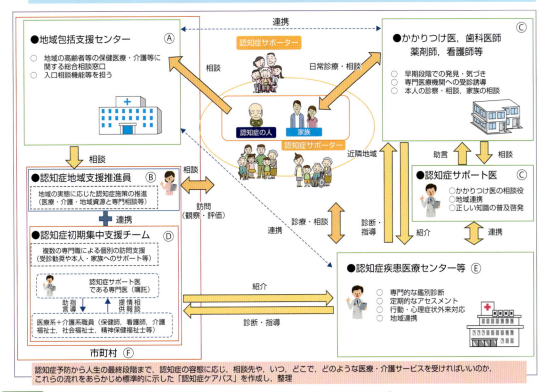

図 16-21 認知症初期集中支援チームと地域の関係機関とのネットワークのイメージ
[厚生労働省：認知症施策推進大綱（https://www.mhlw.go.jp/content/000522832.pdf）（最終確認 2022 年 12 月 22 日）より引用]

2 見守りセーフティネットワーク

- 道に迷い自分では戻れず，死亡してしまう例もあった．携帯電話やGPSの位置探索システムを使うだけでなく，地域で早期に発見できるような見守りセーフティネットワークが重要となる．
- 地域包括支援センターなどが中心となり，見守りの必要な人の登録を行い，シールなどの目印の配布を行っている．
- 地域の人に発見してもらうためには，認知症の人の特徴や話しかけ方を知ってもらい，日頃から発見のための模擬訓練などを行っていくことが重要である．

学習到達度自己評価問題

1. 認知症の中核症状，行動・心理症状について説明しなさい．
2. 認知症の原因疾患と，症状の違いを説明しなさい．
3. 認知症の人にリハビリテーションを行うときの留意点について説明しなさい．
4. 地域での認知症の人や家族を支えていくためには，どのような支援が必要かを説明しなさい．

生活場面での疾患・状態像の理解

17 精神領域（統合失調症，双極性障害）

一般目標
1. 精神疾患の概略と精神機能について理解する．
2. 精神疾患がある対象者の状態像について理解する．

行動目標
1. 精神疾患の分類方法が列挙できる．
2. 精神疾患の精神機能が列挙できる．
3. 統合失調症と双極性障害に関するリハビリテーションの概要が説明できる．

調べておこう
1. 精神疾患患者に対する理学療法はどのような場合に適応となるか調べよう．
2. 精神疾患に対するリハビリテーションにどのような職種がかかわっているか調べよう．

　精神領域における理学療法は，主に身体疾患を合併した場合において身体機能の回復を目的として行われている．2020（令和2）年度における診療報酬改定により，精神療養病棟での疾患別リハビリテーション料の加算が可能となった．今後は精神科病院において理学療法士がリハビリテーションにかかわる機会が増すと考えられる．

　精神領域において精神と身体の関係性からリハビリテーションおよび理学療法の役割を考えるために，精神疾患の疾患と状態像およびその特徴を知ることは重要である．

A 精神疾患とは

　精神疾患の概略を理解するためには，精神疾患の歴史，概念，分類，評価および治療について理解しておくことが重要となる．

1 精神疾患の歴史

- 精神疾患が医療の対象として認められたのは，19世紀以降であり，わが国の精神疾患患者が福祉施策の対象となったのは，「精神保健及び精神障害者福祉に関する法律」が制定された1995（平成7）年である．

ICD：International Statistical Classification of Diseases and Related Health Problems

表17-1　ICD-10の精神及び行動の障害（F00〜F99）の項目

F00〜F09	症状性を含む器質性精神障害
F10〜F19	精神作用物質使用による精神及び行動の障害
F20〜F29	統合失調症，統合失調症型障害及び妄想性障害
F30〜F39	気分（感情）障害
F40〜F48	神経症性障害，ストレス関連障害及び身体表現性障害
F50〜F59	生理的障害及び身体的要因に関連した行動症候群
F60〜F69	成人の人格及び行動の障害
F70〜F79	知的障害（精神遅滞）
F80〜F89	心理的発達の障害
F90〜F98	小児（児童）期及び青年期に通常発症する行動及び情緒の障害
F99	詳細不明の精神障害

- 精神疾患は，医療の対象とされなかった時代において悪霊やたたりなどの仕業と考えられていた．当時，精神疾患の治療はなされず，多くは放置され，監禁されるなどの迫害を受けた．
- 18世紀の後期から，**ピネル**（Pinel）による精神医学の基礎がかたちづくられた．
- 現在では，精神疾患の治療においてリハビリテーションが重要とされている．

2 精神疾患の概念

ADL：activities of daily living

- 精神疾患は，精神機能の障害を原因として，ADLに支障をきたした状態である．
- 多くの精神疾患は，病因が多要因であり，病理が示されることが少ないため，精神障害としてまとめられている．
- 疾患とは，特定の原因と症状に基づいた状態であり，精神疾患は，種々の症状や行動の問題を呈することから疾患の概念にあてはまらない場合がある．

3 精神疾患の分類

WHO：World Health Organization
DSM：Diagnostic and Statistical Manual of Mental Disorders

- 精神医学において国際的に共通する疾患分類の体系としては，WHOの「疾病及び関連保健問題の国際統計分類第10版」（ICD-10；**表17-1**）と米国精神医学会が発行する「精神疾患の診断・統計マニュアル第5版」（DSM-5；**表17-2**）が用いられている．
- わが国で臨床的に使用されてきた従来の分類（**表17-3**）としては，身体的原因（外因性 exogenous および内因性 endogenous）と精神的原因（心因性 psychogenic）がある．
- 身体的原因は，脳の機能的・器質的障害が明らかである外因性と，原因が明らかではない内因性がある．
- 精神的原因は，心理的・環境的要因により発症することが知られている．
- 国際的に共通の分類システム，あるいは疾患概念を反映する診断基準は，各種疾病の疫学的特徴を国内外で比較するために重要である．また，精神領域における共通言語，臨床医学教育においても有用である．

表 17-2 DSM-5 の大項目

1. 神経発達症群/神経発達障害群
2. 統合失調症スペクトラム障害および他の精神病性障害群
3. 双極性障害および関連障害群
4. 抑うつ障害群
5. 不安症群/不安障害群
6. 強迫症および関連症群/強迫性障害および関連障害群
7. 心的外傷およびストレス因関連障害群
8. 解離症群/解離性障害群
9. 身体症状症および関連症群
10. 食行動障害および摂食障害群
11. 排泄症群
12. 睡眠-覚醒障害群
13. 性機能不全群
14. 性別違和
15. 秩序破壊的・衝動制御・素行症群
16. 物質関連障害および嗜癖性障害群
17. 神経認知障害群
18. パーソナリティ障害群
19. パラフィリア障害群
20. 他の精神障害群
21. 医薬品誘発性運動症群およびその他の医薬品有害作用
22. 臨床的関与の対象となることのある他の状態

[日本精神神経学会（日本語版用語監修），髙橋三郎ほか（監訳）：DSM-5 精神疾患の診断・統計マニュアル，医学書院，2014 より許諾を得て抜粋し転載]

表 17-3 わが国の従来の精神疾患の分類

1	外因性精神障害	2	内因性精神障害	3	心因性精神障害
a	脳器質性精神障害	a	統合失調症	a	神経症
b	症候性精神障害	b	気分障害	b	心因反応
c	薬物依存に基づく精神障害	c	非定型精神病	c	心因精神病
d	てんかん				

4 精神疾患の評価

精神疾患の評価は，対象者の精神症状の把握と，情報の収集によって行う．

a. 精神症状の把握
- 精神症状の把握には，観察評価と問診がある．
- 観察による評価は，外部に表出された精神症状として，体型，表情，態度，身だしなみ，姿勢，動作，言語活動などについて行う．
- 問診による評価は，対話の内容から精神機能の各要素である意識，知能，性格，記憶，感情，欲動と意志，自我意識などの精神機能的所見について行う．

b. 情報の収集
- 情報の収集は，病歴として本人歴，家族歴，現病歴を調査する．

- 本人歴は，胎生期—出産期—幼児期—学童期—思春期・青年期—壮年期—老年期について精神疾患発症に関する要因を明らかにするための資料である．
- 家族歴は，血縁関係者について精神発達遅滞，自殺者，てんかん，精神疾患など罹患歴を調査し，家族的素因を明らかにするための資料である．
- 現病歴は，主訴，発症時期，経過，日常生活や社会生活の変化，発病の誘因，薬物依存について病気の経過を明らかにするための資料である．

c. その他の評価

- 身体的検査および神経学的検査を行う．
- 身体的検査では，体温，脈拍，血圧，呼吸状態，栄養状態などの臨床検査から身体的異常を確認する．
- 神経学的検査では，脳神経や高次脳機能を含む脳機能の異常所見から障害部位を推定する．

5 精神機能の概要

精神疾患・状態像を理解するために，精神機能とその障害を理解することが重要である．以下に精神疾患に関する精神機能を項目別に述べる．

a. 意 識

意識 consciousness は，いま行っていることが自分でわかっている状態であり，物事を正しく理解することや，周囲の刺激に対する適切な反応ができる状態である．

- 意識の障害には**意識混濁**，**意識狭窄**，**意識変容**がある．
  - ①意識混濁 clouding of consciousness は，意識の鮮明度の量的な障害であり，その程度により**錯乱** confusion，**傾眠** somnolence，**嗜眠** lethargy，**昏睡** coma という．
  - ②意識狭窄 narrowing of consciousness は，意識野の広がりの障害であり，1つのことに熱中しているときにそれだけに注意が集中し他のことを認知できない状態に類する．
  - ③意識変容 alteration of consciousness は，意識混濁に質的な変容が加わり，複雑な状態像を呈する障害であり，せん妄*delirium，アメンチア*amentia，もうろう状態*twilight stage をいう．
- 意識状態の評価は**日本昏睡尺度（JCS；3-3-9 度方式）（表17-4）**や**グラスゴー昏睡尺度（GCS）（表17-5）**が用いられる．JCS は覚醒の程度によって分類し，GCS は開眼，最良言語反応，最良運動反応の 3 つについて点数化する評価尺度である．

b. 知 能

- 知能 intelligence は，脳において種々の情報を処理・活用することで処理結果を適切に出力し，外的・内的な新しい問題への適応状況に対処する知的機能および能力のことである．
- 知能の障害は，**精神発達遅滞**と**認知症**に分類される．
  - ①精神発達遅滞 mental retardation は，先天性あるいは後天性の脳損傷を原因

---

*せん妄　軽度から中等度にかけての意識混濁に錯覚，幻覚，妄想などが加わった状態であり，不安や恐怖を感じる．

*アメンチア　軽度の意識混濁であるが，情緒不安定な状態であり，高度の思考の錯乱を示す．

*もうろう状態　軽度の意識混濁であるが，周囲を誤認し行動にまとまりを欠く状態を示す．

JCS：Japan Coma Scale
GCS：Glasgow Coma Scale

表 17-4 日本昏睡尺度（JCS）

Ⅲ 刺激しても覚醒しない	
300	全く動かない
200	手足を少し動かしたり顔をしかめたりする（除脳硬直を含む）
100	はらいのける動作をする

Ⅱ 刺激すると覚醒する	
30	痛み刺激で辛うじて開眼する
20	大きな声，または体をゆさぶることにより開眼する
10	呼びかけで容易に開眼する

Ⅰ 覚醒している	
3	名前，生年月日がいえない
2	見当識障害あり
1	大体意識清明だが，いま1つはっきりしない

数値が大きいほど意識状態が重度であることを示す．

表 17-5 グラスゴー昏睡尺度（GCS）

1 開 眼	E
自発的に開眼する	4
呼びかけで開眼する	3
痛み刺激を与えると開眼する	2
開眼しない	1
2 最良言語反応	V
見当識の保たれた会話	5
会話に混乱がある	4
混乱した単語のみ	3
理解不能の音声のみ	2
な し	1
3 最良運動反応	M
命令に従う	6
合目的な運動をする	5
逃避反応としての運動	4
異常な屈曲反応	3
伸展反応	2
全く動かない	1
合計（正常）	15

GCSは，開眼，最良言語反応，最良運動反応の3つについてそれぞれ点数化する評価尺度である．点数が低いほど，意識障害が重いことを示し，一般に8点以下を重症とする．

表 17-6 IQによる精神発達遅滞の分類

	IQ
境界知能	70〜80
軽度精神発達遅滞	50〜69
中度精神発達遅滞	35〜49
重度精神発達遅滞	20〜34
最重度精神発達遅滞	20未満

IQはICD-10のカテゴリーによる指数．

とした精神の発育不 mental retardation 全の状態である．精神発達遅滞の程度は，知能検査の結果得られる**知能指数**（IQ）で分類される（**表 17-6**）．

②**認知症** dementia は，後天的な脳の器質的障害により，知覚や意識の障害を伴わない進行性の認知，知的機能不全である．

- 精神発達遅滞の原因は多様であるが，脳の構造病変によることが最も多く，見当識障害，記憶力，判断力，知能の障害および浅薄で変化しやすい感情が特徴的である．
- 認知症の程度は，**改訂長谷川式簡易知能評価スケール**（HDS-R）や**N式精神機能検査**，MMSEなどで評価される．

IQ：intelligence quotient

HDS-R：Hasegawa demetia scale-revised
MMSE：mini mental state examination

c. 性 格

性格 character は，感情や意志，行動面に現れる個人の特性である．性格の障害が問題となるのは，性格変化が認められる場合である．性格は，個人による差が

著しく，正常と異常の判断はきわめて困難である．性格の分類は，**ユング**（Jung）による類型と**クレッチマー**（Kretschmer）による類型が知られている．

①**ユングの類型**
- ユングの類型は，自己の内面にある主観的要因に関心が向く気質である**内向型**と，外界の物事に関心が向く気質である**外向型**に分類される．
- 内向型 introvert は，消極的，非社交的で，思慮深く，内省的で，理想主義である．
- 外向型 extrovert は，積極的，社交的，行動的で，環境適応が早く，現実主義である．

②**クレッチマーの類型**
- クレッチマーの類型は，疾患に対応した体型による分類である．
- 気分（感情）障害に多い肥満型は，**循環気質** cyclothymia に分類される．
- 統合失調症に多い細身型は，**分裂気質** schizoid に分類される．
- てんかんに多い闘士型は，**てんかん気質** epileptoid に分類される．

d．記　憶

記憶 memory は，過去の経験による情報を保持し，保持した情報を再び意識して過去の経験と同一であるかの確認を行うことである．記憶には，**記銘**，**保持**，**再生**，**再認**の 4 つの機能がある．

①**記憶の 4 機能**
- 記銘 registration は，記憶の第 1 段階として，新しいことや学習したことを印象づける機能である．
- 保持 retention は，記憶の第 2 段階として，記銘された情報が量的，質的に変化しつつも維持される機能である．
- 再生 recall は，過去に記銘された事象や，学習して保持した情報を再び想起する機能である．
- 再認 recognition は，再生された情報が過去に記銘された内容と同一のものとして認める機能である．

②**記憶の障害**
- 記憶の障害には，記銘障害と追想障害がある．
- 記銘障害は，知能障害や意識障害，注意障害，自発性欠如や感情障害などによって出現する．
- 追想障害は，不完全な記銘によって，過去の体験や一定期間の追想ができない状態である．
- 追想障害には，**健忘** amnesia，**一過性全健忘** transient global amnesia，**心因性健忘** psychogenic amnesia，**健忘症候群** amnestic syndrome がある．

e．感　情

感情 emotion は，快・不快を基調とした精神状態を構成する基本的要素である．感情とは，主観的体験であり，生理的変化や身体表出とともに生じる**情動** affect と，持続的で穏やかな感情状態である**気分** mood がある．感情の障害には，**不安**，**抑うつ気分**，**爽快**，**両価性**，**感情鈍麻**がある．

- 不安 anxiety は，特定の対象をもたない漠然としたおそれの感情である．不安は，自律神経症状，手指および全身の振戦を伴い，苦悶感を呈する．
- 抑うつ気分 depressive mood は，明確な原因がないにもかかわらず，物事を悲観的に考え，自己の不全感に悩む状態である．抑うつ気分は，意欲の低下，思考抑止，自殺念慮を呈する．
- 爽快 cheerful elation は，抑うつと対照的な感情を示し，明確な原因がないにもかかわらず，異常に高揚した気分の状態である．爽快は，楽天的，誇大的で精神運動興奮を呈する．
- 両価性 ambivalence は，同一対象に相反する感情が同時に存在する状態である．両価性は，統合失調症にみられる症状で，快と不快，愛情と憎悪などの感情の併存を呈する．
- 感情鈍麻 blunted affect は，感情の動きが鈍くなる状態である．感情鈍麻は，周囲の出来事へ関心を示さなくなり，他者との感情交流が欠如し，冷淡になるなどの状態を呈する．

f．欲動と意志

- **欲動** drive とは，精神活動の根源であり，行動を引き起こす原動力である．また，欲動には，身体的欲動（食欲，性欲，睡眠欲など）と精神的欲動（地位，名誉，富など）がある．
- **意志** will は，欲動を意識的に制御し，統合する働きをもつ．
- 欲動と意志の障害は，減退と亢進に分類され，①**精神運動興奮**，②**精神運動抑制**，③**昏迷**，④**途絶**がある．

> ①精神運動興奮 psychomoter excitement は，意志の発動が著しく亢進した状態で行動過多を呈する．
> ②精神運動抑制 psychomoter retardation は，意志の発動が異常に抑制された状態で行動緩慢を呈する．
> ③昏迷 stupor は，意志の発動が著しく障害された状態で，精神的，身体的に反応することができない状態を呈する．
> ④途絶 blocking は，互いに相反する欲動が突然対立することによって言動が急に停止する状態を呈する．

g．自我意識

- **自我意識** self consciousness は，自分自身をどのように意識しているかという主観的な体験である．
- 自我意識の障害には，**離人症**，**作為体験**がある．
  ①離人症 depersonalization とは，主観的能動性の意識を喪失した状態である．
  ②作為体験 experience of control とは，思考や感情の動きや行動などが自分の意志に反し，「させられている」と感じる状態である．作為体験には，思考奪取，思考吹入，思考干渉，思考伝播などがある．

B 精神疾患の状態像と治療

1 統合失調症

> memo
> 統合失調症は，2002（平成 14）年まで精神分裂病と呼ばれていた．schizophrenia を訳した病名として，日本精神神経学会総会において病名の変更がなされた．

1990 年代後半からの非定型抗精神病薬の使用や，効果的な急性期治療，社会復帰のため福祉制度の整備などにより，初発患者の入院期間は短縮されているが，薬物療法の効果には限界があり，精神症状が慢性化する患者も存在する．現在は，精神疾患入院患者のうち新規入院患者の半数は 2～3 ヵ月で退院し，入院後 11 ヵ月の段階では約 9 割が退院している．一方，5 年以上の在院期間の患者が約 5 割を占めるとされ，長期在院が問題視されている．

- 統合失調症患者は，身体疾患を合併する危険性が健常者と比較して 2～3 倍高く，寿命は約 20％短いと報告されている．
- 治療は抗精神病薬による治療が主体となっているが，副作用としてパーキンソン症候群やアキネジアやジストニアなどの神経症状，脱力感やめまい，眠気などの不定愁訴，体重増加などが現れる．これらの症状は日常生活における活動量低下に直結し，廃用症候群をきたす原因となる．
- 閉鎖的な入院環境では活動制限が大きいため，身体機能の低下から転倒や転落などの危険性が高まると報告されている．
- 統合失調症は，急性期では妄想や幻覚，幻聴を原因として外出を控えることがあるが，慢性期になるに従い感情鈍麻とともに能動性や自発性の低下が起こることでひきこもりが多くなる．
- 統合失調症患者は身体活動量が低下しやすいため，転倒，バイタルサインのリスク管理を行いながら日常の活動量を増加させることが重要となる．
- わが国の精神医療ケアは入院中心であり，精神疾患患者の地域生活を支えるために必要な社会的資源が不十分である．

a. 疫学と分類

① 疫　学

- 統合失調症の総人口における発症率は約 0.8％である．
- 発症年齢は 16～40 歳とされ，思春期から青年期に発症することが多い．
- 統合失調症の発症危険因子*は，人口動態的特徴として社会階層，年齢，性差，婚姻状態，付随因子*として出生季節，妊娠・出生合併症，物質乱用，遺伝的背景，結実因子*として環境因子，ストレスが考えられている．

*危険因子，付随因子，結実因子　危険因子とは，特定の疾患が発生する確率を増大させる因子を指し，付随因子は，特定の疾患が付随して発生する因子を指す．また，結実因子は，特定の疾患が発生することに結びつく因子である．

② 分　類

- 統合失調症の主な分類は，**クロウ**（Crow）の分類，ICD-10 による分類の 2 種類ある．
- クロウは，陽性症状が主体で抗精神病薬の治療によく反応するⅠ型と陰性症状が主体で治療抵抗性のⅡ型に分類した．
- ICD-10 の分類では，妄想・幻覚が症状の主体である妄想型（ICD-10 F20.0），まとまりのない思考や行動が症状の主体である破瓜型（ICD-10 F20.1），興奮・

昏迷などが症状の主体である緊張型（ICD-10 F20.2）などに分類されている．

b. 状態像
社会生活面では，ADL，対人関係能力，作業能力，問題解決能力に障害をきたし，種々の困難を有する．

①精神機能の変化
- 精神機能は，主に感情，思考，欲動と意志に変化をきたす．
- 感情の障害では，感情疎通性の欠如，感情の不調和，両価性があげられる．
- 思考の障害では，思路の障害（連合弛緩，滅裂思考など），思考内容の障害（被害妄想，誇大妄想，血統妄想など）があげられる．
- 欲動と意志の障害では，意欲の低下，欲動の調節障害，無関心などがあげられる．

②特有な内的体験
- 統合失調症における主な内的体験は，**幻聴**と**体感幻覚**である．
- **幻聴** auditory hallucination は，自分についての噂，悪口，批判，命令，脅迫などが人の声として聞こえることである．
- **体感幻覚** cenesthopathy は，被害的意味づけをもって知覚されることの多い身体の異常感覚である．
- その他の内的体験として，**幻視** visual hallucination，**幻嗅** olfactory hallucination，**幻味** gustatory hallucination などがある．

c. 治療
統合失調症の治療は，抗精神病薬による薬物療法を主体とし，精神療法，リハビリテーションなどの心理社会的治療が行われる．

①身体的治療
ⅰ）**抗精神病薬療法の効果**
- 精神運動興奮，衝動性，攻撃性を特異的に鎮静化させる．
- 幻覚や妄想などの内的体験を軽快させる．
- 感情鈍麻，意欲減退，昏迷などの精神活動低下の状態を賦活し，他の治療の効果を促進する．

ⅱ）**電気痙攣療法（ECT）**
- 筋弛緩薬を投与して麻酔下で行う．
- 抗精神病薬の効果が期待できないほどの重篤な興奮，昏迷，抑うつなどが適応となる．

ECT：electroconvulsive therapy

②心理社会的治療
ⅰ）**精神療法**
- 健全な自我の再獲得，自我の統制力の強化，ストレス耐性の増加をはかる．

ⅱ）**レクリエーション療法**
- 感情を直接的に表出することによって緊張の解放をはかる．

ⅲ）**リハビリテーション**
- 主に作業療法がかかわり，作業活動により生活リズムの獲得，現実へのかかわりによる精神症状の軽減，慢性化の予防をはかる．

- 理学療法は身体および精神機能の改善を目的に，運動療法を主体としたプログラムを実施する．
- 退院後は，通所リハビリテーション（デイケア）やデイホスピタルあるいは居住プログラムとして授産施設，福祉ホーム，グループホームなどを考え，さらに職業リハビリテーションなどの場でリハビリテーションを継続していくことが重要である．

iv）生活技能練習
- 対人行動を通じての生活技能の改善をはかる．

2 双極性障害

双極性障害は気分の高揚を主症状とする**躁状態**と，この反対に気分の抑うつを主症状とした**うつ状態**を合わせた気分（感情）障害に分類される．双極性障害には躁状態あるいはうつ状態の病相期があり，それらの病的状態が周期的に生じ，寛解期にはほぼ正常な状態へ回復する．

双極性障害は，間脳下垂体系の機能障害により精神症状，身体症状が生じる生物レベルの障害であり，自己の存在感や生命力の低下をきたす．

- 躁状態では不眠（早期覚醒）や食欲亢進，性欲亢進などが現れ，うつ状態では不眠（浅眠，早期覚醒），食欲低下，性欲低下，便秘，頭痛，肩こり，発汗などの身体機能の異常が現れる．
- うつ状態による身体症状は，身体疾患を原因と考えて精神科以外の他科を受診することがあり，根本的な治療につながらない場合がある．
- 現在でもなお，精神科の受診に抵抗感を示すことが考えられるが，原因がはっきりしないあるいは慢性に継続する身体症状に関しては精神科の受診が望ましい場合がある．
- うつ状態では，病気や人生に対する行き詰まり感から自殺への動向が高いため，注意深くリスク管理をしておく必要がある．

a. 疫学と分類

①疫　学
- 双極性障害の総人口における発症率は約 0.2％である．
- 双極性障害の初発年齢は，20 歳代と 30 歳代が多い．
- 発症年齢は 25〜50 歳までとされ，男性より女性が多いとされている．
- 双極性障害の発症危険因子としては，遺伝的要因が重要である．

②分　類
- 双極性障害は，**双極Ⅰ型障害**と**双極Ⅱ型障害**に大別される．
  - ⑦双極Ⅰ型障害 bipolar Ⅰ disorder は，躁状態を伴う双極性障害である．
  - ④双極Ⅱ型障害 bipolar Ⅱ disorder は，軽躁状態を伴う双極性障害である．

b. 状態像

①うつ病相の症状
- うつ病の本態は，生命力の低下，生活リズムの停滞であり，この状態が精神および身体機能に影響を及ぼし，種々の症状を引き起こす．

- 感情の異常：精神症状の基礎にあるのは抑うつ気分である．
- 思考の異常：思考過程は遅滞し，能率の低下が顕著である．
- 行動の異常：行動量の低下と抑制がみられ，表情や身体の動きが緩慢になる．
- 身体症状：睡眠，食欲，性欲，疲労感，自律神経系の障害など疾患特異性に乏しいが，多くの症状がみられる．

②躁病相の症状
- 感情は爽快であり，行動は過多となり，精神および行動面の抑制がなくなる．
- 思考過程は速く，種々の妄想（誇大妄想）がみられる．
- うつ状態とは逆に，いきいきとした表情で活発に活動し，食欲や性欲は亢進するが，睡眠時間は短くなることがある．

c. 治療

①うつ症状に対する治療
- うつ症状に対する治療は，薬物療法を主体にして，支持的な心理療法，生活療法，リハビリテーションなどを行い環境の調整に努める．
  - ⅰ）電気痙攣療法（ECT）：薬物療法の効果が期待できない場合に使用されることがある．
  - ⅱ）支持的な精神療法および心理療法：発病状況に対する認識や洞察を獲得させ，再発防止をはかる．
  - ⅲ）環境の調整：対象者の心身の負担軽減をはかる．
  - ⅳ）リハビリテーション：再発防止と社会生活への復帰をはかる．
- 自殺の防止に努める．

②躁症状に対する治療
- 躁症状に対する治療は，軽い症状を除いて入院治療を必要とし，薬物療法を主体に治療が行われる．
- 発症初期では，抗精神病薬と抗躁薬である炭酸リチウムによる薬物療法が主体であり，薬物療法の効果が期待できない場合には電気痙攣療法（ECT）を行う場合がある．

C 精神疾患に対する適切なリハビリテーション

精神疾患に対する適切なリハビリテーションは，精神疾患の障害の構造を理解することにより整理することができる．精神疾患は，他の疾患と同様にICFモデルに沿った心身機能，活動制限，参加制約および個人因子・環境因子の側面から状態像を整理することができる

① 心身機能：意識，知能，性格，記憶，感情，欲動と意志，自我意識などの精神機能の障害とともに，身体への影響を含めて理解することが重要である．
② 活動制限：基本的な生活活動，家庭および社会生活での役割，対人関係技能などの制限や喪失などに関して把握することが状態像の理解に重要となる．
③ 参加制約：住居や職業，社会的サービスの利用，社会的役割の遂行などの制限，

ICF：International Classification of Functioning, Disability and Health

制約，不利益など，社会生活の権利に関するサービスをどのように活用するかがキーポイントとなる．
- 心身機能に対しては，主に入院患者に対する医療分野のリハビリテーションが求められてきたが，現在では入院期間の短縮によって，地域リハビリテーションが重要となっている．
- 地域リハビリテーションでは，対象者の居住環境や就業環境の設定が重要となり，適切な治療の継続が必要となる場合がある．
- 地域における生活の基礎となる住居は，家族との同居，アパート，寄宿舎，精神障害者生活訓練施設（援護寮），グループホームなどが考えられ，対象者の治療の継続に適切な場を考える．
- 地域リハビリテーションとしては，通所リハビリテーション施設（デイケアセンター），福祉作業所，授産施設，福祉工場など職業的治療要素のあるプログラムを含めた介入を行う．
- 陽性症状や陰性症状，服薬管理の問題などの治療の継続に関しては，医療機関を含めた地域リハビリテーションの活用を考える．

D 精神疾患における日常生活の障害

　精神疾患患者は，日常生活場面におけるセルフケアに問題をきたすことも少なくない．また，社会生活面では，対人関係能力などに障害をきたし，日常生活の継続に種々の困難を有する．

a. 日常生活動作
- セルフケアは，個人が生命や健康を維持するための活動を自分自身で実践することをいう．自立したセルフケアは安定した生活習慣の基礎となり，健康促進の第一歩である．欠食や偏食に基づく栄養状態の低下や，食物の過剰摂取による肥満など，精神疾患患者の生活習慣は乱れやすい．
- 急性期は，過度の緊張や陽性症状が強く，欠食や拒食，睡眠障害などの症状から生活リズムが乱れやすい．また，活動が亢進している時期は，休息や睡眠が満たされずに日常生活に悪影響を及ぼす．
- 慢性期は幻覚や妄想などの陽性症状が治まるが，無為，自発性・意欲の低下など陰性症状による活動量の低下が問題となる．活動量の低下は肥満の原因となり，日常生活動作を妨げる要因の1つとなる．

b. 対人関係能力
- 対人関係の問題は，幻覚や妄想などの陽性症状，自閉や情動の障害などの陰性症状によって引き起こされることが多い．対人関係に関する精神疾患患者の障害は以下のような特徴がある．
①人混みのなかで著しく緊張する傾向がある．
②疲れやすく，良好なコミュニケーションが困難である．
③注意や関心の幅が狭く，他人に配慮できずに自己中心的にみえてしまう．

④集中力や持続力が低下し，疲れやすい．
⑤不安の傾向があり，物事に消極的になる．
⑥環境や状況変化に対して不安が強まり適応能力に欠ける．
- 対人関係は，種々の対象の特性に応じた対人行動およびコミュニケーション能力と深く関係している．コミュニケーション能力は，日常生活のつながりや広がりを社会資源として提供する．社会資源の活用は，日常生活の継続に重要となる．

E　精神領域における理学療法の役割

- 精神疾患患者に対する運動療法は，脳血管障害，運動器疾患，呼吸器疾患などの身体疾患を合併した対象者に適応され，主に身体機能の回復を目的として行われている．高齢化や廃用などによる身体機能低下に対しても理学療法が適応されている．
- 精神疾患そのものに対する理学療法は，現在のところほとんど適応されていないが，精神疾患患者にみられる不安やストレスによる過緊張，睡眠障害，空間認知障害など多様な症状は身体を介して呈する現象であり，これらの症状が姿勢や身体動作の制限をきたす場合は理学療法が適応される可能性がある．
- 生活習慣（病）の悪化などを改善および予防するための運動指導も含め，今後は精神領域における理学療法の役割が期待されている．
- 主な理学療法プログラムは，ストレッチングや関節可動域運動による柔軟性の増大，ウォーキングや自転車エルゴメータを利用した持久力の改善，筋力増大などの体力増強である．
- バランス運動や呼吸改善などの身体資源を活用した運動療法は，身体機能のみならず自発性の向上や身体気づき*body awareness の改善，対人関係技能の改善など精神機能にも望ましい効果を及ぼすとされており，精神疾患患者のリハビリテーションに有効な手段とされている．
- 精神科医療機関における運動プログラムの実施状況調査では，約9割の施設において実施されている報告があり，適切な運動指導が可能な理学療法士の役割が期待されている．

***身体気づき**　身体の位置，動き，緊張などに気づくことで身体と精神を最適な状態に導くための認識．

学習到達度自己評価問題

1. 精神疾患の分類にはどのような種類があるか列挙しなさい．
2. 精神疾患の状態像を把握するために必要な評価のポイントについて説明しなさい．
3. 精神機能はどのような種類があるか列挙しなさい．
4. 精神疾患の障害構造について説明しなさい．
5. 精神疾患の地域リハビリテーションにおいて，住居と就業についてどのようなサービスの種類があるか列挙しなさい．

生活場面での疾患・状態像の理解

18 発達障害

一般目標
1. 発達障害について理解する．
2. 発達障害に必要な発達，身体機能を理解する．
3. 発達障害児に適切な支援ができるよう基礎知識を身につける．

行動目標
1. 発達障害の概念と分類を説明できる．
2. 狭義の発達障害の分類の特性を説明できる．
3. 発達障害に伴う身体機能障害を説明できる．
4. 発達障害児支援をするという観点から評価・運動療法をいくつか列挙できる．

調べておこう
1. DSM-5，DSM-Ⅳ-TR による狭義の発達障害（自閉スペクトラム症/自閉症スペクトラム障害，注意欠陥多動障害/注意欠如症）の診断基準を調べよう．
2. 発達検査を調べよう．

DSM：Diagnostic and Statistical Manual of Mental Disorders

A 発達障害とは

1 発達障害の定義

- 国際的な視野でみると，発達障害は包括的な概念であり，知的発達障害，脳性麻痺に代表される先天的運動発達障害，自閉症やアスペルガー症候群を含む広汎性発達障害，注意欠陥多動障害/注意欠如症（ADHD），学習障害（LD），発達性協調運動障害，発達性言語障害，てんかん，視覚障害，聴覚障害，慢性疾患等の発達期に生じる諸問題の一部であるとされていたが，歴史的変遷により，現在の発達障害の概念とは一致していない．

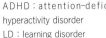
ADHD：attention-deficit hyperactivity disorder
LD：learning disorder

- 発達障害が，わが国において広く認識されたのは，2004（平成 16）年に制定，2005（平成 17）年に施行された発達障害者支援法の影響が大きく，この定義に基づくことが多い．
- 発達障害者支援法で取り上げられている発達障害は，自閉的傾向と学習上の障害を主症状としており，その原因は脳機能にあるとされている．発達障害者支援法では発達障害を以下のように定義している．「自閉症，アスペルガー症候群

その他の広汎性発達障害，学習障害，注意欠陥多動性障害その他これに類する脳機能の障害であってその症状が通常低年齢において発現するものとして政令で定めるもの」．
- 以上により，発達障害は知的障害とは別の概念でとらえる人も増えてきている．

2 発達障害の概念

- 発達障害は，発達過程で気づかれる行動や認知の障害の総称である．
- 「実行機能の障害」ともいわれ，情報をもとに的確に状況判断し，その場に適した行動をとる「実行機能」につまずきがあると，適応行動をとることが難しくなる．
- 「脳機能の障害」の現れといえ，生まれつき脳機能（感情や思考，判断，記憶，運動などの多様な活動）の一部が通常とは異なる働き方をし，場に応じた感情がもてない，適切な判断が行えない，記憶力が低下するといった場面がみられる．
- 発達障害に共通する3つの特徴は重要なポイントとなる．
  - ⅰ）脳（中枢神経系）の機能障害
  - ⅱ）原因はさまざまであるが，乳幼児期に行動特性（症状）が現れる
  - ⅲ）行動特性は病気の症状のように進行していくものではなく，本人の発達や周りからの働きかけによって変化する

3 発達障害の種類・分類

本章では，発達障害者支援法を軸に，狭義の発達障害として自閉スペクトラム症/自閉症スペクトラム障害（ASD），注意欠陥多動障害/注意欠如症（ADHD），学習障害（LD）に分類した．

ASD：autism spectrum disorder

a. 種　類

発達障害には，大きく分けて3つの種類があり，この3つが依存する場合もある．

①自閉スペクトラム症/自閉症スペクトラム障害（ASD）

かつて自閉症，自閉症障害，広汎性発達障害，アスペルガー症候群などさまざまな名称で呼ばれていた．

②注意欠陥多動障害/注意欠如症（ADHD）

③学習障害（LD）

b. 分　類

医療現場での実際的な発達障害の診断基準には「精神疾患の診断・統計マニュアル」（DSM）（図 18-1）と「疾病及び関連保健問題の国際統計分類」（ICD）が使用される（表 18-1）．発達障害はこの2つの診断基準をもとに，以下に分類される．

ICD：International Statistical Classification of Diseases and Related Health Problems

- 知的発達の障害を中心とする知的障害（精神遅滞）．
- 自閉症を中心とする広汎性発達障害．
- 多動などの行動の問題を中心とする注意欠陥/多動性障害．

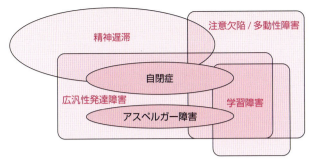

図 18-1 主な発達障害の相互的な関係（DSM-Ⅳ-TR）
DSM-5 では，広汎性発達障害は，自閉スペクトラム症/自閉症スペクトラム障害という用語に変更された．従来の自閉症，アスペルガー障害，特定不能の広汎性発達障害などの下位分類はなくなった．
[洲鎌盛一：乳幼児の発達障害診療マニュアル　検診の診かた・発達の促しかた，p.2，医学書院，2019 より引用]

表 18-1 DSM と ICD

	DSM	ICD
作成機関	米国精神医学会	世界保健機関（WHO）
分類の対象	精神疾患	疾患全般
主な使用法	医学的に使用	医学的・行政的に使用

WHO：World Health Organization

- 発達のある側面だけがとくに障害されている発達の部分的障害（特異的発達障害）．

B 発達障害の特性と二次障害

- ASD（自閉症，高機能自閉症，アスペルガー症候群など）は対人関係の難しさや，こだわりの強さなどによる生活上の困難がある．
- ADHD は多動性，衝動性などの生活上の困難がある．
- LD は，読む，書く，計算するなどの学習上の困難がある．

1 自閉スペクトラム症/自閉症スペクトラム障害（ASD）

知的障害のある自閉症から知的レベルの高いアスペルガー症候群までを同じ病態ととらえて，ひとくくりにした自閉性障害の総称である．

a. 基本的な特性
①社会性
社会的なやりとりの障害があり，人とのかかわりを苦手とする．
- 人と目を合わさない．
- 相手や状況に合わせた行動が苦手．
- 自己主張が強く一方的な行動が目立つ．

表 18-2 アスペルガー症候群の特性

主な特性	その他の特性
・マイペースな対人行動 ・早くて達者な言語の発達 ・融通のきかない行動	・ADHDと同様の多動や不注意などを示すことが多い ・手先が不器用なことが多い ・被害者的な言動が多い ・教えていない文字が早く読めるようになることがある ・知的レベルは高いことが多く，社会に出てはじめて大きな壁にぶつかる人も少なくない

②**コミュニケーション**

コミュニケーションの障害があり，コミュニケーションがうまくとれない．
- オウム返し（いわれた言葉をそのまま繰り返す）．
- 相手の表情から気持ちを読み取れない．
- たとえ話を理解することが苦手．

③**イマジネーション**

こだわりがあり，想像力が乏しい．
- いわれたことを表面的に受け取りやすい．
- 決まった順序や道順にこだわる．
- 急に予定が変わるとパニックを起こす．

b. **その他の特性**
- さまざまな場面で感覚刺激に対し，反応異常が観察される．
- 協調性に乏しいため，集団生活でつまずきやすい．

c. **アスペルガー症候群**

ASDの基本的な3つの特性はみられるものの知的な遅れがなく，対人関係の障害が比較的軽度な状態である．アスペルガー症候群の特性を**表 18-2**にまとめた．

2 注意欠陥多動障害/注意欠如症（ADHD）

a. **基本的な特性**

①**不注意**

注意力が不足している．
- 集中力がない．
- 細かいことに気がつかない．
- 忘れ物が多い．

②**多動性**

落ち着きがない．
- じっとしていられない．
- 授業中も席を立ってウロウロする．
- 手や足をいつもいじっている．

③**衝動性**

衝動的な言動をコントロールすることが難しい．
- 順番を待てない．
- 列に割り込む．

memo
ASDの子どもの約4分の1に，てんかん発作やパニック行動がみられることが知られ，こうした症状には抗てんかん薬や，パニック行動には感情を抑制する薬が使われる．

- 思いつくとすぐ行動する.

b. その他の特性
- ADHD は 3 つの基本的な特性に加えて，LD やアスペルガー症候群，自閉症，トゥレット症候群など，他の障害と重複するケースが多い.
- ADHD の特性が現れてくるのは，4 歳を過ぎてからで，小学校に入学するころにはっきりしてくることが多い.

c. ADHD の 3 つのタイプ
特性の現れ方により 3 つのタイプに分類される.

①**不注意型**
- 物忘れが多く，注意散漫で，ボーッとしやすいのが特徴. 教室ではおとなしく目立たないため，障害に気づかれにくい側面がある.

②**多動性・衝動性型**
- 落ち着きがなく，おしゃべりが止まらなかったり，授業中に立ち歩いたりする. ささいなことでカッとなりやすく，乱暴な子と敬遠される傾向があり，大人から叱責を受けやすい.

③**混合型**
- すべての特性が現れるタイプで ADHD 全体の約 8 割を占める.

d. 日常生活の困難
①**学業成績の不振**
　授業に集中できない，忘れ物が多い等

②**人間関係のつまずき**
　待つことができない，カッとなりやすい等

③**自尊感情が育まれない**
　周囲の大人からの叱責，友達からからかわれる

3 学習障害（LD）

　文部科学省では学習障害を「知的発達に遅れはないが，聞く，話す，読む，書く，計算する，推論するなどの特定の能力の習得と使用に著しい困難を示す，様々な状態」と定義している.

a. 基本的な特性
- 「聞く」ことの障害として会話が理解できない，書き取りが苦手，などがある.
- 「話す」ことの障害として筋道を立てて話すことが苦手，会話に余分なことが入ってしまう，などがある.
- 「読む」ことの障害として文字を発音できない，文章の音読はできるが意味が理解できない，などがある.
- 「書く」ことの障害として文字が書けない，漢字の部首を間違う，などがある.
- 「計算する」ことの障害として数字の位どりが理解できない，九九を暗記しても計算に使えない，などがある.
- 「推論する」ことの障害として算数の応用問題・図形問題が苦手，長文読解が苦手，などがある.

> **memo**
> ADHD 治療薬には，特有の自己制御の弱さを改善するコンサータ® やストラテラ® などがある. 服薬した 8〜9 割に，集中力の高まりと落ち着きが出て，生活上の困難が減る効果があることがわかっている. また，うつや非行などの二次障害の予防効果や副作用が少ないなどのメリットも明らかにされている.

表 18-3 二次障害の症状

身体的な症状	頭痛，腹痛，食欲不振，嘔吐，頻尿・夜尿症　など
精神的な症状	過剰な不安や緊張，不機嫌，抑うつ気分，対人恐怖，無気力　など
行動面の問題	ひきこもり，非行，強い反抗，挑戦的な行動，暴言・暴力，いじめ，破壊行動　など
その他の問題	チック症，脱毛癖，爪噛み，トゥレット症候群（重度のチック症）　など

b. その他の特性

- LDの中核にあるのはディスレクシアだと考えられ，LDの8割がディスレクシア（読み書き障害）を抱えているとされている．読み書きが全くできないわけではなく，正確さと流暢さにつまずきがあるのが特徴である．
- LDと合併しやすい障害に，発達性協調運動障害がある．異なる動作を連動させる運動に，著しい困難を示す状態のことである．

④ 発達障害の二次障害

- 特性に起因して，本人が受ける過剰なストレスやトラウマなどが引き金となって起こる二次的な問題を**二次障害**という．
- 二次障害は，発達障害の特性からくるさまざまな困難や問題行動などにより，自己肯定感が低下した結果，引き起こされることが多い．
- 二次障害が起こりやすいとされる時期は㋐小学校に上がってすぐのころと㋑小学校高学年から中学校にかけての思春期の2回ある．
- 二次障害の症状を**表18-3**にまとめた．

C 発達障害の支援―運動療法を中心に

　発達障害の支援・運動療法は，発達障害別の特性・行動面を抑えたなかで，発達マイルストーン*の到達度や発達（運動・言語・社会性）の遅れを評価し，機能的な問題点，発達障害に伴う身体機能障害をとらえて支援を行っていく．また，発達障害ではうまく体を動かせないことで，身体面だけでなく精神面でもつらい思いを抱えやすい．体を動かすこと，運動ができるようになっていくことは，自信と自己肯定感を伸ばし，精神面における最大の効用となる．
　本項では，原始反射，筋力と筋緊張等の身体機能以外の粗大運動・発達という視点，発達障害に伴う身体機能への支援を紹介する．

① 発達像を把握するための発達検査

a. DENVER Ⅱ（デンバー発達判定法）

- 「個人-社会領域・微細運動-適応領域・言語領域・粗大運動領域」の検査項目を含んだ発達スクリーニング検査の1つである．

---

*発達マイルストーン　定頸，座位，独歩，模倣，指さしなどをみて，現在の発達レベルを評価するための指標（基準）．1つの発達が基準に満たなくとも，その他は正常範囲の場合は，あまり問題とならないことが多い．ただし1つの遅れでも他の発達と比べて極端に基準を満たさない場合はその機能に問題があることが多い．

b. その他の発達検査
- **遠城寺式乳幼児分析的発達検査法**：0歳児から使用できる，「移動運動・手の運動・基本的習慣・対人関係・発語・言語理解」の各機能を分析的に評価できる発達領域別検査の1つである．
- **新版K式発達検査**：「姿勢・運動」「認知・適応」「言語・社会」の3領域に分類された発達指数を算出できる検査の1つである．

2 発達障害に伴う身体機能障害

ASDとADHDの特性以外に，身体機能において類似した特徴がある．それは感覚入力に対する異常な反応，運動と姿勢調整の未熟さである．このASDとADHDの運動と姿勢調整の未熟さに関して，ボディイメージ・運動イメージ，姿勢制御という視点から支援が考えられる．また，発達障害に隣接する概念として発達性協調運動障害も関連する．なお，現在のLDの概念では身体運動の習得に著しく困難を感じるものについてはLDには含めないとされている．

a. 感覚入力に対する異常な反応

感覚は末梢の受容器で受け取られた刺激が複数の神経伝達によって脳につたえられ，認知される．ADHDでは，報酬の遅延に耐えられず，衝動的に代替報酬を選択，主観的な時間を短縮させるために，注意を他のものに向けるといった行動が観察される．介入方法として，対象児を取り巻く環境を変化させることで感覚入力を制御する．

① 評　価

ⅰ）表在感覚（触覚，痛覚，温冷覚）
- 異常な反応として，腹ばいや抱かれること，手をつなぐこと，手づかみで食べることを嫌がるなどがある．
- 行動観察：歩行時につま先立ちになる，足底を床につけて座ろうとしない．

ⅱ）深部感覚（振動覚，関節覚）
- 異常な反応として，転ぶことがたびたびある，コップを落とすなどがある．
- 行動観察：四肢操作が円滑に行われない，歩行中に踵接地がなく足底の全面接地となる，スキップができない．

ⅲ）前庭感覚
- 異常な反応として，転びやすい，その場で回り続ける遊びを好む，揺れを極端に怖がるなどがある．
- 行動観察：閉眼立位保持のふらつきが大きい，側方動揺が大きい，ジャンプで容易にバランスを崩す．

ⅳ）味覚・嗅覚
- 味覚・嗅覚に関する特異性は，あまり目立たず，気づかれないことがある．
- 問診・観察：強い偏食がある，特定のにおいにこだわりがある，においが引き金でパニックに陥ることがある，極端に強い味付けに対して無反応，味覚・嗅覚へのこだわりがある．

ⅴ）聴覚・視覚

- 問診・観察：特定の音に対してパニックになることがある（サイレンなど），特定の音にこだわりがあり，聞き続けることがある，光など特定の刺激でパニックになることがある，屋外で目に入ったものに反応し突然駆け出していくことがある．

②**入力調整**
- 介入に先立ち，対象児にとって受け入れやすい環境設定を行う．
- 対象児は，大人が見落とすような小さな刺激に対して敏感に反応していることがあるので，対象児が何に反応するか注意深く観察することが重要である．
- 短時間しか集中できない場合は，短時間の介入から開始し，時間をかけて介入時間を延長する．

③**支援・運動療法**

ⅰ）**圧迫・マッサージ**
- 足底は立位バランスと深く関連するため，弱い刺激から開始する．発達障害では触覚過敏が観察されることが多い．

ⅱ）**自己の四肢での刺激**
- 対象児が触覚刺激に対して拒否的であり，セラピストが触れることを強く拒む場合，対象児自身の四肢で，対象児の皮膚に触れる方法を用いる．

ⅲ）**触覚遊び**
- 粘土遊びや泥遊び，ボールプールなどを通して，日常的に経験することの多い触覚刺激から少しずつ受け入れを行う．

ⅳ）**屋外遊び**
- 遊びのなかで，手のひら，足底などが，泥，砂などで汚れることに少しずつ慣れさせる．刺激が強すぎて対象児が動けなくなる，拒否的になる，パニックになるなどが観察される場合は，いったん中止し，前述のマッサージレベルの介入に戻る．

④**注意点**
- 過敏と鈍麻の症状が混在する．反応が過敏でない場合も，対象児の反応を注意深く観察する．

b. **ボディイメージ・運動イメージ**

　ボディイメージは，自身が自身の姿勢と四肢の状態を認識することである．ボディイメージの正確さは，運動の正確さに直接関連している．運動イメージは日常生活で蓄積されたボディイメージによる記憶を手がかりとして，視覚イメージ上での運動のシュミレーションを行うことといえる．

①**評　価**
- 口頭で姿勢を指示し，該当する絵カードを選択させる（N式幼児運動イメージテスト等）．
- 口頭で姿勢を指示し，姿勢を変換させる．

②**支援・運動療法**

ⅰ）**模　倣**
　発達障害児では，能動的に運動することは可能であるが，自己の姿勢・運動

を客観的に認識しておらず，こうしたケースでは運動イメージを扱うことが困難である．模倣を行うことで，自己の身体運動を認識させ，自己運動認識への導入となる．
- 自己運動の認識のため，対象児が出題し上肢運動または全身運動を模倣する．
- セラピストが出題した姿勢・動作を模倣させる．また，鏡を用いて出題し，姿勢・動作を模倣させる．
- 模倣についてやり取りを行う．

ⅱ）**一人称的イメージ**
- 視覚情報をもとに動作を再現させる．
- 鏡を用いて動作を再現させる．
- 視覚情報を用いずに動作を再現させる．
- 指示動作のやりとり

ⅲ）**三人称的イメージ**
- 運動イメージを育むため，ロボットを作成する．

ⅳ）**姿勢カード遊び**

c．**姿勢制御**

姿勢制御とは，粗大運動を行うにあたり随意的な四肢の運動に，姿勢が適切に対応することが求められ，安定した姿勢を保持する状態を意識せずに制御することである．発達障害児では，粗大運動の拙劣さが指摘される．

①**評　価**
　ⅰ）静的バランス（立位バランス・片足立ち）を行えるか観察する
　ⅱ）動的バランス（片足跳び，直線歩行）を行えるか観察する
　ⅲ）予備評価（スクワット，座位側方傾斜，バード・ドッグ）を行う（図18-2）
　ⅳ）体幹筋の評価（体幹屈曲，体幹伸展，サイドブリッジ）を行う

②**支援・運動療法**
　ⅰ）**静的姿勢制御**
- サイドブリッジ：体幹の安定性向上を目的とする．
- 座位側方傾斜：立ち直り反応で，頭部を安定させることを第1の目的とする．
- バード・ドッグ（図18-2）：動的な姿勢保持を保てるようになる．
- シッティング・ジムボール：基本的な体幹筋トレーニングの1つ．
- ライイング・トランク・カール（図18-3）：主に体幹屈筋群の刺激．

　ⅱ）**動的姿勢制御**
- ブロック歩行（直線・直角）：通常歩行に対して不安定要素を高めるために，ブロック上という条件を付加する．
- ブロック越え・渡り：身体重心を上下させる筋力と新たな支持基底面で素早く安定姿勢をとることが必要である．
- ブロック上でのボール渡し（前方・側方渡し）：動作遂行のために，どのような姿勢変化戦略（足部の動きを制限した状態で，バランスを保つ）が必要か体験させる．

図 18-2　バード・ドッグ
①四つ這い位をとる（a）．
②一側上肢を挙上し，床と平行に真っ直ぐに前方へ伸ばす（b）．
③上肢を戻し，逆側下肢を真っ直ぐに後方へ伸ばす．
④一側上肢と逆側下肢を同時に床と平行に挙上する（c）．

- ラダー・トレーニング①（ラダー歩行）（図 18-4）：さまざまなバリエーションのトレーニングと複雑な動作パターンを組み上げることも可能である．
- ラダー・トレーニング②（ラダー・ジャンプ）：さまざまなパターンで跳躍運動を行い，素早く，複雑なパターンを課題とすることが多い．

d. 協調運動

発達障害児において，運動のぎこちなさや不器用さが指摘されている．こうした個人差のレベルを超え，学習や日常生活に支障を及ぼすレベルで，運動に問題を示すことがあり，このような症状を示す概念として，LD に合併しやすい発達性協調運動障害がある．要素には，運動を発現する力，運動を維持する力，運動を調整する力の 3 つが含まれる．

①評　価
- 基本的協調運動を行わせる（開口手伸展現象，前腕回内・回外運動，指鼻試験，指指試験，指対立試験）．
- 幼児協調性の評価として N 式幼児協調性評価尺度（投球・捕球動作，キック動作）を用いる．

②支援・運動療法
- バレーボールやテニスボールを用いたボール遊びやキャッチボールといった遊びから，転がす，投げるといった手足の協調性を学ぶ．

C 発達障害の支援―運動療法を中心に　291

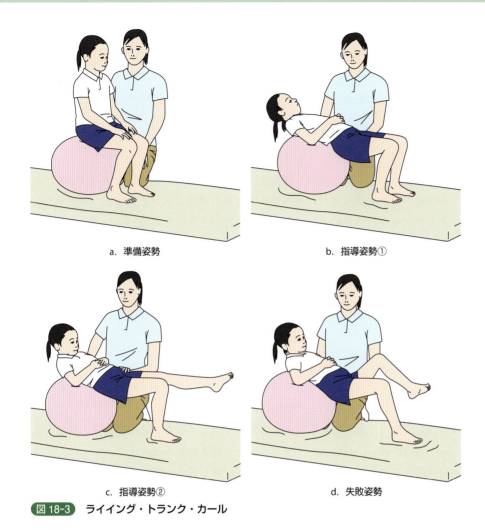

a. 準備姿勢　　　　　　　　　　b. 指導姿勢①

c. 指導姿勢②　　　　　　　　　d. 失敗姿勢

図 18-3　ライイング・トランク・カール

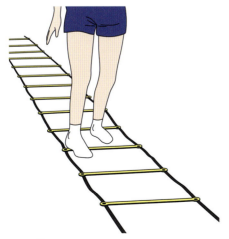

図 18-4　ラダートレーニング

D 児童発達支援・放課後等デイサービスにおける理学療法士の実際

1 児童発達支援・放課後等デイサービスとは

- 児童福祉法に基づいた障害児通所支援の1つである.
- 基本方針として,児童発達支援・放課後等デイサービスともに「当該障害児の身体及び精神の状況並びにその置かれている環境に応じて適切かつ効果的な指導及び訓練を行うもの」でなければならないとされている.
- 人員基準に,専門職として理学療法士等の配置が可能である(条件あり).
- 事業所によってさまざまな特色があり,主なサービス内容として個別療育,集団療育,関係機関との連携,健康状態の確認,相談・助言に関することがある.
- 対象児は市町村からの通所受給者証の交付を受けた児童のなかで,療育が必要な児童である.

2 個別支援の強み

- 対象児へ,主に個別での支援や活動を行うことで,対象児への適切かつ効果的な指導および活動が行いやすくなる.
- 発達障害児は,前述した特性や障害から集団生活になじめず,周囲と比較し発達・運動が遅れ,負のスパイラルへ陥る可能性があると考える.
- 発達障害児でなく集団生活が苦手な児童に対しても,個別での支援を行い,「できること」を増やすことで自己肯定感を高めることができ,集団生活に入りやすくなる可能性がある.

3 理学療法士のかかわり方

理学療法士は発達障害児の特性・身体的特徴をとらえたなかで,問題点となる要素を活動の一部へ取り入れた活動を行っていく.

a. 活動内容を決めるにあたり取り組むこと

ⅰ)活動内容を可視化する(図 18-5)
- 可視化することで活動内容が整理でき,次の活動へ向けた見通しをもてることから,パニックになることが少ない.
- 視覚的に情報の共有ができるため,コミュニケーションがスムーズに行える.

ⅱ)対象児と一緒に活動内容を決める
- 対象児の自主性を促すと,意欲的に活動を行うことが多くなる.
- 自信,自己肯定感を伸ばすために,対象児が「できる」ように環境設定をする.1つひとつの活動を整理し工夫する必要がある.
- 活動内容には対象児の問題点にかかわる要素を入れることが必要である.

ⅲ)活動内容に遊びの要素を入れる
- 対象者は未就学児・就学児が対象である.関節可動域運動,筋力増強運動等

図 18-5 ホワイトボードでの絵カードの使用

ホワイトボードを使用し，対象児と一緒に活動内容を決めることで，自主性の促し，意欲的に活動を行うことを促す．また，活動内容を可視化することで，活動の整理や見通しをもって活動を行ってもらう．注意点として，活動を行う際，対象児の問題点にかかわる要素を入れた活動にすること，レベルを調整し 1 つ上のレベルで「できる」ように環境設定を行うことが大切である．ときに，支援者の選択した活動を対象児へ提案することも必要である．問題点に取り組めるよう息抜きの活動を入れることも大切である．

の訓練要素ではなく，「楽しい」と感じられる動作を交えた活動のなかで，機能を向上していく．また，発達段階が成長していくにつれて，遊びの幅が広がっていくことが多いため，「遊び」の要素が低いレベルにならないようにする．

4 保育所等訪問支援事業

- 保育所等訪問支援は，2012（平成 24）年改正の児童福祉法により創設された支援である．
- 保育所等訪問支援とは療育・発達支援機関の職員が，保護者からの要請でその子どもが通っている園や学校等を定期的に訪問し，日常生活のなかで子どもに対して個別の支援をしたり，保育者や教師に対してアドバイスをしたりすることである．
- 保育所等訪問支援を行うことで個別支援が集団生活のなかで活かされているのか，また行動観察を行うことで個別支援に必要なことを確認できる．保育所等と連携し情報を共有することで，円滑に支援を進めていける．例として，対象児の授業中の座位姿勢をみて授業へ参加できているかを確認し，対象児が「できる」環境設定の提案を行う，といったことがあげられる．

学習到達度自己評価問題
1. 狭義の発達障害の分類・特性を説明しなさい．
2. 発達障害に伴う身体機能障害を4つあげ，必要な評価・主な支援をあげなさい．
3. その評価から必要となる支援をあげなさい．
4. 発達障害の特性から，支援を行う上で身体機能障害以外に工夫が必要なことを述べなさい．

生活場面での疾患・状態像の理解

19 慢性呼吸不全

一般目標
1. 慢性呼吸不全の概要を理解する.
2. 呼吸リハビリテーションの主な対象疾患と内容を理解する.
3. 在宅酸素療法と在宅人工呼吸療法の概要を理解する.

行動目標
1. 慢性呼吸不全の概要を説明できる.
2. 呼吸リハビリテーションの主な対象疾患と内容を説明できる.
3. 在宅酸素療法（HOT）と在宅人工呼吸療法（HMV）の概要を説明できる.

調べておこう
1. 動脈血液ガスの正常値を確認しよう.
2. 酸素化障害と換気障害について調べよう.
3. 慢性呼吸不全に対する一般的な治療について調べよう.

HOT：home oxygen therapy
HMV：home mechanical ventilation

A 慢性呼吸不全とは

- 呼吸不全とは，呼吸機能の低下により動脈血ガスが異常な値を示し，そのために正常な機能を営み得なくなった状態と定義され，酸素化不全と換気不全に大別される.
- 酸素化不全は，室内呼吸時の動脈血酸素分圧（PaO_2）が 60 mmHg 以下となる呼吸障害，もしくはそれに相当する異常状態を基準とする.
- 換気不全は動脈血二酸化炭素分圧（$PaCO_2$）が 45 mmHg 以上を基準とし，$PaCO_2$ が 45 mmHg 未満を Ⅰ 型呼吸不全，45 mmHg 以上を Ⅱ 型呼吸不全に分類する.
- 慢性呼吸不全とは，呼吸不全の状態が少なくとも 1 ヵ月以上続くものとされている.
- 呼吸不全において，酸素化不全の原因には，㋐肺胞低換気，㋑換気血流比の不均等，㋒シャントの増大，㋓拡散障害がある.
- 酸素化不全が主となる疾患では，慢性閉塞性肺疾患（COPD），間質性肺炎や肺結核後遺症が代表的であり，酸素化不全に加え肺胞低換気による換気不全も合併していることもある.

COPD：chronic obstructive pulmonary disease

FEV：forced expiratory volume
FVC：forced vital capacity

表19-1 COPDの病期分類

病期		定義
I期	軽度の気流閉塞	%FEV₁≧80%
II期	中等度の気流閉塞	50%≦%FEV₁＜80%
III期	高度の気流閉塞	30%≦%FEV₁＜50%
IV期	きわめて高度の気流閉塞	%FEV₁＜30%

気管支拡張薬投与後のFEV₁/FVC 70%未満が必須条件.
[日本呼吸器学会：COPD（慢性閉塞性肺疾患）診断と治療のためのガイドライン，第6版，p.53，メディカルレビュー，2022より許諾を得て転載]

ALS：amyotrophic lateral sclerosis

- 換気不全が主となるものでは，筋萎縮性側索硬化症（ALS）などの神経筋疾患が代表的である．
- 換気障害はその原因から，拘束性と閉塞性に分類される．
- 拘束性換気障害で間質性肺炎や神経難病，閉塞性換気障害でCOPDや気管支喘息などが代表的な疾患である．
- 厚生労働省による指定難病のうち，慢性呼吸不全の代表的疾患は特発性間質性肺炎である．

B 疾患の概説

- 在宅酸素療法（HOT）と在宅人工呼吸療法（HMV）の主な対象疾患について説明する．

1 慢性閉塞性肺疾患（COPD）

- COPDは「タバコ煙を主とする有害物質を長期に吸入曝露することなどにより生ずる肺疾患であり，呼吸機能検査で気流閉塞を示す．気流閉塞は末梢気道病変と気腫性病変がさまざまな割合で複合的に関与し起こる．臨床的には徐々に生じる労作時の呼吸困難や慢性の咳・痰を示すが，これらの症状に乏しいこともある．」と定義されている．

ADL：activities of daily living

- タバコによる生活習慣病であり，体動時の呼吸困難，息切れによってADLに制限が生じ，活動量の低下，食欲不振，一層の呼吸困難の増強という悪循環に陥りやすい．
- 診断基準は，呼吸機能検査で1秒率（$FEV_{1\%}$）＝1秒量（FEV_1）/努力性肺活量（FVC）×100が70%未満である．
- COPDは進行してくると努力性肺活量（FVC）自体が低下してくるため，病期分類は1秒率を用いるのではなく，1秒量の予測値に対する比率に基づく（表19-1）．
- 治療は，禁煙に加え薬物療法が中心となり，非薬物療法として呼吸リハビリテーションが推奨されている．

2 間質性肺炎

- 間質性肺炎とは，何らかの原因により肺胞間質に炎症が生じた疾患の総称である．
- 原因不明の場合が多く，それを特発性間質性肺炎と呼ぶ．
- 主な症状は，体動時の低酸素血症，呼吸困難と乾性咳嗽であり，治療は薬物療法が主で，加えて呼吸理学療法や酸素療法が実施される．

3 肺結核後遺症

- 抗結核薬がなかった1940～1950年代に結核に罹患し，広範な肺病変や胸膜炎が生じ，胸郭成形や肺切除などの肺手術，繰り返しの気道感染の後，加齢による気道や肺，呼吸機能低下によって生じた慢性呼吸不全の総称である．総患者数は減少傾向にある．
- 拘束性と閉塞性換気障害を合併した混合性換気障害や，低酸素血症と高二酸化炭素血症のⅡ型呼吸不全を呈する場合が多い．
- 安定期の治療は，禁煙，薬物療法，栄養療法，酸素療法，非侵襲的陽圧換気療法（NPPV）などであり，加えて呼吸理学療法が実施される．

NPPV：noninvasive positive pressure ventilation

4 神経筋疾患

a. 筋萎縮性側索硬化症（ALS）

- ALSは，運動神経が選択的に障害される進行性の神経変性疾患であり，重篤な筋肉の萎縮と筋力低下をきたす．
- 多くの場合，進行は速く，半数ほどが発症後3～5年前後で呼吸筋麻痺が生じる．
- 呼吸筋麻痺よる換気不全に対し，人工呼吸療法が適応となる．
- 呼吸器合併症がない場合，肺実質に障害はないため，酸素療法は必要ない．

b. デュシェンヌ型筋ジストロフィー（DMD）

DMD：Duchenne muscular dystrophy

- DMDは，遺伝性進行性の筋力低下を示すミオパチーのうち最も代表的で，性染色体劣性遺伝病である．
- 根本的な治療法はないが，早期より人工呼吸療法を導入することにより生命予後が延長しつつある．
- 人工呼吸管理では，気管切開などによる侵襲的陽圧換気療法（TPPV）からマスクなどを用いるNPPVへ移行しつつあり，生命予後の改善に加えQOLの維持向上に有効である．

TPPV：tracheostomy positive pressure ventilation
QOL：quality of life

C 呼吸リハビリテーション

- 呼吸リハビリテーションとは，呼吸器に関連した病気をもつ患者が，可能な限り疾患の進行を予防あるいは健康状態を回復・維持するため，医療者と協働的なパートナーシップのもとに疾患を自身で管理して，自立できるよう生涯にわ

たり継続して支援していくための個別化された包括的介入と定義されている.
- チーム医療が原則であり，医師，歯科医師，看護師，理学療法士，作業療法士，言語聴覚士，歯科衛生士，薬剤師，管理栄養士，臨床検査技師，臨床工学技士，臨床心理士，ソーシャルワーカー，ケアマネジャーなどが関与する.

D　呼吸理学療法

1　定　義

- 呼吸理学療法とは呼吸障害に対する理学療法の呼称および略称さらには総称であり，呼吸障害の予防と治療のために適用される理学療法の手段と定義されている.
- 主な目的は，㋐気道内分泌物の除去，㋑換気と酸素化の改善，㋒気道閉塞の改善，㋓呼吸困難の軽減，㋔運動耐容能の改善などであり，結果として早期離床，ADL能力の改善，QOLの向上，さらに生命予後の改善などにつながる.

2　評　価

- 目的は，個々の症例の疾患の病態を理解し，重症度，全身状態，精神・心理状態さらに社会的背景を含めた全体像を把握すること，さらに理学療法を実施する上で適応や禁忌を確認することである.
- 呼吸理学療法において，医療面接，身体観察，運動負荷試験，ADL評価，臨床検査や画像所見などに基づいた，総合的な評価が重要である.
- 医療面接とは，現病歴，既往歴などの確認を行う病歴聴取と主訴や自覚症状を確認する問診とからなる.
- 身体観察はフィジカルアセスメントと呼ばれ，視診・触診・打診・聴診からなり，呼吸器疾患・障害の評価において最も重要である.
- 運動負荷試験では6分間歩行試験を用いることが多い.
- 呼吸器疾患におけるADL制限は，労作時呼吸困難により生じることが多く，問診と身体観察によって確認する.

3　基本手技

- コンディショニングとしてのリラクセーション，呼吸法/呼吸練習，胸郭可動域トレーニング，排痰法（気道クリアランス法），理学療法の根幹である運動療法とADLトレーニングに分類される.
- リラクセーションは，呼吸困難に伴う呼吸補助筋の過緊張に対し緊張を弛め，ゆったりとした呼吸を促すものであり，ストレッチやマッサージ，呼吸介助などがある.
- 呼吸法/呼吸練習は，横隔膜呼吸と口すぼめ呼吸の習得を目的とする.
- 胸郭可動域トレーニングは胸郭の柔軟性の改善を目的とし，シルベスター法，

- 肋間筋ストレッチ，胸骨の捻転などがある．
- 排痰法は，気道や肺胞内の分泌物を末梢から中枢部に移動させ，肺胞でのガス交換を改善させることであり，体位排痰法や徒手的介助法，さらに器具を用いた方法がある．
- 運動療法は，柔軟性トレーニング，全身持久力トレーニングと四肢体幹筋力トレーニングに大別され，頻度（Frequency；F），強度（Intensity；I），時間（Time；T），種類（Type；T）を，個々の患者の重症度やディコンディショニングに適応させ選択する．
- ADLトレーニングは，労作時の呼吸困難を軽減させることが目的であり，意識的に横隔膜呼吸を心がけること，息を吐きながら動作を行うことなどを指導する．

4 在宅でのポイント（身体活動・他）

- 呼吸理学療法を継続するため，意義と目的，方法，効果について十分に理解できるように，説明することが重要である．
- 毎日の運動実績（歩数，時間，距離など）を数値化し，変化を視覚化して認識すること，6分間歩行距離などで定期的に評価し，運動効果を客観的に示すことが有効である．
- "励まし" も有用で，家族の協力や患者を孤独にさせない工夫が必要であり，訪問看護や訪問リハビリテーションなどのサービスを利用し，自宅での運動を継続しやすい環境をつくることが重要である．
- COPDの予後予測因子に関し，身体活動量が最も影響が強い．
- 簡便な身体活動量の自己管理法は，歩数計の使用である．
- 歩数計を利用した運動処方のポイントは，㋐1週間の使用による1日の平均歩行量の推定，㋑1日の平均歩行量の10%増を2週間で処方，㋒夕方に歩数確認し，不足の場合は夕食前に運動の追加を指導することである．
- COPDでは，1日の歩行量が5,000歩以上でADLの維持，7,000歩以上でADLの自立とされている．

E 在宅酸素療法（HOT）

1 在宅酸素療法（HOT）とは

- わが国においては在宅酸素療法（HOT）と称されているが，欧米では長期酸素療法（LTOT）と呼ばれる．
- HOTは，何らかの理由で低酸素血症を呈する患者に対し，自宅に酸素供給機を設置し，必要時あるいは24時間酸素吸入をすることであり，現在17万人以上の対象者がいる．
- HOTの実施により，低酸素血症の改善，生命予後の改善，運動耐容能の改善，入院回数の軽減（急性増悪の減少），ADLの改善，QOLの向上などの効果がある．

LTOT：long term oxygen therapy

a．酸素濃縮器	b．携帯型酸素濃縮器	c．携帯用軽量酸素ボンベ

図 19-1 HOT で用いられる機器

NYHA：New York Heart Association

- 適応基準は，㋐高度慢性呼吸不全例のうち，HOT 導入時に PaO_2 55 mmHg 以下の者および PaO_2 60 mmHg 以下で睡眠時または運動負荷時に著しい低酸素血症をきたす者，㋑チアノーゼ型先天性心疾患，㋒肺高血圧症，㋓慢性心不全患者のうち，NYHA 分類Ⅲ度以上であると認められ，睡眠時のチェーンストークス呼吸がみられ，無呼吸低呼吸指数が 20 以上であることである．
- 対象疾患として最も多いのは COPD であり，次いで肺結核後遺症，肺がん，間質性肺炎・肺線維症などである．
- 診療報酬は，在宅療養指導管理料に在宅療養指導管理材料加算が加算され，他に携帯用酸素ボンベや呼吸同調式デマンドバルブの有無などによって算定が変更される．
- HOT の多くは，医療機関を経由して各メーカーより患者へレンタルされている．

② HOT で用いられる機器（図 19-1）

- HOT における酸素の供給源には，酸素濃縮器（図 19-1a，b），酸素（圧縮）ボンベ（図 19-1c），液化酸素装置がある．
- 酸素濃縮器の多くは吸着式であり，窒素を吸着するゼオライトに空気を通すことで，酸素濃度が約 97％程度まで濃縮する．
- 酸素濃縮器は特別な酸素供給を必要とせず，連続的に稼働することが可能であり，7 L/分流量の機器まで流通している．
- 簡便な機器であるが，バッテリー搭載型を除き停電により使用困難となり，酸素ボンベなどを備えておくことが必要となる．

- 酸素濃縮器の多くは設置型であるが（図19-1a），携帯型も普及し始めている（図19-1b）．携帯型は，肩にかけるかキャリーで転がすことが多い．
- 酸素（圧縮）ボンベは，酸素を高圧で圧縮してボンベに詰めたものであり，動力源が必要とせず，緊急バックアップ用や外出時の携帯用として用いられている（図19-1c）．
- 酸素（圧縮）ボンベは一定の容量しかないため，多くの場合呼吸同調式デマンドバルブの併用によって使用時間を延長させる．
- 液化酸素装置は，マイナス183℃で低温液化した酸素を気化させて供給する機器で，装置設置型と携帯型の2種類がある．
- 多くの機器は，携帯型へ設置型の容器から補充することが可能である．
- 携帯型容器への充填は，高齢者に困難なこともあり，導入には十分な検討が必要である．

3 理学療法介入のポイント

- HOTの導入により活動範囲が狭小化しては本来の目的に反するため，できる限り身体活動量を維持・改善させる．
- 酸素流量は，原則安静時動脈血液ガスを基準としているため，ADLにおける低酸素血症の評価を必ず行う．
- 対象者にパルスオキシメータを購入してもらい，自己管理を指導する場合もある．
- 入浴中は鼻カニューレが邪魔になり，酸素なしで入浴する患者が多い．しかし，入浴中ほど低酸素血症になっている場合が多く，入浴中の酸素投与は不可欠である．
- 酸素濃縮器の設置場所は，寝室であることが多いが，1日の生活パターンをよく評価し，設置場所を検討することが重要である．
- HOTの対象者は高齢者が多い．手すりの設置，ベッドやシャワーチェアの導入など，環境整備も検討する．

F 在宅人工呼吸療法（HMV）

1 在宅人工呼吸療法（HMV）とは

- HMVは，何らかの理由により自発呼吸が不十分で換気不全が生じている患者に対し，自宅に人工呼吸器を設置し，呼吸補助を行うことであり，現在2万人以上の対象者がいる．
- HMVの方法として，TPPVとマスクなどによるNPPVがある（図19-2）．
- 近年は，在宅用人工呼吸器やマスクなどの進歩により，NPPVが急増している．
- HMVにおけるNPPVの治療効果として，動脈血液ガス改善の持続，自覚症状改善，急性増悪の回避（入院回数の減少），生存率向上，QOL向上などがある．

図 19-2　HMV におけるマスク装着例

a. 在宅人工呼吸器

b. HMV

図 19-3　HMV で用いられる機器

- HMV における NPPV の利点として，装着や離脱が容易，食事や会話が可能，感染の軽減などがあり，結果的に ADL と OQL の維持・改善につながる．
- HMV における NPPV の問題点として，患者の協力が必要であり，意思疎通が不十分な場合は使用困難，原則自発呼吸がある患者に使用，マスクの圧迫による皮膚障害の形成などがある．
- COPD（慢性期）の NPPV の導入基準は，呼吸困難感，起床時の頭痛・頭重感，過度の眠気などの自覚症状，あるいは体重増加・頸静脈の怒張・下肢の浮腫などの肺性心の徴候があり，㋐ $PaCO_2 \geq 55$ mmHg，㋑ $PaCO_2 < 55$ mmHg であるが，夜間の低換気による低酸素血症を認める症例，㋒安定期の $PaCO_2 < 55$ mmHg であるが，高二酸化炭素血症を伴う増悪入院を繰り返す症例である．
- 対象疾患として最も多いのは COPD であり，他に肺結核後遺症，神経筋疾患などである．
- 睡眠時無呼吸症候群に対する，経鼻的持続陽圧呼吸（CPAP）療法も，広義では HMV に含まれる．
- 診療報酬は，在宅人工呼吸指導管理料に陽圧式人工呼吸器または人工呼吸器の人工呼吸器加算が加算される．
- HMV の多くは，医療機関を経由して各メーカーより患者へレンタルされている．

CPAP：continuous positive airway pressure

② HMV で用いられる機器（図 19-3）

- HMV で用いられる機器の換気様式は，従量式 volume，従圧式 pressure に大別される．
- 従量式では，設定した分時呼吸数と 1 回換気量に従って調節換気を行う control モードと，自発呼吸に応じて吸気を開始し（吸気時間と換気量は呼吸器の設定に従う），一定時間内に自発呼吸が検出されないときに設定した一定の時間間隔で調節換気を行う assist/control モードがある．
- 従圧式では，吸気時に吸気圧（IPAP），呼気時に呼気圧（EPAP）をかける二相式気道陽圧（bilevel PAP）が用いられている．
- COPD などの呼吸器疾患では，NPPV による bilevel PAP が多数を占める．

IPAP：inspiratory positive airway pressure
EPAP：expiratory positive airway pressure

- ALSでは，TPPVとNPPVが混在している．
- DMDでは，早期よりNPPVによる人工呼吸が導入されるようになり，生命予後が改善している．

3 理学療法介入のポイント

- HMVが導入されている患者は，多くの場合人工呼吸器より離脱することは困難である．
- 呼吸理学療法の介入では，HMVが継続できるために必要な手技を選択する．
- COPDなどの場合，ADL能力を維持するため，運動療法が重要である．
- ADLほぼ全介助の神経筋疾患などの場合，QOLの維持・向上が目的となる．
- 調節呼吸の場合は，設定の1回換気量に対応した胸郭の可動域となる．この場合は，早期より胸郭柔軟性の維持を心がける．
- 神経筋疾患においては，咳嗽力の低下で排痰困難となりやすく，咳嗽力の評価が重要である．
- 咳嗽力の評価は，ピークフローメーターで流速を測定するCPFを用い，CPF＜270 L/分で気道分泌物の喀出が困難になる．
- 咳嗽力の低下に対し，胸郭や腹部を咳のタイミングで押す咳介助や，排痰補助装置（MI-E）の導入を検討する．
- 神経筋疾患患者の主介護者は，ALSでは配偶者，子ども，嫁など種々であり，DMDでは母親で，育児の延長で介護を行っていることが多い．
- 神経筋疾患でHMVが導入されている場合，住宅改修などの環境整備において，医療機器を置くためのスペースの確保，またADLの低下に対応できることが重要である．
- HMVにおいては，災害時の対応など，基幹病院，地域の診療所，訪問看護，消防，行政などとの連携を深め，日ごろよりネットワークを構築することが必要である．

CPF：cough peak flow

MI-E：mechanical insufflations-exsufflation

学習到達度自己評価問題

1. 慢性呼吸不全について説明しなさい．
2. 呼吸リハビリテーションの主な対象疾患とその内容について説明しなさい．
3. 呼吸理学療法について説明しなさい．
4. 在宅酸素療法（HOT）と在宅人工呼吸療法（HMV）の概要について説明しなさい．
5. 在宅酸素療法（HOT）と在宅人工呼吸療法（HMV）に対する理学療法介入のポイントを説明しなさい．

生活場面での疾患・状態像の理解

20 口腔・嚥下機能低下

一般目標
1. 口腔・嚥下機能低下を引き起こす原因と病態について理解する.
2. 口腔・嚥下機能低下に関して，理学療法士ができる検査と対策について理解する.
3. 口腔・嚥下機能低下に関して，他職種と連携して理学療法士ができる評価と対策について理解する.

行動目標
1. 正常な摂食嚥下と異常な嚥下について説明できる.
2. オーラルフレイルと理学療法の関連を説明できる.
3. 理学療法士が行える嚥下の評価項目を列挙できる.
4. 口腔・嚥下機能低下を予防・改善するために他職種と連携して実施すべきことを説明できる.

調べておこう
1. 口腔・嚥下機能の問題にはどのような専門職種がかかわっているか調べよう.
2. フレイルとはどのような概念か調べよう.

　加齢や疾患による口腔・嚥下機能の低下と全身機能の低下は密接に結びついている．口腔・嚥下機能低下は**誤嚥性肺炎**を引き起こし生命予後にも直結するが，そこまでにいたらなくても噛みにくさ，飲み込みづらさからQOLの低下，低栄養状態にもつながり全身機能の低下，活動・参加の制限にもつながる．

QOL：quality of life

　口腔・嚥下機能に対しての評価，治療，リハビリテーションは歯科医師，歯科衛生士，言語聴覚士などが主体的にかかわることが多いが，全身機能や活動・参加との相互関係から理学療法士がかかわっていくことも必要不可欠となる．

A　嚥下の仕組み

　摂食嚥下リハビリテーションでは，狭義の嚥下（飲み込み）の問題にとどまらず，広く食物を口まで運び，口に取り入れ，咀嚼し，飲み込むという食事行動の問題として扱っている．

先行期	食物を認知し，口腔内に入れる量や食べ方を決定する．手や食事道具の使用によって，食物を口まで運ぶ動作も含まれる．	
準備期	口腔内での咀嚼が行われ，食物を飲み込める状態の食塊にする．舌や口輪筋の協調的な運動によって食物を口腔内にとどめ，咀嚼しやすくしている．	
口腔期	舌の運動によって口腔から咽頭に食塊を送り込む．	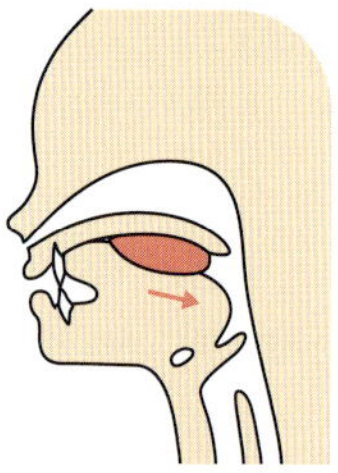
咽頭期	口腔，咽頭，喉頭からの感覚入力が延髄の嚥下中枢に伝達され，嚥下反射が惹起されることによって，食塊を咽頭から食道に移送する．鼻咽腔の閉鎖，舌骨の挙上，喉頭蓋閉鎖による気道の喉頭口の閉鎖が生じ，気道への食塊の侵入を防いでいる．	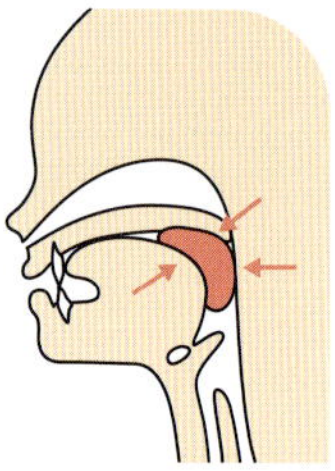
食道期	食道から胃への蠕動運動による食塊の移送が行われる．食道括約部の収縮による逆流防止も行っている．	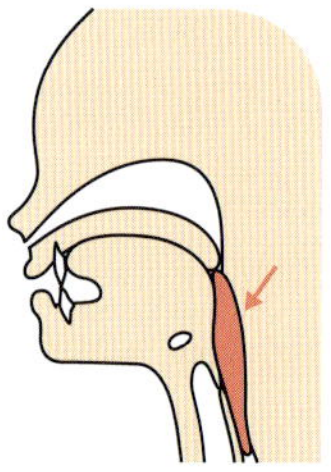

図 20-1 摂食嚥下の 5 期モデル

1 正常な摂食嚥下

- 摂食嚥下を食事行動としてとらえると，先行期，準備期，口腔期，咽頭期，食道期の 5 期モデルに区分することができる（**図 20-1**）．
- 通常の食事の際には食物の咀嚼と嚥下を同時に繰り返しているために 5 期に完全に分けることは難しいので，咀嚼，移送，咽頭の食物集積が同時に行われるプロセスモデルでの説明も最近なされている．

表 20-1　嚥下にかかわる器官，機能の加齢変化

嚥下のフェーズ	器官，機能の変化
準備期，口腔期	歯の喪失 歯肉の退縮 唾液の減少 味覚閾値の上昇 咀嚼筋力の低下 舌の筋力，運動機能の低下
咽頭期	嚥下誘発潜時の延長 咽頭の感覚低下 咽頭圧の減少 咽頭残留の増加 舌骨の移動距離，移動時間の延長 咳嗽反射の閾値の上昇 嚥下性無呼吸時間の延長
食道期	食道蠕動の低下 食道入口部の開大範囲の低下

2　異常な嚥下

- **咽頭残留**とは，嚥下後に咽頭に食塊や液体が残留していることである．嚥下圧の低下，喉頭蓋の運動不全で起こりやすく，喉頭蓋谷，梨状窩に残留しやすい．
- **喉頭侵入**とは，食物が喉頭内まで侵入したが，声門下まで流入しないで，声帯上で止まった状態のことである．
- **誤嚥**とは，食物が声門を越え，気管まで侵入した状態である．そのなかで，咳反射が生じるものを**顕性誤嚥**，生じないものを**不顕性誤嚥**，食事以外で唾液を少量ずつ誤嚥しているものを**微量誤嚥**と呼ぶ．高齢者では夜間の**睡眠時微量誤嚥**が多く，誤嚥性肺炎の原因になりやすい．

B　加齢による口腔・嚥下機能の低下

加齢によって口腔・嚥下機能にはさまざまな変化が生じる（表 20-1）．

1　姿勢による影響

- 加齢に伴い，四肢・体幹の筋力は低下する．それに伴ってとくに座位で脊柱は円背姿勢の傾向が強くなり，頸部の代償的な伸展がみられることがある．また，頸部の可動域の制限や座位バランス能力の低下も伴うことがある．
- 咀嚼筋は咀嚼だけではなく，頭部の安定化にも寄与している．そのため，準備期・口腔期においては，左右非対称な座位姿勢をとっていたり，頸部の筋緊張が亢進していると咀嚼効率が悪化する．
- 座位での円背姿勢によって頸部の代償的な伸展が存在すると，舌骨下筋群が伸張されて，舌骨の前上方移動を制限する．また，喉頭蓋の反転不全，食道入口部の開大不全，咽頭腔の狭小化，気管の拡大を引き起こして喉頭侵入，誤嚥を

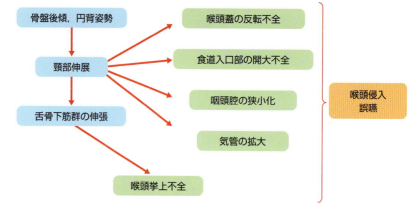

図 20-2 骨盤後傾，円背姿勢が嚥下に与える影響

生じやすくなる（図 20-2）．

2 フレイルとオーラルフレイル

a. フレイル

- 加齢によって生理的予備能が低下することでストレスに対する脆弱性が亢進する．**身体的フレイル**，**精神的フレイル**，**社会的フレイル**があり，相互に影響し合って負の連鎖が生じて悪循環となって要介護状態や死亡に結びつきやすい状態とされている．
- 体重減少，疲労感，身体活動量低下，歩行速度低下，筋力（握力）低下の5項目中3項目以上該当すれば**フレイル**，1～2項目が当てはまる場合は**プレフレイル**として定義されている．
- フレイルの状態にあると，活動量の低下，筋肉量の減少，他者との交流頻度の減少が加速し，口腔・咽頭の機能低下も生じてくる．また，低栄養状態からも口腔・咽頭機能の低下が生じ，口腔・咽頭機能の低下があると摂食・嚥下に問題が出てきて低栄養状態が悪化するという負の連鎖を生じることも少なくない．

b. オーラルフレイル

- 社会的フレイルなどがあって他者との交流機会が減ると，**自身の健康への関心（ヘルスリテラシー）**だけでなく，**口の健康への意識（口腔リテラシー）**も低下する．定期的な歯科受診をやめてしまったり，噛みにくい，歯が痛いなどのトラブルがあっても年のせいで仕方ないとあきらめるようになり，余計に齲歯（虫歯）や歯周病が悪化してしまう．そうすると余計に食べられる食物が限られてきて低栄養状態が進行する．
- 口腔リテラシー低下から口のささいなトラブルに発展してしまっている状態を**オーラルフレイル**と呼ぶ．これは滑舌の低下，わずかなむせ・食べこぼし，噛めない食物の増加がある状態である．
- オーラルフレイルからさらに口腔機能が低下し，咬合力低下，咀嚼機能低下などが現れてくると歯科の診断名としての**口腔機能低下症**となり，低栄養，**サルコペニア**が進行する．その状態からさらに進行すると**摂食嚥下障害**になる．口

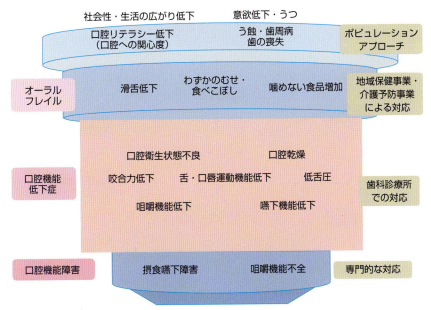

図 20-3 口腔機能低下症に関する基本的な考え方
[日本歯科医学会：口腔機能低下症に関する基本的な考え方（https://www.jads.jp/basic/pdf/document_02.pdf）（最終確認 2022 年 12 月 27 日）より引用]

腔機能低下症や摂食嚥下障害にいたると歯科診療所や医療機関での専門的な対応が必要になる（図 20-3）.
- オーラルフレイルや摂食嚥下障害があるとサルコペニアが悪化するという悪循環になり，口腔状態の悪化は動脈硬化疾患や糖尿病のリスク因子にもなる（図 20-4）.

3 口腔・嚥下機能低下と理学療法の関連

- 正常な嚥下のためには十分な舌圧が必要であるが，最大舌圧はサルコペニアや栄養状態に関連している．
- 他者との交流や社会活動などの参加の頻度が減少すると舌圧や咀嚼機能にも影響を及ぼす．反対に口腔機能が低下し，口臭や咀嚼機能低下などの問題があると他者との交流や外食などを控えるようになる．このように口腔機能と参加は密接に結びついている．
- 生活の広がり（活動範囲）の狭小化から活動量低下，意欲低下，口腔リテラシー低下，歯の喪失につながるモデルが示されており，それを契機に口腔機能低下が進行していく（図 20-5）.
- 理学療法士は身体機能，活動，参加を考えていかなければならないが，栄養状態，サルコペニア，社会活動，参加と口腔機能は深く結びついており，対象者の生活を考える上では他職種と連携して口腔機能にも目を向けることが欠かせない．

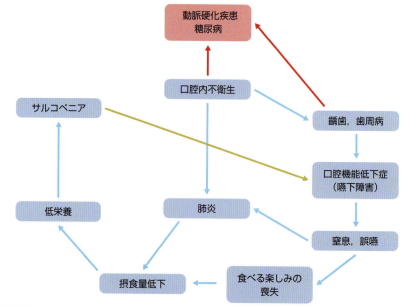

図 20-4 口腔状態の悪化からサルコペニアにいたる悪循環

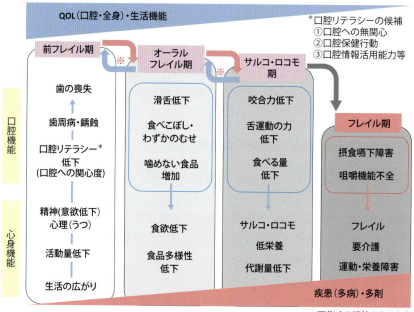

図 20-5 口腔機能低下と心身機能低下との関連およびその進行の概念図
［厚生労働省：平成26年度老人保健増進等事業「食（栄養）および口腔機能に着目した加齢症候群の概念の確立と介護予防（虚弱化予防）から要介護状態に至る口腔ケアの包括的対策の構築および検証を目的とした調査研究」事業実施報告書（https://www.mhlw.go.jp/file/06-Seisakujouhou-12300000-Roukenkyoku/0000140394.pdf）（最終確認2022年8月25日）より引用］

C 口腔・嚥下機能の評価

　専門的な口腔内の状況や嚥下動態の評価に関しては，医師，歯科医師，歯科衛生士でないと行えないものも多い．専門職から情報を得ることはとても重要であるが，理学療法士が口腔・嚥下機能の低下を発見し，専門職へとつなげていくこともまた不可欠である．

1 基礎的情報の把握

- 原疾患と既往歴を参考にする．中枢神経疾患や神経・筋疾患に罹患していれば摂食嚥下障害をきたしている場合がある．
- 内科的疾患においても，入院などを契機に絶食が続いた場合や経管栄養を長期間行った場合には，廃用性の摂食嚥下障害をきたしていることがある．
- 誤嚥性肺炎の既往がある対象者や発熱を繰り返すような場合には，潜在的に嚥下機能低下をきたしている場合が多いのでとくに注意する．
- 歯科診療所の通院状況，治療内容を聴取し，残歯数，義歯の使用時間，衛生状態を把握しておく．

2 自覚的・他覚的症状の把握

a. 咳嗽（むせ）

- 食物を飲み込んだときに**喉頭侵入**，**誤嚥**をきたした場合には生理的な反応として咳を生じる．しかし，高齢者では疾患がなくても咳反射の閾値が上昇していることがある．
- **誤嚥しても咳反射が生じない場合や咳が非常に遅れる場合は不顕性誤嚥**をきたしている．
- 食事中だけでなく，食後の咳や睡眠時の咳は咽頭残留した食塊や唾液を**微量誤嚥**している可能性があるので，有無に関して聴取する．痰が多く出る場合にも**誤嚥**を疑う必要がある．

b. 湿性嗄声

- **湿性嗄声**（しっせい）とは声帯や喉頭に唾液や嚥下物が貯留することによって生じる声質の変化のことである．いわゆる湿ったガラガラ声のことであり，咳をすることによって改善，消失する．
- **咽頭残留**や**喉頭侵入**，**誤嚥**と関係が深い症状であり，むせの有無にかかわらず重要な所見となる．

c. 自覚的な嚥下困難感

- 自覚的な飲み込みにくさ，喉に残る感じ，硬いものの食べにくさの有無を聴取する．
- どのようなものが飲み込みにくいか，喉に残るのかを把握しておく必要がある．
- 義歯を使用している場合には自覚的な適合状態を聴取する．

3 身体所見

- 意識状態や高次脳機能など摂食嚥下機能に影響を与える因子を評価する．
- 十分に口腔ケアが実施されておらず，口腔内の衛生状態が悪い場合には，微量誤嚥によって**誤嚥性肺炎**を引き起こしやすい状態にある．口腔内の衛生状態や義歯の状態について観察をする．口臭は生理的なものと考えがちであるが，口臭が存在することは何らかの口のトラブルを抱えていると判断すべきである．

4 理学療法評価

- 座位での頸部，肩甲帯の可動域，筋緊張，アライメントは嚥下運動に大きく影響を与える．骨盤，脊柱のアライメント，体幹筋力も含めて姿勢を全体的に評価する．
- 栄養状態として上腕周径，体重の推移，**サルコペニア**の評価として握力を測定する．
- 活動，参加の評価として社会活動状況，外出頻度，他者との交流頻度を評価する．その際に身体機能によって活動，参加が制限されているのか，口腔機能低下によって制限されているのかを考える．
- 口腔衛生の評価とともに日常生活での口腔ケアの方法を評価する．とくに口腔ケアの頻度，時間，歯ブラシの使い方，うがいの方法に着目し，作業療法士とも連携していく．認知機能が低いと口腔リテラシーや口腔ケアの能力が低下するので，認知機能の程度とともに評価することが必要である．
- 口腔機能の簡便なスクリーニングとして，うがい時のむせ，口唇からの水の漏出の有無，自発的な頬の膨らましが可能か，早口言葉がいえるかなどの評価がある．

D 口腔・嚥下機能低下に対する理学療法

厚生労働省によると「リハビリテーション，栄養，口腔の取り組みは一体となって運用されることで，より効果的な自立支援・重度化予防につながることが期待される．」といわれており，理学療法と口腔・嚥下機能もまた切り離すことはできない．

評価によって口腔機能低下や摂食嚥下障害の可能性を発見した場合には，速やかに病院や歯科診療所受診を勧めることが望ましい．その際に，病院や歯科診療所だけに任せるということではなく，身体機能，活動，参加へのアプローチによって口腔・嚥下機能の改善に寄与できることを忘れてはならない．

1 姿勢に対するアプローチ

- まずは食事姿勢となる座位保持姿勢に対してアプローチする．
- 骨盤が後傾し，円背姿勢の増強，頸部の過伸展が生じないように姿勢を調整す

図 20-6 円背姿勢がある対象者へのポジショニング
上背部および腰部から骨盤にかけてクッションを入れていすの背もたれにもたれて，可能な限り頸部の伸展を少なくする．

る．座位で骨盤の前後傾運動を行って，脊柱の可動性と体幹筋の強化を行っていく．ベッドアップ座位で嚥下する際でも，膝関節を屈曲させて，骨盤の後傾が生じないようにする．
- すでに脊柱後彎がある対象者においては，いすの背もたれにもたれてもよいので，頸部の伸展が少なくなるようにクッションなどでポジショニングする（図20-6）．

2 頸部，体幹機能に対するアプローチ

- 円滑な嚥下運動のためには，頸部，肩甲帯，肩関節，胸郭の十分な可動性と筋力，正常な筋緊張が必要となる．可動域の保持，筋力強化，リラクセーションを実施していく．
- 頭頸部屈曲の筋力を強化することによって，舌骨上筋群の強化が行え，食道入口部の開大を改善させることができる．具体的には顎の下に抵抗をかけてうなずき運動を行ったり，**嚥下おでこ体操**といわれる座位で頭頸部屈曲に抵抗をかける方法を行う（図20-7）．

3 口腔に対するアプローチ

- 口唇の運動として，口角を広げる運動や突き出す運動（図20-8），頬を膨らましてから口をすぼめてゆっくり息を吐く運動などを行う．
- 早口言葉の練習は口唇や舌の巧緻性や呼気のトレーニングとして有効である．
- 専門的なアプローチは歯科衛生士や言語聴覚士によって行われるが，そのような専門職が介入していない場合は理学療法士が口腔に対してアプローチすることは重要である．

4 全身に対するアプローチ

- フレイルやサルコペニアの予防，改善のためには四肢，体幹の筋力増強運動を行うが，栄養状態には十分注意する．地域の現場においては血液検査データが

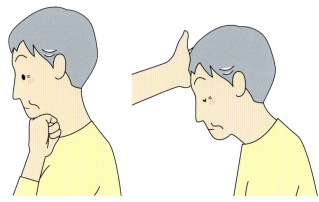

図 20-7　頭頸部屈曲の筋力強化の方法
顎の下にある握った手に押し付けるようにうなずき運動を行ったり，座位で頭頸部屈曲（うなずき運動）に抵抗をかける．

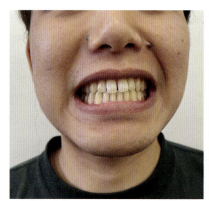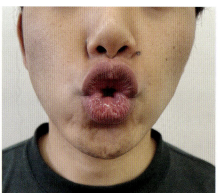

図 20-8　口唇の運動
「イー」と発音するように口角を横に広げたり，口唇を突き出す運動を行う．

> **memo**
> 口腔ケアや食事動作を考えると上肢操作の評価は欠かすことができない．歯磨きが十分行えていないために口腔機能が低下したり，誤嚥性肺炎にいたる対象者も多いので，作業療法士とも連携して姿勢保持と上肢操作をセットでアプローチしていくことが大事である．

ない場合が多いので，食事摂取量，体重の推移（1週間で2%以上減少していないか）に注意する．
■ 身体活動量の増加や社会参加を促すための環境の整備や社会資源の活用を行う．

学習到達度自己評価問題

1. 正常な摂食嚥下の5期モデルを列挙しなさい．
2. 口腔リテラシーがオーラルフレイルに与える影響に関して説明しなさい．
3. 円背姿勢が嚥下に及ぼす影響について説明しなさい．
4. 口腔・嚥下機能低下を予防するために社会参加を促す意義について説明しなさい．

生活場面での疾患・状態像の理解

21 ターミナルケア

一般目標
1. ターミナルケアについて理解する.
2. がんの疼痛について理解する.

行動目標
1. ターミナルケアについて説明できる.
2. がんの疼痛について説明できる.

調べておこう
- 医療用麻薬（オピオイド）について調べよう.

A ターミナルケアとは

- 日本老年医学会は，「立場表明」における終末期の定義として，「病状が不可逆的かつ進行性で，その時代に可能な限りの治療によっても病状の好転や進行の阻止が期待できなくなり，近い将来の死が不可避となった状態」としている．ターミナルケアとは，余命わずかになってしまった人へ延命治療を行わず，痛みや不快な症状など苦痛の緩和，心のケアを中心に行い，人間らしい尊厳のある生を全うするのを援助することである．

B 日本人の死因と亡くなる過程

- 日本人の死因は，がん，心疾患，肺炎，脳血管障害，老衰が上位を占める．人が亡くなるまでの過程は死因別に，①がん疾患モデル，②心疾患・肺炎モデル，③脳血管障害・老衰モデルとすることができる（図21-1）．
- がん疾患モデルは，亡くなる直前まで身体機能が保たれていることが多い．身体機能が高くても，痛みをはじめ全身倦怠感や吐き気など多くの苦痛を経験するため，ターミナルケアにおいては苦痛への対応が重要である．
- 心疾患・肺炎モデルは発症後に増悪と寛解を繰り返しながら心肺機能が低下していく．理学療法場面では動けても，易疲労性が問題になりやすい．日常生活における安楽な動き方や姿勢，呼吸法の指導が大切である．

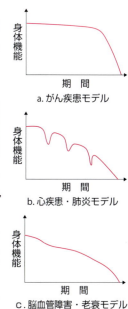

図21-1 疾患予後予測モデル

JCOG：Japan Clinical Oncology Group

表21-1　ECOGのPSの日本語版（JCOG）

Score	定義
0	全く問題なく活動できる． 発病前と同じ日常生活が制限なく行える．
1	肉体的に激しい活動は制限されるが，歩行可能で，軽作業や座っての作業は行うことができる． 例：軽い家事，事務作業．
2	歩行可能で自分の身の回りのことはすべて可能だが作業はできない． 日中の50％以上はベッド外で過ごす．
3	限られた自分の身の回りのことしかできない．日中の50％以上をベッドか椅子で過ごす．
4	全く動けない． 自分の身の回りのことは全くできない． 完全にベッドか椅子で過ごす．

- 脳血管障害・老衰モデルは加齢とともに身体機能が緩やかに低下していく．筋力低下や麻痺による関節の拘縮や変形を予防し，起居移動動作が維持できるようにかかわる必要がある．今後，増加していく認知症も，パターンとしては脳血管障害・老衰モデルであるが，本人の意思を確認しながらかかわる努力が必要である．

ADL：activities of daily living

- どのモデルであっても，人は亡くなる前に身体機能が低下し，日常生活動作（ADL）が低下する．この時期に理学療法士が専門性を発揮するためには，今後起こりうる身体機能の状態を予測し，日常生活上のアドバイスを行い利用者・家族の不安を軽減し，QOLの向上をはかることが大切である．

QOL：quality of life

C　がん患者のターミナルケア

- がんは，痛みをはじめ，全身倦怠感，食欲不振，呼吸困難，便秘，不眠などさまざまな苦痛症状が出現する．とくに痛みは，QOLの低下を招く大きな要因となる．
- がん患者の機能障害を評価する尺度としては，米国東海岸がん臨床試験グループ（ECOG）のPSがある（表21-1）．

ECOG：Eastern Cooperative Oncology Group
PS：performance status score

- がんの場合，死亡直前まで身体機能が保たれている場合が多い．そのため，動けているという理由でリハビリテーションの処方がされないことがある．
- がん患者に理学療法士が介入していくためには，PSが1か2の身体機能が高い時期からかかわることが大切である．
- この時期は，痛みや全身倦怠感などの苦痛症状があり，機能の低下を引き起こす原因になる．
- 痛みに対するマネジメントを行い，苦痛症状を取り除くことが大切である．その上でリハビリテーションを行うことにより身体機能の低下を予防し，QOLの向上をはかることができる．

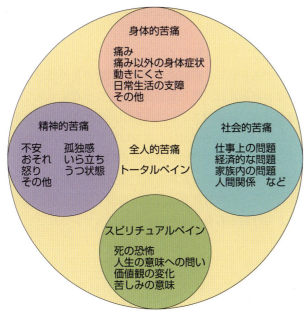

図 21-2 トータルペイン（全人的苦痛）

1 がんの疼痛

- がんの痛みは**トータルペイン（全人的苦痛）**といわれ，身体的な痛みだけでなく，精神的な痛み，社会的な痛み，スピリチュアルな痛みがある（図21-2）.
- **身体的な痛み**とは，痛み以外の全身倦怠感や食欲不振などの身体症状が含まれる．身体的な痛みが実際にあっても，うまく表現できなかったり，「大丈夫」と我慢している場合があるので，表情や動作の注意深い観察が大切である．
- 身体的な痛みの緩和は**医療用麻薬（オピオイド）**などによる薬物療法が重要になる．
- **精神的な痛み**とは，不安や孤独感，うつ状態や怒りが痛みを増強させる．精神的な苦痛のケアは，訴えを傾聴し，心に寄り添うことが大切である．
- **社会的な痛み**は，仕事や家庭，人間関係なども痛みの原因になる．
- **スピリチュアルな痛み**とは，一般的に霊的な苦痛といわれ，人生の意味への問いや死の恐怖などである．

> **memo**
> 医療用麻薬については，「死期が近いことを意味し，最後の手段である」「中毒や依存性があり，やめられなくなる」「何度も使うときかなくなってくる」「使うことにより，精神に異常をきたし廃人になる」「医療用麻薬は覚醒剤である」「使うことにより，寿命が縮む」など患者や家族に使用に対する誤解があり，導入がうまくいかない場合がある．

D 非がん患者のターミナルケア

- 非がん患者の場合，経過が長く，身体機能の低下が介護者の負担を増やす．
- 自宅で最期までの療養が困難になる理由としては，介護してくれる家族へ負担がかかる，症状が急変したときの対応に不安があるが上位を占めている．
- ADLとしては，易疲労性や麻痺により動くことが困難になり，介助量が増えていく．この時期は介護保険による通所系サービスや訪問系サービスを利用する

BMI：body mass index

- ことが増える．上手なサービスの利用が，最期まで自宅で過ごすためのポイントになる．
- 在宅で大変なことは，食事が難しくなったときである．食事場面では窒息や誤嚥などのリスクがある他に，病院や施設と違い食事量の把握が行いにくいことがある．低栄養の評価には，簡易栄養状態評価表が有用である．この評価表は，全身状態，運動能力，精神的ストレス，BMI，過去3ヵ月の体重減少などの質問から構成されている．在宅における食事は宅配弁当や市販の介護食を利用される人も増えている．動くためには栄養が必要であるが，食べられなくなる時期がくることを説明し，本人・家族の決定を支援するかかわりが大切である．
- 食べられなくなったときの対応としては，点滴で栄養を補給する，胃瘻をつくる，食べられるだけ口から食べて経過を自然にみていくなどの選択がある．

E　リスク管理

- リスクとは，一般的には，「ある行動に伴って（あるいは行動しないことによって），危険に遭う可能性や損をする可能性を意味する概念」と理解されている．ターミナル期においては，急変の可能性もあるが，過度の安静による廃用症候群のリスクも考えなければならない．
- 自分の身体が自分の思いどおりに動かないことは大きなストレスである．寝ているよりも座る，座れば立つ，立てば歩くことで満足感や希望を感じられることがある．たとえできなくても，やろうとしたことは本人・家族の心を動かすことができる．

F　在宅ターミナルケアを取り巻く現状と課題

- 日本財団の行った人生の最期の迎え方に関する全国調査によると，「死期が迫っているとわかったときに，人生の最期をどこで迎えたいですか．」という問いに，約60％の人が「自宅」を選択している．そして，絶対に避けたい場所は，「子の家」と「介護施設」と答えている．そして，「介護施設」は年齢が上がるほど避けたい割合が増える．
- 同じ調査で，人生の最期について「積極的な治療を受けて，1分1秒でも長く生きることを優先させたい」より，「無理に治療をせずに体を楽にさせることを優先させたい」に共感する人が約9割である．延命治療を優先するよりは，自宅で穏やかに過ごしたいと考える人が増えている．
- 医学の進歩により，平均寿命は延伸しているが，ターミナル期を迎えたときの延命治療をいつまで行うかが重要な問題になる．
- 延命治療をせず，自然な経過に合わせて最期を迎える，あるいは迎えさせるのが尊厳死という考え方である．尊厳死に似ているが，助かる見込みがない不治

かつ末期の状態であり，本人の自己決定がある場合に，自然な経過を待つのではなく，本人の希望に沿って苦痛の少ない方法で人為的に死を迎えさせるのは安楽死という考え方である．安楽死はわが国では法的に認められていない．

- わが国における，2010（平成22）年の死亡者数は約120万人であり，死亡場所は病院が78.0％，介護施設3.5％，自宅12.6％であった．2019（平成31/令和1）年の死亡者数は約138万人であり，年約2万人のペースで増加している．一方，死亡場所の割合は病院が71.0％と減少し，介護施設が8.6％と増え，自宅13.6％となっている．
- 病院で亡くなる割合が減っているのは，延命治療をせず尊厳死を希望される人が増えていることが考えられる．しかし，自宅ではなく介護施設が増えているのは，自宅においてターミナルケアを受ける体制が整っていないと考えられる．
- 今後は多くの人が希望される自宅で尊厳死を迎えられる在宅ターミナルケアの体制づくりが必要である．在宅ターミナルケアを支える職種として理学療法士が必要とされるように研鑽を重ねていく必要がある．

memo

アドバンス・ケア・プランニング（ACP）

人生の最期まで人としての尊厳を尊重した医療やケアが提供されるためには，自分が今後どこでどのような医療やケアを受けたいかを家族や医療従事者に知ってもらう必要がある．アドバンス・ケア・プランニングとは，本人が主体となり，家族や近しい人，医療やケアを提供するチームと繰り返し話し合いを行い，本人による意思決定を支援するプロセスのことである．

ACP：advance care planning

人生会議

人は命の危険が迫った状態になると，約70％の人が，医療やケアなどを自分で決めたり望みを人につたえたりすることができなくなるといわれている．人生の最終段階における医療やケアが本人の意思に沿ったものになるように，アドバンス・ケア・プランニングの考え方がある．このアドバンス・ケア・プランニングの考え方を広く周知していくために，馴染みやすい言葉となるように募集された愛称が人生会議である．

緩和ケア

緩和ケアとは，がんによる全人的な苦痛を和らげる治療やケアのことである．がんと診断された早期からがんに対する治療と並行して行われるものであり，ターミナル期にだけ行われるものではない．その目的は，その人らしい生活を最期まで支えることである．家族もケアの対象となり，死別後の遺族の悲嘆も対象になる．

学習到達度自己評価問題

1. 終末期の定義について説明しなさい．
2. 疾病の予後予測モデルからがん患者と非がん患者のターミナルケアの違いについて説明しなさい．
3. 全人的苦痛にはどのようなものがあるか説明しなさい．
4. 人生会議について説明しなさい．

演習・ケーススタディ

22 実際の事例

22-1 訪問リハビリテーション

▷利用者家族とともに姿勢管理にかかわった1症例

- 生活期でのリハビリテーションでは，心身機能の改善も大切であるが，現在の機能を維持してもらい，その人らしい生活が継続できるように支援していく考え方が重要となる．
- 今の状態でできることは何か，環境（人的・物的）など，その人にかかわる要因から生活の質を維持していくために，そのときどきの評価やアプローチを行い目標の獲得に向けてリハビリテーションに取り組んでいく必要がある．

A 事例紹介

1 一般情報

[年齢・性別] 74歳，女性．

[診断名] レビー小体病．

[病歴] ショートステイを利用中に呼吸困難感があり，S病院に救急搬送されるも異常なく退院．退院後，近隣の病院の訪問診療を受ける．全身衰弱のためK病院に入院．同年10月に胃瘻を造設．11月に退院し在宅生活再開となる．

[家族構成] 夫と2人暮らし（娘が3人おり，次女が近所に在住）．

[要介護度] 要介護5．

[ケアマネジャーからの情報提供]
- 夫が1人で介護をしている．昨年のS病院入院前までは，通所介護を利用していた．以前より関節拘縮の進行があり，今回の胃瘻造設後から寝たきり状態となっている．
- 胃瘻により栄養状態が確保されており，全身状態が安定傾向にあるため，座位姿勢の獲得がはかれれば車いすでの外出も可能になり，夫の介護ストレスも軽減するであろうということから訪問リハビリテーションを依頼した．

[家族の希望] 関節拘縮の進行予防．車いすに乗れるようになって活動性が向上するとよい．食べることが好きだったので，一口でも口から食べられるようになってほしい．

[サービス利用状況]
- 訪問看護：毎週2回，1時間．全身状態の管理，排泄ケア，清拭．
- 訪問入浴：毎週1回．
- 訪問リハビリテーション：毎週1回，1時間．
- 福祉用具貸与：電動ベッド，エアーマットレス，ベッド柵．

2 身体機能

▷ 初回訪問時の状況

[全体像] エアーマットレスに臥床．全身の筋緊張が亢進しており，頸部は伸展位，上肢は胸郭前で屈曲位，下肢では股関節と膝関節屈曲位，足関節底屈位の状態であった．全身の筋緊張亢進に伴い，口唇を強く閉口し鼻呼吸となっており，発汗も多い状態である．

[身体機能]
- 可動域：上肢屈曲位（肩関節　屈曲・外転：30°，外旋：0°，肘関節伸展：−30°）
  下肢屈曲位（股関節　伸展：−40°，膝関節　伸展：−40°，足関節背屈：−40°）
- 呼吸状態：筋緊張の亢進と上肢による圧迫もあり，胸郭の可動性が乏しく吸気量は少ないが SpO_2 は96％を示す．
- 姿勢：座位姿勢はベッドアップ座位が可能であるが，挙上角度は60°程度．体幹の安定性が低いため，滑り座位で側方に傾きあり．起立性低血圧のため，10分ほどで収縮期血圧が80 mmHg台となり，それ以上の保持は困難な状態である．

B　本事例への介入

1 問題点の抽出

- 全身の筋緊張亢進がある．
- 筋緊張亢進により頸部から足部にかけての可動域制限がある．
- 脊椎の可動性低下による座位姿勢の不良がみられる．
- 日中，臥床姿勢で過ごす時間が長いため，起立性低血圧の症状がみられる．
- 座位姿勢が短時間しか行えないため，車いすなどの福祉用具の利用制限がある．
- 車いすの使用が困難であるため，屋外活動に制限がある．

2 介入内容

[初回訪問時]
- 筋緊張が非常に高い状態であった．その筋緊張の高い姿勢に対し，自宅のクッションを使用し浮いている頭頸部・四肢を支える場所をつくるための簡易的なポジショニングを施行した（図22-1，2）．

図 22-1　頭頸部と上腕部へのポジショニング
①頸部の伸展：頸部が軽度屈曲位になるように後頭部から肩甲帯にかけて挿入し，枕による頸部の後面の空間をなくし，頭部の重さを肩甲帯まで挿入したクッションで支える場所をつくる．
②上肢：ベッドから浮いている上腕部下部と前胸部と接触している前腕部にクッションを挿入し，上肢の重みを支える場所をつくる．

図 22-2　下肢へのポジショニング
下肢：大腿部の下にクッションを挿入するが，骨盤と大腿部の間に空間ができないように骨盤下部から大腿部にかけてクッションを挿入し，膝関節に重みがかからないように下腿部から踵部にかけて挿入．足部については，足底面からの荷重感覚を刺激するために足底をクッションで支える．

図 22-3　摩擦軽減用具による筋緊張緩和

- リハビリテーションの介入が週1回であるため，それ以外の日常でも取り組んでもらうために，①ポジショニングの方法，②筋緊張を亢進させない介助方法，としてスライディングシートの使い方と身体にかかる圧を抜く方法について，家族・訪問看護師に直接伝達し必ず行ってもらうようにした．

［介入2ヵ月］
- 家族の協力もあり日常的にポジショニングなどを行った結果，初回訪問時にみられた筋緊張が徐々に低下傾向となってきた．
- そこで，摩擦軽減用具による軽擦法にてさらなる緊張緩和をはかった（図22-3）．

［介入3ヵ月］
- 筋緊張の緩和が進んできたのを見計らって，関節可動域練習を開始していった．
- 介助量の軽減・座位姿勢の獲得を目的に頸部・下肢・胸郭・体幹の回旋可動域練習を施行した．

図 22-4　介入 4 ヵ月時点でのベッドアップ座位姿勢

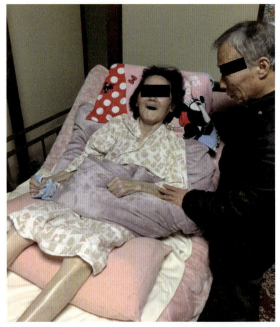

図 22-5　ベッドアップ座位でのポジショニング

［介入 4 ヵ月］
- 緊張の緩和に伴い，関節の可動性が広がってきたため，座位練習を開始した．座位姿勢は滑り座位で側方に傾くなどの状態であったが，ここでも自宅にあるクッションや寝具を用いてポジショニングを行い徐々に座位姿勢での筋緊張を緩和をはかった．座位姿勢が安定してきたため，日常での取り組みも行いやすくなったことで，起立性低血圧の症状も軽減し座位姿勢保持中の覚醒レベルも上がり笑顔が出るなどの変化がみられた（図 22-4，5）．

［介入 5 ヵ月］
- 座位時間が延びてきたことにより，家族から「退院後，寝たきりになってから一度も外出できていないので，桜をみせてあげたい」との希望がでてきた．それに向けてベッドアップ座位練習継続と，下肢を下に降ろした座位姿勢の練習として，ベッド上端座位の練習を開始した．

［介入 6 ヵ月］
- ベッドアップ座位が 30 分程度，ベッド上端座位が 10 〜 15 分可能となってきたので，車いす座位練習を施行した．車いすの種類としては，ティルトリクライニング型を使用した．
- 車いす座位での姿勢としては，左側に体幹の傾きが出現するのと上肢の可動域制限によりアームサポートでの上肢の支えが行えないため，クッションを用いて上肢の支えとした．足部については，フットサポートの角度を足関節の角度に合わせて足底面に沿うように調整し支えをつくり，座位姿勢の安定をはかった（図 22-6）．
- 起立性低血圧などの症状の出現がなく，屋内での車いす座位の保持時間が 20

図 22-6　車いす座位姿勢

図 22-7　屋外活動風景

　　～30分となってきたため，少しずつ車いす座位で屋外練習を開始していった．
- 自宅から少し離れた屋外での練習を重ね，血圧や呼吸状態などの安定が確認できたところで，家族の介助のもと，近所の公園の桜鑑賞を行うことができた（図22-7）．

3 考　察

- 生活期のリハビリテーションというのは，今回のケースのように身体機能への直接的なアプローチというより，制限を起こしている原因を考え，その要因に対してアプローチを行っていくことも必要である．
- 本症例においては，可動域制限を起こしている筋緊張亢進の原因は，不安定な臥位姿勢である．不安定性を引き起こしている要因は，四肢を支える場所がない環境で臥床しているためであった．よって，その要因に対して安定した臥位姿勢を獲得するためのポジショニングを行った．つまり，筋緊張の緩和をはかるために環境要因へのアプローチを進めていった．無理矢理な可動域練習から開始するのではなく，個人にかかわる環境を考えていくことで，心身機能へのアプローチにもなり，姿勢の確保につながり寝たきりではなく座位での活動性を上げていくことにつながった．その結果，屋外での活動・参加が得られ，この参加の継続により持久力の向上といった心身機能への影響をもたらし，活動・参加がさらに改善していった．
- 生活期のリハビリテーションの取り組み方としては，心身機能からの一方通行ではなく，心身機能，活動，参加の相互関係でアプローチを考えていき，"その人らしい生活"とは何かを自問自答しながら，目の前の人とかかわっていくべきである．

22-2 通所リハビリテーション(デイケア)

A 事例紹介

1 一般情報

[年齢・性別] 50歳代，女性．
[診断名] くも膜下出血（動脈瘤コイル塞栓術），水頭症（腰椎-腹腔［L-P］シャント術後）．
[既往歴] 発症の1年前に子宮筋腫・リンパ腫・両乳腺腫瘍を発症．
[現病歴] 発症日，自宅で倒れているところを発見され救急車にてA救急病院に搬送．右椎骨動脈解離性動脈瘤によるくも膜下出血の診断を受け保存的治療を開始．発症13日目でB病院へ転院し，動脈瘤コイル塞栓術施行．発症48日目でC病院回復期リハビリテーション病棟へ入院となる．約3ヵ月のリハビリテーションにて近接監視による歩行器歩行まで改善していたが，急に歩行障害が出現し，CTの結果，水頭症を認め発症から5ヵ月10日後にB病院へ再入院．L-Pシャント術を施行され術後8日でC病院回復期リハビリテーション病棟へ再入院となる．再入院後4ヵ月間のリハビリテーションで，注意機能障害，記憶障害は残存するものの病棟内ADLはほぼ自立となった．発症前は独居であったが，退院後は姉宅に同居することとなり，姉宅の環境整備と介護保険サービスの調整後，発症から9ヵ月と23日で退院となる．退院日に退院時カンファレンスとサービス担当者会議およびリハビリテーション会議が実施された．退院5日後に通所リハビリテーション事業所からの訪問指導実施，退院8日後より通所リハビリテーション（週3回）開始となる．
[家族構成] 4人兄弟の3女（長女，次女［既婚］は同県在住）
[要介護度] 要介護2．
[生活歴] 大学卒業後，県内の会社で事務職として勤務．独居であり，日常の買い物や通勤など主な移動手段は自家用車．

CT：computed tomography

ADL：activities of daily living

B 本事例への介入

1 評価と目標達成のための課題

- 退院時のサービス担当者会議およびリハビリテーション会議は，対象者と対象者の姉，回復期リハビリテーション病棟の主治医，担当の理学療法士，作業療法士，言語聴覚士，病棟看護師，医療ソーシャルワーカー，介護支援専門員，通所リハビリテーションスタッフの参加で開催された．その結果，本事例の目標は職場復帰と独居生活の再開となった．通所リハビリテーションの5〜6時間

表 22-1 対象者の初期評価と最終評価

評価		初期評価	最終評価（5ヵ月後）
心身機能	身体機能	バランス能力低下：立ち座り，歩行時動揺あり，歩行はワイドベース歩行 応用歩行能力低下（TUG：11.43秒）	立ち座り，歩行時の動揺なし安定 応用歩行能力向上（TUG：6.63秒）
	認知機能	MoCA-J：24/30点 （視空間/実行系：3/5，言語：2/3，遅延再生：2/5）	MoCA-J：29/30点 （視空間/実行系：5/5，言語：3/3，遅延再生：4/5）
	記憶機能	RBMT：標準 18/24，スクリーニング 7/12	RBMT：標準 18/24，スクリーニング 7/12
	注意機能	TMT：Part A（30秒），Part B（113秒）	TMT：Part A（40.6秒），Part B（109秒）
	回復期リハビリテーション病棟退院時評価	CAT：Span（順唱5桁，逆唱4桁） SDMT（45/110） PASAT（2秒条件 23/60，1秒条件 23/60）	通所リハビリテーションでは未実施
	遂行機能	FAB：15/18（GO/NO-GO：1/3）	FAB：16/18（GO/NO-GO：1/3）
ADL		FIM：119/126点 清拭6点，階段6点，移乗（浴槽・シャワー）6点，問題解決6点，記憶5点	FIM：122/126点 階段6点，問題解決6点，記憶5点

（週3回）に生活行為向上リハビリテーション実施加算*を利用することにより，目標達成を目指すこととなった．

■ **初期評価（表22-1）**は，身体機能面で，動作変換時，歩行時（ワイドベース歩行で右＞左の動揺）にバランス能力の低下があり，階段昇降や坂道歩行では手すりの使用が必要だった．高次脳機能としては，記憶障害，注意機能障害，遂行機能障害が残存し，軽度認知症スクリーニング検査である日本語版 Montoreal Cognitive Assessment（MoCa-J）にて時計描画，復唱課題，遅延再生などに減点があった．また，記憶面ではリバーミード行動記憶検査（RBMT）にて，物語の記憶に減点がみられた．注意障害の検査 TMT では時間延長が認められた．標準注意検査法 CAT では Span（記憶範囲），SDMT，PASAT（パサット）に減点がみられ注意の制御性・配分性・切り替えの問題が伺えた（CAT は回復期リハビリテーション病棟の退院時評価）．遂行機能の総合評価として前頭葉機能検査 FAB において GO/NO-GO 課題に減点があり，作業記憶の問題が伺えた．ADLは機能的自立度評価法（FIM）にて，119/126点（減点項目：清拭6点，階段6点，移乗（浴槽・シャワー）6点，問題解決6点，記憶5点）であった．ICFの生活機能モデルを用いて目標達成のために課題を整理したものを**図22-8**に示す．

▷ **目標1　独居生活再開の課題**

独居可能となるためには，安全に買い物や調理などの家事動作が行えるかが課題となる．通所リハビリテーションでの初期評価では，歩行や立ち座り時のバランス能力の低下に加え，環境因子として復帰先の姉宅は坂道や階段が多く安全な外出が困難であった．家事は，残存する高次脳機能障害から，計画的な調理や洗濯など複数の家事を同時遂行することが困難であった．

▷ **目標2　職場復帰の課題**

職場復帰については，発症前の仕事内容が主に顧客との電話応対やコンピュー

*生活行為向上リハビリテーション実施加算　2015（平成27）年の介護報酬改定で創設された加算．活動と参加が低下した人や急性増悪により生活機能が低下した人に対し，ADL，IADLなどの充実をはかるため，生活行為向上リハビリテーション実施計画書を作成（作成者は研修受講必要）し，6ヵ月間を目処に計画的に実施するものである．施設内に限らずさまざまな場所で集中的にリハビリテーションが提供できる．

TUG：timed up and go test
MoCA-J：Japanese version of MoCA
RBMT：Rivermead behavioural memory test
TMT：trail making test
CAT：clinical assessment for attention
SDMT：symbol digit modalities test
PASAT：paced auditory serial addition test
FAB：frontal assessment battery
FIM：functional independence measure
ICF：International Classification of Functioning, Disability and Health
IADL：instrumental activities of daily living

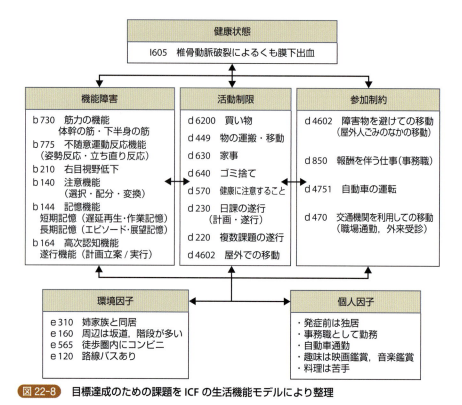

図 22-8　目標達成のための課題を ICF の生活機能モデルにより整理

ターの入力作業であった．

短期記憶障害によって，電話の内容は忘れてしまうため，詳細なメモをとる必要がある．また，展望記憶に問題があり，病棟生活ではスケジュール帳で管理していたが，注意機能障害のため，メモリーノートに記載してしまうなど予定の管理が困難だった．自動車運転は困難と判断．自宅から職場までの公共交通機関の利用が可能となるかが課題となった．

2 介入内容

- 通所リハビリテーションのプログラムは独居生活再開，職場復帰の 2 つの目標達成のため，共通する心身機能，基本動作へのアプローチ，家事や職場で必要となる動作への対応の工程を分けたアプローチ，実生活場面での複合的な練習，自宅での家事場面の指導・環境調整，生活圏の動線環境・職場の動作指導および環境調整を，施設，自宅，職場およびそれぞれをつなぐ環境での評価とアプローチを実施した（**表 22-2**）．これらのアプローチについて家族や介護支援専門員，職場の上司や産業医との検討，情報共有をはかったリハビリテーション会議の経過を図 22-9 に示す．
- その結果，5 ヵ月間で 1 人での買い物および家事が可能となり，退院後約 4 ヵ月で独居生活を開始，5 ヵ月目にはバスでの通勤が可能となり職場復帰を達成し，通所リハビリテーションは終了となった．終了時の最終評価は**表 22-1** に

表 22-2　通所リハビリテーションでの主なプログラム

目標	通所リハビリテーションプログラム	プログラム詳細	実施場所			
			通所リハビリテーション施設	屋外の移動環境	自宅	職場
独居生活の再開および職場復帰	体幹，股関節周囲筋の強化	重錘，ストレッチポールを利用しての自主トレーニング指導	○	−	○	−
	応用歩行練習	段差，階段，坂道，悪路の歩行練習 さまざまな負荷を漸増的に追加 　例：2 kg のリュックを背負って，5 kg の荷物をもって，傘をさして 姉の介助での自宅周辺の散歩 職場環境での移動評価	○	○	○	○
	高次脳機能障害に対する練習　記憶障害に対し　反復練習（代償なしの記銘）　外的代償法	代償なしでは 2 分程度の保持が限界 メモリーノート，スケジュール帳，携帯のアラーム機能利用の指導，および利用しての通所リハビリテーションでのスケジュール管理	○	−	○	−
	展望記憶障害に対し	公共交通機関での外出の計画作成 （1 日のスケジュール） 独居再開に向けた計画作成 （1 ヵ月間のスケジュール） 職場復帰に向けた計画作成 （2 ヵ月間のスケジュール）	○	−	○	−
	作業記憶障害に対し	施設内コンピューターでの課題入力 ストループ課題を用いた練習 　コンピューターでの文章入力 　作業数字の順唱および逆唱 職場環境での評価	○	−	○	○
	主に注意機能障害に対し	ドライビングシミュレーターでのトレーニング 　二重課題トレーニング（電話内容をメモする） 　メモの内容を整理し管理（時系列・カテゴリー別） 通所リハビリテーション利用中不定期に対象者携帯に電話し内容をメモする	○	−	−	−
	主に遂行機能障害に対し	電話で課題を与え，遂行できるよう練習．課題は日時指定し，ランダムに提示し複雑にした	○	−	−	−
	IADL 練習	自宅での状況の評価 家事動作練習 　2 品以上の調理は要時間 　調理は食材宅配キットに変更 　スーパーマーケットまでの移動・金銭管理，職場までの公共交通機関の利用	○	−	○	−
	環境調査・調整	シミュレーション環境の設定 バス停，横断歩道などスーパーマーケット，職場までの移動環境の把握 姉宅，転居後の自宅の移動環境の評価，手すり 設置などの環境調整 職場環境の調査 職場での移動，仕事環境のアドバイス	○	○	○	○
	リハビリテーション会議等連絡調整	家族・介護支援専門員・職場の上司，産業医との連絡調整	○	−	○	○

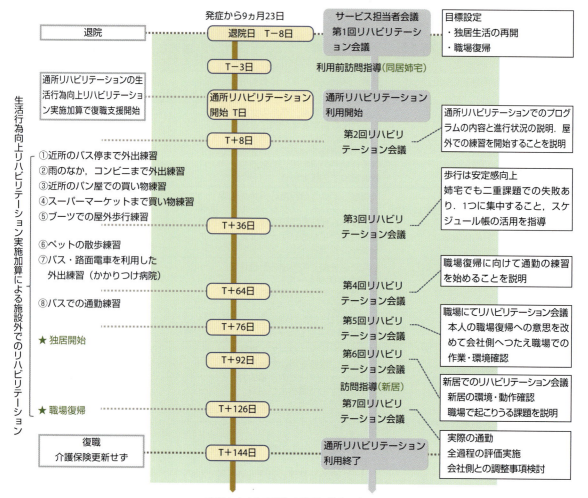

図 22-9 リハビリテーション会議と生活行為向上リハビリテーション実施加算利用による通所リハビリテーション施設外でのプログラムの経過

示す．復帰1年後のフォローアップでは独居生活も職場での仕事も変わらず実施できていた．

22-3 脳卒中

　対象者が脳卒中を有する事例の場合，体調や季節変化などに応じて，これまでなかった新たな生活障害を生じることがある．本項目では，脳卒中を有する対象者の状態をとらえ，新たに生じた生活障害の問題点とその要因を検討する．検討にあたり，事例にかかわる他職種との協働を考え，各職種から得るべき情報と理学療法士が行う評価を整理し，対応策を考える．

A　事例紹介

1 一般情報

[年齢・性別] 78歳，女性．

[診断名・障害名] 脳梗塞・左片麻痺．

[病　歴] 1年前の12月に発症．隣町の病院に2ヵ月間入院後，回復期リハビリテーション病棟にて理学療法および作業療法を実施．4ヵ月後の6月に退院し，半年間介護保険サービスを利用しながら自宅で生活している．最近，排尿時に失敗することがあると介護支援専門員からの情報を得た理学療法士が，訪問リハビリテーションにて訪問時に評価を行うこととなる．

[合併症] 近医にて糖尿病の服薬治療中．摂取エネルギー 1,600 kcal/日．

[家族状況] 1人暮らし．夫とは10年前に死別．隣町に嫁いだ1人娘（40歳代）がおり，毎週末には訪問し，買い物，掃除，調理を行う．毎月1回，近医への通院介助も行う．

[経済状況] 老齢基礎年金を受給．生活やサービス受給において困ることはない．

[要介護度] 要介護2．

[サービス利用状況]
- 訪問介護：毎週4回（月水木土），1時間．食事の準備，片付け，洗濯．
- 通所介護：毎週2回（火金）．配食サービス（月水木土は昼食，火金は夕食）．
- 訪問リハビリテーション：隔週1回（月：歩行練習を行っている）．
- 福祉用具貸与：電動ベッド，介助バー，ベッド柵．

[対象者本人の希望] トイレに間に合わず失禁してしまう．もっと速く歩けるようになりたい．

2 身体機能

[全体像] 身長145 cm，体重54 kg，BMI：25.7．表情は明るく，人とコミュニケーションをとることが好き．

[運動麻痺] ブルンストローム・ステージ：左上肢Ⅳ，手指Ⅳ，下肢Ⅳ．

[感覚障害・痛み] なし．

[関節可動域制限] 左肩関節屈曲100°．

BMI：body mass index

［筋　　力］右上下肢ともに粗大筋力4レベル．
［高次脳機能障害・認知症］短期記憶に軽度低下ありも歳相応．
［コミュニケーション・理解力］良好．

3 ADL

［移　　動］T字杖，短下肢装具装着にて平地歩行自立．屋外は段差昇降に一部介助．
［立ち上がり］40 cmの高さからは手すりや肘置きの支えがあれば可能．床からは台などの支えがあれば可能であるが，時間を要する．
［しゃがみ動作］いすへは手すりや肘置きがあれば可能．床へは台などの支えがあれば可能．
［座　　位］いす座位自立．長座位は困難．
［寝返り・起き上がり］ベッド柵を把持して可能．
［食　　事］箸を使って自立．こたつ上およびこたつ横の冷蔵庫内に準備されたものを食べる．ごはん，茶はこたつ横の炊飯器，ポットに準備されたものを入れることができる．
［更　　衣］上着はゆっくり時間をかけて着脱可能．冬期はズボン類を重ね着するため，上げ下げに時間を要する．装具装着は自立．朝装着し，夜ベッドで寝る際に外す．
［整　　容］洗顔，歯磨き，整髪は洗面所にて自立．爪切りは娘が介助．
［排　　泄］日中は寝室横トイレにて行う．尿意を感じてトイレへ向かうが到着するまでに失禁することが11月に2回，夕方にあった．夜間はベッド横ポータブルトイレ使用にて自立．排尿回数：日中5回，夜間2回，排便回数：1日1回．
［入　　浴］通所介護利用時に入る．浴室内移動，洗体，浴槽の出入り時に介助を要する．
［家　　事］洗濯物のたたみのみ行う．その他はすべて介助．

4 1日の生活状況

- 朝7時起床．更衣，排泄，洗顔後こたつへ移動．パンとコーヒーの朝食．以後，居間の掘りごたつにて過ごし，午前中はテレビをみる．
- 水，土曜日の午前は訪問介護員（ホームヘルパー）が来訪．昼食前排尿．12時に昼食．その後1時間程度，ベッドで昼寝．起床後排尿．
- 月，木曜日の午後は訪問介護員が来訪．訪問介護員がとってきた新聞を読んで過ごす．本が好きなため，娘が図書館で借りてきた本を読むこともある．
- 夕食前に排尿．18時に夕食．21時までテレビをみて過ごし，歯磨き，排尿の後，就寝．夜間24時と3時に排尿のため起床．

5 住環境

図22-10に対象者の住宅の見取り図を示す．

図 22-10　住宅見取り図
図中数値は玄関の床面を0としたときの各部屋の床高さを示す（単位：mm）．青色点線矢印は対象者の動きを示す．

B　本事例への介入

1　問題点とその要因

　本事例の問題点は，退院から半年後，以前にはなかった尿失禁がみられるようになったことである．対象者は歩行スピードの向上を望んでいるが，対象者本人の希望が真の解決因子とは限らないため，理学療法士は対象者の全体をとらえた検討が必要である．

　本事例の問題点について考えられる要因としては，
①身体機能の低下による歩行速度の低下の他に，冬期という環境因子も考えられる
②掘りごたつの利用により，立ち座り動作に時間を要していること
③衣類を着込むことにより，ズボン，下着を下げることに時間を要していること
④こたつ布団などによる移動のしづらさ
が予測され，検討が必要である．

2 評価とその方法

　問題点の真の要因を明らかにするための方法として，ⓐ理学療法士が自宅を訪問し実際に動作を確認する，ⓑ現在利用している介護保険サービスの関係スタッフから，サービス利用時の日常場面の状況について情報を収集するなどがある．ただしⓐの場合，対象者はよくみせようとがんばって通常の動作よりもスムーズに遂行できる傾向にあり，適切な評価ができないことがある．そのためⓑで得た情報を活用することが有効である．

- 要因①については，理学療法士が訪問リハビリテーションで実際に身体状況や移動能力を確認し，経時的な変化の有無を評価できる．
- 要因②，③，④については，理学療法士が実際の動作を確認し，さらには，通所介護利用時のケアスタッフや訪問介護員にも各動作を観察してもらい，評価する．

3 介入内容

　各要因について考えられる対応策として複数の方法が考えられるが，対象者の状態に適した方法を評価に基づき決定，提案することが必要である．

- 要因①が原因の場合，脳梗塞の再発の可能性が考えられる際には病院受診を提案する．冬になり，動きが減ったことが要因であれば，動く機会を増やすために，訪問リハビリテーションの利用を増やし，身体機能向上のアプローチを行う．また，通所介護の利用を増やし，暖かい環境で動ける機会を増やす方法がある．ただし，介護保険サービスを増やす際には，利用限度額に配慮する必要があるため，提案の前に介護支援専門員と相談することが大切である．
- 要因②が原因の場合，立ち座りの動作が改善できると理学療法士が判断したならば，訪問リハビリテーション時に動作練習を行う．また，その方法を訪問介護員につたえ，訪問介護時にも実施できているかを確認する．改善困難であれば，環境面の工夫として，電動昇降座いすをレンタルする，掘りごたつを補高していすを利用するなどの方法が考えられる．
- 要因③が原因の場合，ズボン，下着をずらす動作を再考し，改善できる場合は動作を練習する．また衣類の工夫として，ズボンのゴムをゆるくする（細いゴムを複数本通すとゆるくなり，かつしっかりしまる），保温性の高い下着を着用し，重ね着しないなども考えられる．
- 要因④が原因の場合，動線上の敷物を歩きやすい素材のものに変更する．このとき，誰が実施するのかまでを考え，介護支援専門員と相談し，提案を行うことが必要である．

22-4 進行性の難病

　進行性の難病者は，活動性の低下により身体状況が短期間で悪化する場合が多い．住環境を整えることは，対象者の生活を自立させ身体機能の低下を防ぐだけでなく，介護者の負担軽減にもつながる．本項目では，具体的な事例に対し，適切な福祉用具導入および住宅改修，さらに訪問リハビリテーションによるフォローアップについて検討する．

A　事例紹介

1　一般情報

［年齢・性別］47歳，男性．
［診断名］多系統萎縮症（オリーブ橋小脳萎縮症）*．
［家族構成］対象者，妻（45歳，主たる介護者），長女（19歳），母（63歳），祖母（86歳），弟（44歳）の6人同居．
［病　歴］3年前，仕事中に足がふらつくように感じ，脳卒中などを疑い受診した．そのまま検査入院となり，結果として多系統萎縮症（オリーブ橋小脳萎縮症）と診断された．対象者はこの病気に罹患してから20 kg体重が増え，現在90 kgであるのに対し，妻はその半分程度の体重であった．妻は介護負担や将来への不安で疲労困憊していた．対象者自身もそのような妻の姿をみて，「何とか日常生活の基本的な部分だけでも自立できないものか」と考えていたときに介護保険制度が始まり，即時に申請するとともに，住宅改修および訪問リハビリテーションを中心としたサービスが行われることになった．

＊多系統萎縮症　非遺伝性（後天性）の脊髄小脳変性症の代表的な疾患で，発症原因やそのメカニズムについては不明．かつては，小脳失調症を主症状とするオリーブ橋小脳萎縮症，パーキンソニズムを主症状とする線条体黒質変性症，自律神経症状を主症状とするシャイ・ドレーガー症候群の3つの疾患だったが，病理学的特徴が同一であることがわかり，2003（平成15）年より多系統萎縮症に統合された．

2　住環境

　築4年，木造在来工法，一戸建て，自己所有（図22-15参照）．

3　在住地域の特性

　対象者と家族は，人口6,000人ほどの村に住んでいる．定員30人の介護老人福祉施設（特別養護老人ホーム）とそれに併設している老人介護支援センター（在宅介護支援センター），通所介護施設（デイサービスセンター）などがある．隣接する市までの距離が短く，医療についてはその市の医療機関を利用している．

　この村では介護保険が始まる以前より，独自に住宅改修助成制度を施行しており，現在は介護支援専門員（ケアマネジャー）や理学療法士，建築士，福祉用具専門相談員などからなる「住宅改修専門家チーム」が設置されており，今回も介護支援専門員から村へ要望が出され，チームが招集され，対象者を訪ねた．

4 ADL

▷**初回訪問時の所見**

①対象者は通常，居間であぐらをして，座卓の前に座っている．トイレや寝室への移動時には，座卓を支えにして立ち上がり，壁や建具，柱につかまりながら歩いている．そのとき，手すりが全く設置されていないことでふらつきが大きくなり，妻による見守りや介助が必要な場面がある．

②浴室は，居間から近い場所にあるため，脱衣所まで四つ這いで移動している．そしていすに腰をかけた状態で脱衣した後，浴室の折れ戸につかまりながら洗い場へ移動し，洗い場の床に座っている．浴槽上部の壁につかまりながら立ち上がり，浴槽へ入る．折り戸につかまりながらの洗い場への移動場面と浴槽へ入る場面では非常に不安定となり，転倒の危険性が大きく，妻による見守りや瞬間的な介助が必要である．

③通院時，自動車に乗せるときは，つかまるものがないために，妻が対象者の体重を支えなければならない．妻も対象者も疲労困憊状況となる．

④対象者には「自分で可能なことは自分1人で行いたい」という意思はあるものの，1週間ほど前に転倒したことで自信を失い，以前に比較して居間でテレビをみている時間が多くなった．さらに，病気に対する不安や生活上の制限によるストレスなどで過食になっていると考えられ，体重が90 kgを超える肥満となっている．妻らは，そのような生活が続くことで，早期に身体機能が低下してしまうことを心配し，対象者がより自立でき，かつ，安全に動き回ることができる住環境を目標に，介護保険をフルに活用した福祉用具導入および住宅改修サービス，そしてその後の訪問リハビリテーションによるフォローアップを行うこととした．

B 本事例への介入

1 問題点の抽出

a. 対象者に関連する現状のまとめ

▷**対象者本人に関すること**

①身体状況は改善することが期待できない進行性の難病である．

②可能なことは自力で行いたいと思ってはいるが，一度転倒したことで自信を失っており，そのためかテレビをみている時間が多くなった．

③現在は，つかまるものがあれば何とか歩行でき，安全な環境があれば，自分でできることは自分でやろうと思っている．

▷**妻を主とする介護者に関すること**

①このまま在宅で看取りたいと思っているが，体格差があるために，これ以上悪化したときのことを思い，今後に不安を抱いている．

②介護は妻が主体であるが，対象者の母や娘，弟も，必要に応じてサポートしている．
③とりあえず，屋内の移動と排泄動作，入浴動作が自立できればよいと思っている．
④通院時に自動車に乗せるときは，汗だくになるほどの介助が必要であり，解決したいと思っている．

▷同行した理学療法士の所見
①対象者は，四つ這い移動やつかまっての歩行時に，体幹を中心にふらつき，不安定である．歩行時に，柱をつかみ損ねて転倒し，居間の出入り口のガラス戸を壊し，自らも軽いけがをしたことが自信喪失の原因と思われる．
②座卓やつかまるものがあれば，いすや便器，床からも立ち上がりが可能である．浴室の洗い場でも，浴槽縁につかまって床から立ち上がることができる．
③対象者は身長170 cmに対して体重90 kgの肥満であり，病後における運動不足と過食が原因と思われた．さらに，介護者である妻は体重が45 kg程度と小柄であり，対象者の体重を支えるような介助は困難と思われた．
④通院時などの外出時，自動車の後部座席に対象者を座らせるまでが非常な負担となっており，妻の疲労の原因の1つと思われ，腰痛の発症などが予想された．
⑤日により，身体状況の変動があり（身体症状の日差変動），身体状況が悪い日を想定する必要があった．

b．今回解決したい生活上の問題点（ニーズ）
①対象者には自力で歩行などの移動やADLの遂行能力，そしてそのようにしたいという意思があるにもかかわらず，住環境が整っていないことで，一部しか自力でできずにいる．
②妻は，あまり動きたがらない対象者をみて，身体状況が悪化することと，悪化した後の介護に，非常に不安を抱いている．
③外出時における自動車乗降時に多大な介助量を必要とし，対象者はもちろん妻にとっても介護上の大きな負担となっている．
④トイレや浴室における立ち座り動作時，安心してつかまるところがないために，転倒の危険性が非常に高くなっている．
⑤身体機能において日差変動がみられるために，日によっては歩行移動に関する危険性が増大する．

2 介入ポイント

「進行する病気」に対する住宅改修では，建物よりも，対象者本人の身体機能の評価や要望，介護量，介護負担の状況，介護者の健康状況，家族の介護継続意思などの人的情報の収集にとくに多くの時間をかける必要がある．それは，比較的短い期間で対象者の身体状況が悪化し続ける場合が多く，家族の介護量や精神的負担もその変化に伴って増加するからである．つまり，近未来をしっかりと予測し，状況の変化に適時対応できるような住環境を，本人の要望が強い時点でしっかりと整える必要がある．

a. トイレまでの廊下　　b. 居間　　c. トイレ

図 22-11 手すりの設置

図 22-12 浴室のマット

図 22-13 トイレの手すりガード

3 介入内容

①対象者は動くときのふらつきはあるが（今後もふらつき症状が強くなると予想される），対象者や妻の「歩けるうちは歩いてトイレや浴室に行きたい（行かせたい）」という要望を最優先して住宅改修を行った．

②今回，実際に行った住宅改修は，居間，浴室，トイレ，廊下，玄関に手すりを設置し（図 22-11），浴室には転倒に備えてクッション性の強いマットも敷き詰めた（図 22-12）．トイレは立ち座り時の補助として，手すりガードも導入した（図 22-13）．また，懸案の自動車への乗降対策として，玄関の外には「伸縮手すり」（図 22-14）を取り付けた．さらに，日によって変化する対象者の身体状況を考慮し，介護用電動ベッド（2 モーター）および車いすを貸与した．

③今回の住宅改修では，対象者が家中のさまざまな場所に行くことができるように手すりの設置に配慮した（図 22-15）．これにより，手すりがついているという安心感から，対象者の「行ってみよう，動いてみよう」という意欲が得られた．このように福祉用具導入と住宅改修は，「（あそこに手すりがあるから大丈夫だ）よし，行ってみよう，動いてみよう」という高齢者や障害者の動機づけとなり，そして活動性を高めるきっかけになることが多い．対象者も，改修前

a. 伸長時　　　　　　　　　　　　　　　　b. 収縮時

図 22-14　伸縮手すり

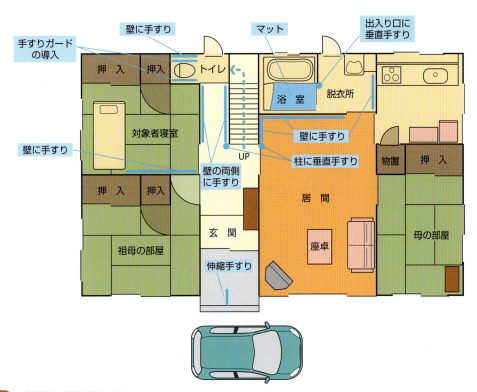

図 22-15　改修後の住宅見取り図

よりも一生懸命歩くようになった．また，玄関の外の階段部分に取り付けられた伸縮手すりも効果的であった．玄関前の階段に横づけされた自動車の後部ドアのぎりぎりまで，この伸縮手すりのアームが伸びることで，自動車の乗降が自立した．

④フォローアップとしては，住宅改修後の動作指導と訪問介護員（ホームヘルパー）による通院介助，理学療法士による訪問リハビリテーションを行った．

4 考 察

- 今回の福祉用具導入および住宅改修により，通院時の介助量も減り，屋内での移動もほぼ自立したことで，対象者および妻に心の余裕が生まれた．その証拠といってはささやかではあるが，改修終了後の専門家チームによるモニタリング時に，これまでみられなかった対象者と妻の笑顔を，何回かみることができた．住宅改修などにかかわるサービス者が，その仕事のなかで最も幸せを感じる瞬間であろう．
- 住環境は自立した生活や介護に大きく影響する．まずは住環境を整え，そして人の手による介護，さらに訪問リハビリテーションを，適時，適量，適切に行う必要がある．

22-5 精神疾患

　精神疾患がある人のリハビリテーションは，疾患そのものの治療と同時に生活や社会参加に対する取り組みが求められる．支援者は，個々の対象者や家族を含む環境とその相互作用を幅広く理解することが求められる．とくに長期入院患者の場合は，社会的経験や身体能力の低下をきたしやすく，取り組むべき課題は多岐にわたる．本項目では，以下に示した事例を参考に，精神疾患がある対象者に，支援者はどのようにかかわるのかを考える．

A　事例紹介

1　一般情報

[年齢・性別] 45歳，男性．
[診断名] 統合失調症．
[病歴および生活歴]
- 対象者は3人兄弟の末っ子として生まれた．地元の高校を卒業した後，上京して働いたが，1年間続けられた仕事はなく職場を転々と変えていた．その後数年間は，定職につかずフリーターとして働いていた．
- 独身である．
- 22歳のときに，仕事中に激しい幻覚および妄想を伴って統合失調症を発症し，初回入院となった．
- その後，退院して地元に戻り，パートで働いていたが，何度か再発したために入退院を繰り返した．
- 15年前に地元の路面電車を利用時に再発して支離滅裂状態となり，電車を緊急停止させて叫び続けたことが原因で入院し，現在にいたっている．
- これまで繰り返した入退院は，服薬管理のなかでも服薬の中断が主な原因であった．現在の入院では，服薬管理が十分なため幻覚や妄想はないようであるが，夜間は毛布に身を埋めて独り言がみられる．また，日中はニヤニヤと不可解な表情をしていることがある．
- 食事以外のほとんどの時間はデイルームに座ってタバコを吸っている．入院している他者との交流はほとんどない．
- 退院に関するカンファレンスにおいて，服薬管理の調整ができることで退院が可能になると判断されたが，対象者は再び電車を停止させることをおそれており，退院の意思はほとんどない．
- 全体的な印象として，病院内が対象者の生活の場となっており，依存的，受動的な生活を続けている．ここ数年は対象者の家族も面会数が減り，退院に関して否定的である．

B 本事例への介入

1 問題点の抽出

a. 精神機能
- 対象者は，陽性症状である幻覚と妄想を主症状として初回入院をし，服薬が中断すると再発を繰り返していることから，統合失調症に特有な内的体験が主な精神機能の問題点としてあげられる．
- 夜間は毛布にくるまる，ほとんどの時間をデイルームで過ごす，他者との交流がないことから自閉的な傾向が認められ，感情（気分）の障害や欲動と意志の問題点があげられる．

b. 地域生活への適応能力
- 対象者の主な問題点である陽性症状は，服薬管理ができるかどうかが地域生活，共同生活への適応能力に大きな影響を与えると考えられる．
- 対象者は自閉的な傾向にあり，他者との交流に問題がある．また，退院に関しては否定的であり，地域生活への恐怖感がある．15年間の入院生活歴および家族の受け入れの問題などから，現段階では地域生活，共同生活への適応能力は十分ではないと考えられる．
- 地域生活，共同生活は受動的な入院生活の保護的環境とは異なるため，対象者の実際の生活場面を十分に観察した上で適応能力の有無を判断する必要がある．

2 介入のポイント

- 対象者は，受動的な入院生活と長期入院による施設症*institutionalism が考えられ，社会生活への関心が失われていると考えられる．
- まず，短期目標として退院への動機づけを促すことが重要となる．また，長期目標は，地域生活への適応が考えられる．

3 介入内容

a. リハビリテーションの目標達成に必要な介入
- 対象者が社会生活に関心を抱き，退院を自己決定するための介入として，入院中に知人となった退院患者から，地域生活についての話をしてもらう，精神保健福祉士などによるカウンセリングなどが考えられる．
- 15年間の入院生活であり，地域生活へ適応するには家族の支えも必要である．対象者の家族は退院に否定的であることから，受け入れの問題においても介入が必要と考えられる．
- この問題には医師や看護師，ソーシャルワーカーなどが積極的にかかわり，家族との面接などを通して家族が対象者の退院後の生活を支えられるように介入することが望ましい．
- また，利用可能な社会資源の活用を提案し，対象者本人の退院への動機づけを

---

*施設症　集団的収容生活が心身に及ぼす影響を指す．精神疾患患者や高齢入院患者にみられる退行現象や受け身的依存性などの状態も含む．

促すなどの介入が考えられる．
- その他，対象者の病棟プログラムは，服薬指導，社会技能練習，作業療法などから社会生活への適応能力を改善する介入が考えられる．また，退院後の種々の環境について整備していくことも対象者の社会生活を支える重要な介入であると考えられる．

b. 理学療法の役割

- 施設での生活に依存的，受動的であることに加え，閉鎖的な入院生活における身体的活動量の減少が考えられ，地域で生活していくための身体機能に問題があると推察される．また，対人関係技能や感情，欲動と意思など精神機能にも問題を呈している．
- これらの問題に対する理学療法として，身体機能の改善を目的とした種々の運動療法の適応が考えられる．また，精神機能の改善は他の治療とともにレクリエーションやスポーツなどを取り入れた定期的なプログラムの適応が考えられる．

22-6 認知症

　認知症の人は，記憶障害や意欲低下があるために，リハビリテーションの効果がないとされ，リハビリテーションの対象から除外されることがある．本項目では，以下に示した事例を参考に，認知症の人にどのようにリハビリテーションを勧めるかを考える．

A　事例紹介

1 一般情報

［年齢・性別］77歳，女性．
［診断名］脳梗塞，高血圧，血管性認知症．
［病　歴］
- 3年前に脳梗塞を発症し，自宅で倒れたために1ヵ月間入院したが，麻痺もなく手術などもせずに退院．
- 入院中はときどき「なぜここにいるのか，家に帰らせてほしい」ということはあったが，1人で出ていくようなことはなかった．退院後，買い物に行き道がわからなくなり，1人で買い物に行けなくなった．ときどき，1人で出て行き帰れなくなり，近所の道に迷い，警察に保護された．
- 1ヵ月前より歩行が不安定になり，通所リハビリテーションを勧めても，「しんどい」「何もわからない」と，自分からはトイレと食事以外は何もしようとしなくなり，寝ていることが多くなった．

［家族状況］51歳の娘と3年前の退院後から同居している．娘は昼間働いており，夜7時に帰宅する．他に子どもはいない．近隣に親戚は住んでいない．
［生活歴］夫は本人が30歳のころがんで亡くなっており，本人は学生寮の食堂で働きながら長女を育てた．65歳まで働いていた．
［好きなこと］料理，歌を歌うこと．
［経済状況］年金毎月14万円．
［要介護度］要介護3．
［日常生活自立度］A．
［認知症高齢者の日常生活自立度］Ⅲa．日中を中心として日常生活に支障をきたす症状，行動がある．
［サービス利用状況］
- 通所リハビリテーション：毎週3回（月水金）．
- 訪問介護：毎週2回（火木），1時間．食事の準備，片付け．

2 ADL

［歩　行］室内で何かにつかまって歩き，足が上がらずつまずきそうになる．転

倒はない．
［寝返り・起き上がり・移乗動作］ゆっくりだが自力で行っている．
［食　事］自立．嚥下障害もない．
［更　衣］順番に渡せば着替えるが，自分から着替えようとしない．
［排　泄］トイレで行い失禁は1ヵ月に1回程度．トイレまで間に合わないときに起こった．
［入　浴］通所リハビリテーションで半介助で行っている．タオルなどを渡せば身体を自分で洗うことができる．

3 IADL

調理，掃除，洗濯，服薬管理，金銭管理は，娘が行っている．

4 記憶とコミュニケーション

［記憶力］
- 5分前にいったことも忘れている．
- 近所の人の名前はよく覚えている．

［コミュニケーション］
- 構音障害はないが，短い言葉が多く，文節が続かない．「わからない」と答えることが多い．
- やや難聴で，大きめの声でないと聞こえていないことがある．
- 左眼は緑内障でほとんどみえていない．

［社会性］
- 脳梗塞を発症するまでは，近所づき合いもよく，地域の昼食会にも参加していた．
- 現在，近所の人には認知症であることは話していない．

［行動障害］
- 徘徊．1ヵ月前より歩行が不安定になり，外出しなくなり，迷うことがなくなった．

5 住環境

- 本人は一戸建ての1階部分で暮らし，娘は2階で寝起きをしている．
- 介護用ベッド使用．家の中には手すりはない．段差はほとんどみられない．

B　本事例への介入

1 問題点の抽出

- 中核症状としては，5分前にいったことを忘れている．また，失語があり，リハビリテーションをすることを勧めても理解できず「何もわからない」という．

長い文節が続かない，などがあげられる．
- 行動・心理症状としては，通所リハビリテーションを勧めても「しんどい」といったり，トイレと食事以外は何もしようとしなくなった，自分から着替えようとしない，近所づき合いがなくなり昼食会にも行こうとしなくなったなどのことから，うつ状態，意欲の低下があることがわかる．
- 入院中に「なぜここにいるのか，家に帰らせてほしい」といったことは，入院環境がいままでの自宅の環境と違うための一時的なものであり，せん妄とも考えられるので，中核症状とは考えない．

2 介入ポイント

- 本人は「何もわからない」といっていることから，リハビリテーションの理解が難しいことが予想される．「何もわからない」という言葉のなかには，どのような思いが隠されているのか原因や背景を考えることが重要となる．
- リハビリテーションの説明は，1つの動作に関して時間をかけ，1つひとつの説明を何度も繰り返し行うことが必要である．本人は，難聴もあり理学療法士の言葉が聞こえないために理解が悪いとも考えられるので，目をみながら本人が理解したかどうかを確認し説明を進めていくことが重要である．言葉だけでなくジェスチャーやモデルになって示すことも必要である．
- また，左眼がほとんどみえていないので，理学療法士が左側に立ったり，左からアプローチすることを避けることも重要である．

3 介入内容

a. リハビリテーション

- 本人は，1ヵ月前より歩行が不安定になっている．そして，トイレと食事以外は何も自分からしようとせず寝ている状態である．このままでは，意欲，下肢筋力ともますます低下していくことが考えられるため，歩行の力を鍛えるためのリハビリテーションが必要と考えられる．
- しかし，意欲が低下しているので，本人に何かをやりたいという気持ちを少しでももってもらえるように，好きな歌や料理など，本人の興味のある事柄を探り，そのことをリハビリテーションのなかに取り入れる方法を考える．
- また，本人は従来は近所づき合いがよく，地域の昼食会に参加したり，近所の人の名前はよく覚えていることから，近所の人との交流を目的にしたり，近所の人に行事に誘ってもらうなどすることも意欲につながると考えられる．

b. 地域支援

- 娘から近所の人へ本人が認知症であることをつたえ，協力者を得ることが必要である．
- 意欲をもってもらえるようにするためには，地域包括支援センターにも相談し，近所の昼食会に誘ってもらったり，訪問してもらうことが必要である．本人の難しくなっている部分だけを援助してもらえるようにできるとよい．
- また，歩行が安定してくれば，再度迷ってしまうような状況が生じるとも考え

られる.そんなときに近所の人がみつけてくれたら家まで送ってもらえるようにする.さらに,近所の同じところを歩く練習を繰り返したり,店の人の協力を得て,本人が1人で買い物に行くことができないか試行してみることも重要である.

- さらに,家族の介護負担が軽減されるように,娘に介護教室や家族会の案内をすることも必要である.介護者である娘は,仕事を続けながら介護をしている状態で,兄弟などの代替者もいない.娘が無理をせず介護していくコツを学んだり,ストレスを溜め込まないように,同じ経験をもつ家族と出会えるようにする.

22-7 重症心身障害

近年の周産期医療や新生児医療の発展により，新生児死亡率，とくに早産児の死亡率は低下している．一方，神経学的予後は大きな改善は認められておらず，超低出生体重児の脳性麻痺発生率も依然として高く，その障害も重度化している．

重症心身障害児（者）のように，障害が重度であり，かつ重複するような場合，家族のやむをえない事情により，施設に入所することを余儀なくされるケースも少なくない．一方，施設に入所することは，いままでの家庭での生活状況を大きく変える機会にもなりうる．本項目では，このような視点をもって，以下に示した事例の支援方法やその留意点について検討する．

A　事例紹介

1 一般情報

[年齢・性別] 35歳，男性．
[診断名] 脳性麻痺，てんかん，精神発達遅滞．
[家族状況] 対象者と両親の3人暮らしであったが，キーパーソンの母親が高齢になり介護に限界を感じたため，重症心身障害児（者）施設に入所．父親は自営の商店が忙しいため，ほとんど介護にかける時間がない状態．

2 身体機能

[関節可動域制限] 上肢に顕著な制限はない．両股関節脱臼，外転・外旋に顕著な制限あり．はさみ足肢位．両膝関節伸展制限あり．両足関節背屈制限あり．脊柱は下部胸椎に軽度側彎あり．
[筋緊張] 上肢は屈筋群に，下肢は伸筋群に過緊張あり．
[理解力] 良好．日常的な内容であれば，話し手の意図を理解することができる．
[コミュニケーション] 発語は不明瞭で，努力性．尿意や便意の訴え，「はい／いいえ」の表出以外は実用性に乏しい．対象者本人から積極的にコミュニケーションをとる様子は少ない．何かをつたえようとしてもつたわらないことが多く，興奮気味に叫んでいるときもある．
[社会性] 自宅にて臥位で過ごすことが多く，外出はほとんどしていなかった．

3 ADL

[移　動] 歩行は不可．リクライニング式車いすをフルフラットにて使用．
[姿　勢]
- 背臥位および腹臥位では，上肢は屈曲パターン，下肢は伸展パターンとなる．側臥位では，下肢・体幹は屈曲し，全身丸まった姿勢をとる．自立座位は不可．

- 介助座位は，股関節外転位のポジショニング，座面の滑り止め，後方から体幹を引き起こす介助を要する．
- 座位姿勢は，骨盤後傾，脊柱後彎で頭部のコントロールが難しく，下を向いた状態となる．易疲労性あり．
- 立位は不可．

[寝返り・起き上がり・移乗動作]
- 寝返りは，腹臥位から背臥位への姿勢変換は自力にて可能．体幹を反らせて浮かすことで動作を開始する．全身の伸展パターンが強まり，下肢ははさみ足のままである．努力性であるが，日常でも行う．上肢の動きは比較的よい．
- 移乗は，背臥位のまま，2人の介助者が骨盤帯と肩甲帯を支えて行い，そのなかには起き上がり動作は含まれない．

[食　事] 床上背臥位で介助にて行う．対象者本人によると，この姿勢が食べやすいとのこと．食事中にむせることがある．

[更　衣] 背臥位で介助にて行う．

[排　泄] 尿意，便意の訴えあり．ベッド上介助にて排尿は尿瓶，排便はオムツで行う．

[入　浴] 週に3回，施設スタッフの介助にて行う．

B　本事例への介入

1 問題点の抽出

- 食事を背臥位でとっていること，むせることがあるため，誤嚥が疑われる．
- 背臥位姿勢が長く，同一肢位となりやすいため，側彎，骨盤のねじれ，はさみ足などの変形や拘縮が進む可能性が高い．
- 座位などの抗重力位姿勢をとっていないため，体幹筋などの筋力低下による呼吸機能の低下や便秘，骨の脆弱化による骨折などの可能性が高い．
- 車いすでもフルフラットのため，狭い場所を通れない．外出先が限られる．周囲の状況がわかりにくい．視線の位置が他者と異なるため，コミュニケーションがとりにくい．

2 介入ポイント

背臥位で長時間過ごすことによる問題点が多くみられるため，姿勢のバリエーションを増やすことが理学療法介入の大きな柱となる．よって，姿勢保持に必要な車いすや姿勢保持具の作製も重要なポイントである．

3 介入内容

- 日常生活に車いす座位姿勢の導入を試みる．車いす作製にあたっては，少しでも多く体幹を起こした座位が保てることを十分に検討する．必要であれば，ポ

ジショニングも行う．
- 車いす座位の耐久性を高めるため，1日のうちのどこかに車いす座位姿勢を取り入れてもらえないか，他職種の施設スタッフへ働きかける．
- 車いす座位の耐久性の向上を見計らい，他職種の施設スタッフとも連携して食事姿勢への導入を検討する．
- また，全身的な伸展運動パターンを起居移動動作に用いることも姿勢のバリエーションを狭める原因となる．介助方法を工夫することで，日常生活のなかで運動のパターンにバリエーションをもたせていくことを目指す．
- 寝返り時には，クッションなどを利用して，はさみ足を予防し，少しでも下肢に屈曲を入れる介助を行う．
- 移乗時には背臥位からの起き上がり動作を取り入れ，移乗する前にベッド上で一度介助座位をとり，座位姿勢をとる機会も増やす．
- 施設スタッフへの介助方法の提案，指導．
- その他，変形・拘縮予防のためのポジショニング，摂食・嚥下機能の向上に対するアプローチ，呼吸理学療法，外出訓練などの介入も考えられる．

4 考 察

　本事例のように，家族のやむをえない事情で施設への入所にいたった場合，対象者本人の意思とは関係なしに，生活の場が自宅から施設へと変わってしまう．理学療法士を含む施設スタッフはそのような視点に立ち，生活環境の激変により不安定になっている心理面に配慮しながら，対象者の日常生活へ働きかけ支援していくことが求められる．そのためには，対象者の生活全般について他の施設スタッフとの情報交換を密に行い，連携して問題解決にあたることが重要である．

参考文献

第1章　地域リハビリテーションの考え方
1) ベンクト・ニィリエ（著），ハンソン友子（訳）：再考・ノーマライゼーションの原理―その広がりと現代的意義，現代書館，2008
2) 厚生労働統計協会（編）：国民の福祉と介護の動向（2022/2023），厚生労働統計協会，2022
3) 障害者生活支援システム研究会（編），鈴木　勉ほか（著）：ノーマライゼーションと日本の「脱施設」，かもがわ出版，2003
4) 日本リハビリテーション医学会（編）：リハビリテーション白書，第2版，医歯薬出版，1994
5) 岡本祐三：高齢社会の医療と福祉，全労済協会，2002
6) Kane RL, et al：Essentials of Clinical Geriatrics, 5th ed, McGraw-Hill Professional Publishing, 2003

第2章　制度の変遷
1) 江川　寛（監修）：医療科学，第2版，医学書院，2000
2) 佐藤隆三，加藤由美：医療の経済と政策，社会保険研究所，2006
3) 池上直己：ベーシック医療問題，第3版，日本経済新聞社，2006
4) 池上直己，キャンベルJC：日本の医療，中央公論新社，1996
5) 厚生労働統計協会（編）：国民衛生の動向（2020/2021），厚生労働統計協会，2020
6) 厚生労働統計協会（編）：国民の福祉と介護の動向（2020/2021），厚生労働統計協会，2020

第4章　地域包括ケアシステムのなかでの理学療法士の役割
1) 川越雅弘，備酒伸彦ほか：要介護高齢者に対する退院支援プロセスへのリハビリテーション職種の関与状況―急性期病棟，回復期リハビリテーション病棟，療養病床間の比較．理学療法科学26（3）：387-392，2011
2) 川越雅弘：VISITとは何か，またそのデータはどのように活用されていくのか．作業療法ジャーナル53（2）：158-163，2019

第6章　事業企画に携わる理学療法士
1) アイゼンクMW（編），野島久雄ほか（訳）：認知心理学事典，新曜社，1998

第7章　地域リハビリテーションにおける関連職種の紹介
1) 東京商工会議所（編）：福祉住環境コーディネーター検定試験®2級公式テキスト，改訂5版，東京商工会議所検定事業部検定センター，2019

第8章　安全管理の基礎知識
1) 厚生労働省：介護現場における 感染対策の手引き，第2版．〔https://www.mhlw.go.jp/content/12300000/000814179.pdf〕（最終確認2022年12月26日）
2) 厚生労働省：感染対策の基礎知識．〔https://www.mhlw.go.jp/content/000501120.pdf〕（最終確認2022年12月26日）
3) 一般社団法人 日本蘇生協議会：JRC蘇生ガイドライン2020，医学書院，2021

第9章　介護保険サービス下（生活支援場面）での理学療法（士）
（9-4　訪問リハビリテーション）
1) 診療点数早見表2021年4月版，医学通信社，2021
2) 介護報酬早見表2021年4月版，医学通信社，2021
3) 兵庫県但馬県民局但馬長寿の郷企画調整部地域ケア課（編）：高齢者ケアのための教本―兵庫県但馬長寿の郷の活動を通じて―，兵庫県但馬県民局但馬長寿の郷，2005
4) 伊藤隆夫，吉良健司：訪問リハビリ入門，日本看護協会出版会，2001
5) 障害者福祉研究会（編）：国際生活機能分類（ICF）―国際障害分類改定版―，中央法規出版，2002
6) 上田　敏：KSブックレット5，第2版入門編，ICF（国際生活機能分類）の理解と活用―人が「生きること」「生きることの困難（障害）」をどうとらえるか，きょうされん，2005

（9-5　通所リハビリテーション（デイケア））
1) 一般社団法人全国デイ・ケア協会（監）：生活行為向上リハビリテーション実践マニュアル，中央法規出版，2015
2) 野尻晋一，山永裕明ほか：介護老人保健施設による在宅支援．MB Med Reha 188：27-32，2015
3) 公益社団法人全国老人保健施設協会：新 在宅支援推進マニュアル，三輪書店，2019
4) 野尻晋一，山永裕明ほか：通所による要介護高齢者と長期的関わりと理学療法士の視点．理学療法ジャーナル43（11）：967-963，2009
5) 地域包括ケア研究会：地域包括ケアシステムを構築するための制度論等に関する調査研究事業報告書．〔https://www.murc.jp/uploads/2014/05/koukai_140513_c8.pdf〕（最終確認2022年12月26日）

（9-6　通所介護（デイサービス））
1) 竹内孝仁：通所ケア学，医歯薬出版，1996
2) 山根　寛（著）：ひとと集団・場，新版，三輪書店，2018

第10章　介護予防と健康増進
（10-1　介護予防と健康増進の概念，9-2　これまでの介護予防事業のあり方）
1) 厚生労働省，辻　一郎（研究班長）：総合的介護予防システムについてのマニュアル（改訂版）．〔https://www.mhlw.go.jp/topics/2009/05/dl/tp0501-1b.pdf〕（最終確認2022年12月26日）
2) 荒井秀典（編）：フレイルハンドブック ポケット版，ライフサイエンス，2016
3) Fried LP, et al：Frailty in older adults：evidence for a phenotype. J Gerontol A Biol Sci Med Sci 56（3）：M146-156, 2001
4) Satake S, et al：Prevalence of frailty among community-dwellers and outpatients in Japan as defined by the Japanese version of the Cardiovascular Health Study criteria. Geriatr Gerontol Int 17（12）：2629-2634, 2017
5) 鈴木隆雄（監），島田裕之（編）：基礎からわかる軽度認

知障害（MCI），医学書院，2015
6) Avin KG, et al：Management of falls in community-dwelling older adults：clinical guidance statement from the Academy of Geriatric Physical Therapy of the American Physical Therapy Association. Phys Ther 95（6）：815-834, 2015
7) 米国国立老化研究所・東京都老人総合研究所運動機能部門（編）：高齢者の運動ハンドブック，大修館書店，2001
8) Podsiadlo D, Richardson S：The timed "Up & Go"：a test of basic functional mobility for frail elderly persons. J Am Geriatr Soc 39（2）：142-148, 1991
9) 小山 洋（監），辻 一郎，上島通浩（編）：シンプル衛生公衆衛生学2022，南江堂，2022

(10-4 ［事例］兵庫県洲本市の取り組み)
1) 三菱UFJリサーチ＆コンサルティング：新しい総合事業の移行戦略—地域づくりに向けたロードマップ（概要版）．〔https://www.murc.jp/uploads/2016/05/koukai_160518_c3_02.pdf〕（最終確認2022年12月26日）
2) 厚生労働省：地域づくりによる介護予防を推進するための手引き．〔https://www.mhlw.go.jp/file/06-Seisakujouhou-12300000-Roukenkyoku/0000166414.pdf〕（最終確認2022年12月26日）
3) 日本能率協会総合研究所：地域づくりにより介護予防を推進するための手引き【地域展開編】．〔https://www.mhlw.go.jp/file/06-Seisakujouhou-12300000-Roukenkyoku/0000122064.pdf〕（最終確認2022年12月26日）

(10-5 健康増進を目指す取り組み)
1) Knowler WC, Barrett-Connor E, et al：Reduction in the incidence of type 2 diabetes with lifestyle intervention or metformin. N Engl J Med 346（6）：393-403, 2002
2) Diabetes Prevention Program Research Group：10-year follow-up of diabetes incidence and weight loss in the Diabetes Prevention Program Outcomes Study. Lancet 374（9702）：1677-1686, 2009
3) White DK, Neogi T, et al：Can an intensive diet and exercise program prevent knee pain among overweight adults at high risk? Arthritis Care Res (Hoboken) 67（7）：965-971, 2015

第11章　リハビリテーション介入の効果判定
1) Hulley SBほか（著），木原雅子ほか（訳）：医学的研究のデザイン—研究の質を高める疫学的アプローチ，第4版，メディカル・サイエンス・インターナショナル，2014
2) 対馬栄輝：医療系研究論文の読み方・まとめ方，東京図書，2010
3) 名郷直樹：臨床研究のABC，メディカルサイエンス社，2009

第12章　住環境整備
(12-1 福祉用具の導入による生活環境整備)
1) 野村みどり（編著）：バリアフリーの生活環境論，第3版，医歯薬出版，2004
2) 奈良 勲（監），牧田光代ほか（編）：標準理学療法学専門分野　地域理学療法学，第4版，医学書院，2017
3) 溝口千恵子：高齢者のための住環境整備，厚生科学研究所，2003
4) 木村哲彦（監）：生活環境論，第6版，医歯薬出版，2010
5) 市川 洌（監）：高齢者・障害者の生活をささえる福祉機器（Ⅰ～Ⅲ），新版改訂，財団法人東京都高齢者研究・福祉振興財団，2007
6) 和田光一（監）：ガイドラインにそった福祉用具の選択・活用法，財団法人東京都高齢者研究・福祉振興財団，2007
7) 畠山卓郎：テクノロジーの発展と障害者の生活，障害者問題研究27（4）：328-334, 2000
8) 千葉和夫：レクリエーション援助，第3版，メヂカルフレンド社，2005

第14章　災害時の理学療法（JRATの活動）
1) 大垣昌之：セラピストが見た被災地．リハビリナース5（2）：188-191, 2012
2) 冨岡正雄，佐浦隆一ほか：JRATの組織化と平時の準備．総合リハビリテーション46（10）：991-993, 2018
3) 一般社団法人日本災害リハビリテーション支援協会ホームページ〔https://www.jrat.jp/〕（最終確認2022年12月26日）
4) 栗原正紀：災害リハビリテーションの基礎知識．Journal of Clinical Rehabilitation 30（3）：226-234, 2021
5) 日本理学療法士協会：東日本大震災における災害時理学療法（士）支援活動の記録．2012
6) 関 俊昭，大垣昌之：いのちとこころを救う災害看護（小原真理子監），p.67-71, 学習研究社，2008
7) 大垣昌之：演習で学ぶ災害看護（小原真理子監），p.94-106, 南山堂，2010
8) 里宇明元：災害に備える—大規模災害リハビリテーション支援関連団体協議会（JRAT）の活動—．地域リハビリテーション10（2）：80-85, 2015
9) 冨岡正雄ほか：リハビリテーション関連職への災害支援活動に対する教育システム—大阪での取り組み—．地域リハビリテーション10（2）：112-116, 2015
10) 近藤国嗣：災害リハビリテーションの実際．Journal of Clinical Rehabilitation 30（3）：235-244, 2021
11) 柳 尚夫：地域リハビリテーションの課題と展望．地域リハビリテーション15（6）：400-404, 2021

第15章　対人援助技術
1) 白石大介：対人援助技術の実際，創元社，1988
2) 谷口泰史ほか（編著）：社会福祉援助技術論，久美出版，2005
3) 福祉士養成講座編集委員会：新版 社会福祉士養成講座8　社会福祉援助技術論Ⅰ，第3版，中央法規出版，2006
4) バイステックFP（著），尾崎 新，福田俊子ほか（訳）：ケースワークの原則，新訳改訂版，誠信書房，2006
5) 大塚達雄ほか（編著）：ソーシャル・ケースワーク論，ミネルヴァ書房，1994
6) 林和歌子：エンパワメント，権利擁護（高山直樹ほか編），中央法規出版，2002
7) 岡本民夫：福祉職員—研修のすすめ方—改訂，全国社会福祉協議会，1992
8) 相澤譲治：福祉職員のスキルアップ—事例研究とスーパービジョン，勁草書房，2005
9) 北島英治，副田あけみほか：ソーシャルワーク演習（上）—社会福祉援助技術演習（上），有斐閣，2002

第16章　認知症
1) Ikeda M, et al：Epidemiology of frontotemporal lobar degeneration. Dement Geriatr Cogn Disord 17：265-268,

2004
2) 池田研二：前方型痴呆（anterior type dementia），その概念と病理．老年精医誌 15：1308, 2004
3) 池田 学：前頭側頭型認知症の臨床．Dementia Japan 20：22, 2006
4) Ikeda M, et al：Changes in appetite, food preference, and eating habits in frontotemporal dementia and Alzheimer's disease. J Neurol Neurosurg Psychiatry 73（4）：371-376, 2002
5) クリスティーン・ボーデン（著），檜垣陽子（訳）：私は誰になっていくの？─アルツハイマー病者からみた世界，クリエイツかもがわ，2003
6) クリスティーン・ブライデン（著），馬籠久美子，桧垣陽子（訳）：私は私になっていく，クリエイツかもがわ，2012
7) 永田久美子（監），沖田裕子（編著）：DVDブック 認知症の人とともに，クリエイツかもがわ，2016
8) 日本精神神経学会（日本語版用語監修），髙橋三郎・大野 裕（監訳）：DSM-5 精神疾患の分類と診断の手引，医学書院，2014
9) 長谷川和夫（編著）：認知症の理解─介護の視点からみる支援の概要，p.24-29, 建帛社，2008
10) 認知症介護研究・研修東京センターほか（編）：認知症の人のためのケアマネジメント センター方式の使い方・活かし方，三訂，認知症介護研究・研修東京センター，2011
11) 三村 將（編）：最新医学別冊 新しい診断と治療のABC66/精神 6 認知症，最新医学社，2010
12) 熊本大学医学部精神神経科：前方型認知症の正しい理解，2009
13) 織田辰郎：前頭側頭葉変性症（FTLD）の診断と治療，弘文堂，2008
14) 中西亜紀（監）：認知症の医療・介護に関わる専門職のための「前頭側頭型認知症＆意味性認知症」こんなときどうする！ 改訂版，大阪市福祉局高齢者施策部高齢福祉課，2016
15) 小阪憲司，池田 学：レビー小体型認知症の臨床，医学書院，2010
16) 小阪憲司ほか：レビー小体型認知症の介護がわかるガイドブック，メディカ出版，2010
17) 目黒謙一：血管性認知症─遂行機能と社会適応能力の障害，ワールドプランニング，2008
18) 鈴木大介：シリーズケアをひらく，「脳コワ」支援ガイド，医学書院，2020

第17章 精神領域（統合失調症，双極性障害）

1) 髙橋三郎ほか（訳）：DSM-Ⅳ-TR精神疾患の診断・統計マニュアル，新訂版，医学書院，2004
2) 奈良 勲，鎌倉矩子（監），上野武治（編）：標準理学療法学・作業療法学 専門基礎分野 精神医学，第4版増補版，医学書院，2021
3) 武正建一（編）：精神医学サブノート，南江堂，1989
4) 中島雅美，松本貴子（編）：PT・OT基礎から学ぶ精神医学ノート，医歯薬出版，2006
5) カトナC，ロバートソンMほか（著），島 悟（監）：図説精神医学入門，第4版，日本評論社，2011
6) 精神医学講座担当者会議（監），佐藤光源ほか（編）：統合失調症治療ガイドライン，第2版，医学書院，2008
7) 藤田 茂，鈴木荘太郎：転倒・転落と薬剤の関係に関する研究．病院管理 41（3）：177-184, 2004
8) Scheewe TW, et al：Effects of exercise therapy on cardiorespiratory fitness in patients with schizophrenia. Med Sci Sports Exerc 44（10）：1834-1842, 2012

第18章 発達障害

1) 新田 收：発達障害の運動療法-ASD・ADHD・LDの障害構造とアプローチ，三輪書店，2015
2) 日本発達障害学会（監）：発達障害支援ハンドブック-医療，療育・教育，心理，福祉，労働からのアプローチ，金子書房，2012
3) 宮尾益知："うつ""ひきこもり"の遠因となる発達障害の"二次障害"を理解する本，河出書房新社，2020
4) リサ・A・カーツ：不器用さのある発達障害の子どもたち 運動スキルの支援のためのガイドブック，東京書籍，2012
5) 洲鎌盛一：乳幼児の発達障害診療マニュアル 検診の診かた・発達の促しかた，医学書院，2013
6) 西永 堅：基本から理解したい人のための子どもの発達障害と支援のしかたがわかる本，日本実業出版社，2017
7) 榊原洋一：最新図解 発達障害の子どもたちをサポートする本，ナツメ社，2016
8) 神作一実（編）：作業療法学ゴールド・マスター・テキスト 発達障害作業療法学，第3版，メジカルビュー社，2021
9) 障害者総合支援法事業者ハンドブック，中央法規，2020
10) 西薗一也：発達障害の子どものための体育の苦手を解決する本，草思社，2013
11) 市川奈緒子，岡本仁美（編著）：発達が気になる子どもの療育・発達支援入門，金子書房，2018
12) 厚生労働省：子ども家庭総合評価票記入のめやすと一覧表〔https://www.mhlw.go.jp/content/000348513.pdf〕（最終確認2022年12月27日）

第19章 慢性呼吸不全

1) 日本呼吸器学会COPDガイドライン第6版作成委員会：COPD（慢性閉塞性肺疾患）診断と治療のためのガイドライン第6版2022，メディカルレビュー社，2022
2) 日本呼吸ケア・リハビリテーション学会，日本呼吸理学療法学会，日本呼吸器学会：呼吸リハビリテーションに関するステートメント．日呼ケアリハ学誌 27（2）：95-114, 2018

第20章 口腔・嚥下機能低下

1) 才藤栄一，植田耕一郎（監）：摂食嚥下リハビリテーション，第3版，医歯薬出版，2016
2) Humbert IA, Robbins J：Dysphagia in the elderly. Phys Med Rehabil Clin N Am 19（4）：853-866, 2008
3) Fried LP, et al：Frailty in older adults：evidence for a phenotype. J Gerontol A Biol Sci Med Sci 56（3）：M146-156, 2001
4) 柳澤信夫ほか（監）：フレイル予防・対策：基礎研究から臨床，そして地域へ，長寿科学振興財団，2021
5) 若林秀隆，藤本篤士（編著）：サルコペニアの摂食・嚥下障害，医歯薬出版，2012
6) 菊谷 武：チェアサイド オーラルフレイルの診かた，第2版，医歯薬出版，2018
7) 白石 愛：オーラルフレイル．リハビリテーション栄養 2（1）：21-25, 2018

8) Morishita M, et al：Relationship between oral function and life-space mobility or social networks in community-dwelling older people：A cross-sectional study. Clin Exp Dent Res 7（4）：552-560, 2020
9) 厚生労働省：令和3年度介護報酬改定に向けて（自立支援・重度化防止の推進），第178回社会保障審議会介護給付費分科会資料1〔https：//www.mhlw.go.jp/content/12300000/000642911.pdf〕（最終確認2022年12月27日）

第21章　ターミナルケア
1) 日本老年医学会（編）：高齢者ケアの意思決定プロセスに関するガイドライン，医学と看護社，2012
2) 日本リハビリテーション医学会（編）：がんのリハビリテーションガイドライン，第2版，金原出版，2019
3) 日本がんリハビリテーション研究会（編）：がんのリハビリテーション診療ベストプラクティス，第2版，金原出版，2020
4) 島﨑寛将ほか（編）：緩和ケアが主体となる時期のがんのリハビリテーション，中山書店，2013
5) 加賀谷肇（監修）：がん疼痛緩和ケアQ&A，じほう，2010
6) 日髙正巳，桑山浩明（編）：終末期理学療法の実践，文光堂，2015
7) 太田仁史：介護予防と介護期・終末期リハビリテーション，荘道社，2015
8) 日本リハビリテーション栄養研究会（監），若林秀隆（編著）：在宅リハビリテーション栄養，医歯薬出版，2015
9) 若林秀隆：高齢者リハビリテーション栄養，カイ書林，2013
10) 森田達也，白土明美：死亡直前と看取りのエビデンス，医学書院，2015
11) 長尾和宏：長尾和宏の死の授業，ブックマン社，2015
12) 日本財団：人生の最期の迎え方に関する全国調査〔https://www.nippon-foundation.or.jp/app/uploads/2021/03/new_pr_20210329.pdf〕（最終確認2022年12月27日）
13) 厚生労働省：「人生会議」してみませんか〔https://www.mhlw.go.jp/stf/newpage-02783.html〕（最終確認2022年12月27日）
14) 日本医師会：アドバンス・ケア・プランニング（ACP）〔https://www.med.or.jp/doctor/rinri/i-rinri/006612.html〕（最終確認2022年12月27日）
15) 厚生労働省：緩和ケア〔https://www.mhlw.go.jp/stf/seisakunitsuite/bunya/kenkou_iryou/kenkou/gan/gan_kanwa.html〕（最終確認2022年12月27日）

索　引

和文索引

アウトカム　181
アドバンス・ケア・プランニング（ACP）　319
アルツハイマー型認知症　245, 256
安全管理　85

医師　81
意識　270
移乗動作　106
一次救命措置（BLS）　89
1次判定　25
1次予防　141
1次予防事業　155, 159
1秒率（$FEV_{1\%}$）　296
1秒量（FEV_1）　296
一般介護予防事業　60
一般高齢者　155
イマジネーション　284
意味性認知症　250, 258
意欲　9
医療用麻薬（オピオイド）　317
咽頭期　306
咽頭残留　307, 311
インフォーマルサービス　166, 173

後ろ向き研究　184
運動イメージ　288
運動器疾患　175
運動器不安定症　144
運動習慣　174
運動療法　148, 286, 299

栄養士　84
腋窩杖　199
エコマップ　239
エビデンス　193
嚥下　305
嚥下おでこ体操　313
嚥下困難感　311
エンドポイント　181
円背姿勢　307
エンパワメント　220, 233

横隔膜呼吸　298
横断研究　183
オッズ比　191
オピオイド（医療用麻薬）　317
オーラルフレイル　308
オリーブ橋小脳萎縮症（多系統萎縮症）　335

介護　4
外構　203
介護サービス利用計画（ケアプラン）　26
介護支援専門員　25, 80
介護認定審査会　26
介護福祉士　83
介護保険　25, 91
介護保険法　123
介護用電動ベッド（特殊寝台）　199
介護予防　41, 50, 141
介護予防事業　154
介護予防・日常生活支援総合事業（総合事業）　56, 125, 158
介護老人福祉施設（特別養護老人ホーム）　102
介護老人保健施設（老健施設）　95
介助用車いす　198
咳嗽（むせ）　311
改定日本版 CHS 基準（J-CHS 基準）　144
改訂長谷川式簡易知能評価スケール　271
回復期リハビリテーション　326
ガウン　89
科学的介護情報システム（LIFE）　49, 131
学習障害（LD）　282
臥床姿勢　105
学校保健　24
活動　117, 125, 325

可能性評価　131
加齢　307
考え不精　260
換気不全　295
環境因子　117
看護師　81
間質性肺炎　297
感情　272
感染対策　86
管理栄養士　84
緩和ケア　319

記憶　272
記憶障害　326
起居動作　106
機能改善　101
機能訓練指導員　84
基本チェックリスト　144, 155, 169
基本統計値　187
給付管理　81
急変時対応　89
共感的理解　231
共助　166
協調運動　290
興味関心チェックリスト　127
居宅サービス　95
居宅サービス計画（ケアプラン）　80
居宅療養管理指導　81
筋萎縮性側索硬化症（ALS）　297
筋緊張　322

具体的な目標達成　130
口すぼめ呼吸　298
クッション　322
くも膜下出血　326
クライエント　227
グラスゴー昏睡尺度（GCS）　270
グラフ　188
クラメールの V 係数　191
車いす　108, 198

ケアマネジメント　41

軽擦法　323
携帯用軽量酸素ボンベ　300
軽度認知障害（MCI）　98, 147, 251
ケースワーク（個別援助技術）　227
血管性認知症　245, 253
ゲートキーパー　170
玄関ポーチ　203
研究デザイン　182
健康運動指導士　84
健康観　169
健康寿命　23, 172
健康状態　116
健康増進　141, 152, 173, 180
健康日本21（第二次）　153
言語聴覚士　82
言語的コミュニケーション　235
懸垂式リフト　201
顕性誤嚥　307
幻聴　275

 こ

効果判定　181, 192
効果量　189
口腔・嚥下機能　305
口腔期　306
口腔機能低下症　308
口腔リテラシー　308, 312
高血圧　175
公助　166
構造化された面接　237
喉頭侵入　307, 311
行動・心理症状（BPSD）　98, 245
行動変容理論　176
交絡因子　186
交絡バイアス　186
高齢化社会　17
高齢社会　19
高齢者の地域におけるリハビリテーションの新たな在り方検討会　124
高齢者リハビリテーション　4
誤嚥　307, 311
誤嚥性肺炎　305, 312
呼吸不全　295
呼吸理学療法　298
呼吸リハビリテーション　297
ゴーグル　88
腰窓　205
互助　166
個人因子　118
個人防護具　87
コーディネーター　131
個別援助技術（ケースワーク）　227
個別化の原則　230

個別性　228
個別リハビリテーション　130
コミュニケーション　235, 284
コンディショニング　298

 さ

災害　221
災害支援の原則　223
座位姿勢　323
最大歩行　149
在宅医療・介護連携推進事業　68
在宅酸素療法（HOT）　296, 299
在宅人工呼吸療法（HMV）　296, 301
在宅ターミナルケア　318
在宅復帰　101
サイドケイン　199
作業関連疾患　180
作業療法士　82
作為体験　273
差の検定　189
サービス担当者会議　63, 80, 126, 160
サルコペニア　145, 308, 312
サロゲートエンドポイント　181
参加　117, 125, 325
産業保健　176, 180
3次予防　141
酸素化不全　295
酸素濃縮器　300

 し

ジェノグラム　239
歯科医師　81
自我意識　273
歯科衛生士　84
事業企画　71
自己覚知　229
時刻表的生活　260
自己決定　232
脂質異常症　175
自助　166
姿勢　307
姿勢管理　321
姿勢制御　289
施設ケア　101
施設サービス　95
施設症　342
自走用車いす　198
湿性嗄声　311
している生活行為　52
児童発達支援・放課後等デイサービス　292
自閉スペクトラム症/自閉症スペクトラム障害（ASD）　282

社会環境　228
社会参加　39, 101
社会性　283
社会的入院　21
社会的フレイル　308
社会福祉援助技術（ソーシャルワーク）　227
社会福祉士　82
シャワーいす　201
従圧式　302
住環境整備　197
住環境評価　148
重症心身障害　348
集団援助技術（グループワーク）　228
縦断研究　184
集団指導　178
住民運営の通いの場　63
従量式　302
主観的体験　118
手指衛生　86
手指消毒　86
主任介護支援専門員　81
受容　231
準備期　306
準ランダム化比較試験　185
障害区分　208
障がい者スポーツ　207
障害者総合支援法　23
常同行動　259
衝動性　284
常同的周遊　260
常同的食行動　260
情報バイアス　186
食道期　306
職場復帰　326
自立生活（IL）　24
新型コロナウイルス感染症（COVID-19）　85
進行性非流暢性失語　258
進行性流暢性失語　250
侵襲的陽圧換気療法（TPPV）　297
心身機能　117, 125, 325
人生会議　319
身体気づき　279
身体機能　9
身体構造　117
身体的フレイル　308
心肺蘇生法（CPR）　89

 す

筋交い　203
スタンダードプリコーション（標準予防策）　86
スーパービジョン　237

索引 357

すべり座位　322
スライディングボード　200
スロープ　203

生活環境整備　197
生活機能　9
　——低下　143
生活期リハビリテーション　45, 321
　——マネジメント　41
生活行為向上リハビリテーション実施
　　加算　327
生活支援　91
生活習慣病　175
生活障害　331
生活場面面接　237
生活不活発病　167, 222
正規分布　187
生産年齢　180
生産年齢人口　174
精神疾患　341
　——の評価　269
　——の分類　268
精神的フレイル　308
精神発達遅滞　270
精神領域　267
精神療養病棟　267
静的姿勢制御　289
舌圧　309
摂食嚥下
　——障害　308
　——の5期モデル　306
　——のプロセスモデル　306
セルフエフィカシー　177
セルフヘルプグループ　219, 234
先行期　306
全人的苦痛（トータルペイン）　317
選択バイアス　185
前頭側頭型認知症　258
前頭側頭葉変性症　245, 258

相関係数　190
双極性障害　267, 276
送迎　127
ソーシャルアクション　234
ソーシャルネットワーク　242

体位排痰法　299
体感幻覚　275
対人援助　227

耐震壁　203
タイムドアップアンドゴーテスト
　　（TUG）　150
多系統萎縮症（オリーブ橋小脳萎縮症）
　　335
多職種協働（業）　41, 52, 97
立ち去り行動　260
脱抑制行動　259
多点杖　199
多動性　284
ダブルメッセージ　236
多変量解析　186
ターミナルケア　96, 99, 101, 109, 315
　　がん患者の——　316
　　非がん患者の——　317
短下肢装具装着　332

地域医療構想　53
地域援助技術（コミュニティワーク）
　　228
地域ケア会議　45, 65, 126
地域ケア会議推進事業　65
地域ケア個別会議　171
地域支援事業　55
地域復帰機能　126
地域包括ケアシステム　23, 37, 40, 96,
　　126, 156
地域包括支援センター　31, 161
地域リハビリテーション活動支援事業
　　60, 159
地域連携　101
注意機能障害　326
注意欠陥多動性障害/注意欠如症
　　（ADHD）　282
中核症状　98, 245
中間施設　18
調整済み残差　195

通常歩行　149
通所介護（デイサービス）　132
通所型介護予防事業　156
通所リハビリテーション（デイケア）
　　123, 326
杖　198

手洗い　87
低栄養　305
デイケア（通所リハビリテーション）
　　123, 326

デイサービス（通所介護）　123
ティルトリクライニング型　324
できる生活行為　52
テストバッテリー　182
データ　187
手袋　89
デュシェンヌ型筋ジストロフィー
　　（DMD）　297
電動ベッド　200
転倒予防　148

動機　9
統計解析　189
統合失調症　267, 274, 341
等生化（ノーマライゼーション）　1
動的姿勢制御　289
糖尿病　175
動脈血酸素分圧（PaO_2）　295
動脈血二酸化炭素分圧（$PaCO_2$）　295
特異的1次予防　152
特殊寝台（介護用電動ベッド）　199
特定高齢者　155
特別養護老人ホーム（介護老人福祉施
　　設）　102
徒手的介助法　299
トータルペイン（全人的苦痛）　317
独居高齢者　31
努力性肺活量（FVC）　296
トレーナビリティ　98

にぎり　199
二次障害　283
2次判定　26
2次予防　141
2次予防事業　155, 159
二相式気道陽圧　302
日常生活動作（ADL）　38
日本昏睡尺度（JCS）　270
入退院支援　41, 51
入浴用リフト　201
尿失禁　333
認知高齢者　31
認知症　98, 243, 270, 344
　　——のリハビリテーション　127
　　——予防　149
認知症サポーター　160
認知症の人のためのケアマネジメント
　　センター方式　247

索引

ね
寝たきり老人　17

の
脳卒中　331
能力改善　101
ノーマライゼーション（等生化）　1

は
肺結核後遺症　297
バイステック　228
排痰補助装置　303
廃用症候群　31
掃出し窓　204
バスボード　201
発達障害　281
発達障害者支援法　281
発達性協調運動障害　281
発動性低下　259
パートナーシップ　235
鼻カニューレ　301
パラスポーツ　208
パルスオキシメータ　301

ひ
ピアサポート　261
比較研究　184
ピークフローメーター　303
非言語的コミュニケーション　236
非侵襲的陽圧換気療法（NPPV）　297
非審判的態度　232
ビタミンD　148
非特異的1次予防　152
被保険者　25
飛沫感染　86
肥満　175
秘密保持　233
標準偏差　188
標準予防策（スタンダードプリコーション）　86
微量誤嚥　307, 311

ふ
フィジカルアセスメント　298
フェイスシールド　88
福祉住環境　120
福祉用具　31, 197
福祉用具専門相談員　84
福祉用具貸与・販売サービス　34
不顕性誤嚥　99, 307

不注意　284
ブラインディング　186
フレイル　144, 308, 313
プレフレイル　308
プロボノ活動　126
フローリング　204

へ
米国東海岸がん臨床試験グループ（ECOG）　316
ヘルスプロモーション　152
ヘルスリテラシー　308
片麻痺　331
変容ステージ　177

ほ
保育所等訪問支援事業　293
包括的支援事業　56
訪問栄養指導　84
訪問介護員（ホームヘルパー）　83
訪問型介護予防事業　156
訪問看護師　81
訪問看護ステーション　20
訪問指導　125, 128
訪問指導等加算　124
訪問薬剤管理指導　83
訪問リハビリテーション　111, 129, 321, 331
保健師　82
保険者　25
歩行器　199
歩行車　199
歩行補助車　199
ポジショニング　107, 313, 323
ポータブルトイレ　200
ボディイメージ　288
ポピュレーション・アプローチ　152
ホームヘルパー（訪問介護員）　83

ま
前向き研究　184
摩擦軽減用具　323
マスク　88
マッチング　186
マットレス　199
松葉杖　199
マッピング　239
慢性呼吸不全　295
慢性閉塞性肺疾患（COPD）　296

み
ミールラウンド　131

む
むせ（臥床姿勢）　311

も
モニタリング　131

や
薬剤師　83

ゆ
ユニットバス　203

よ
要支援・要介護状態　142
抑うつ気分　272
浴槽固定式リフト　201
浴槽内いす　201
予防重視型システム　154
予防理学療法　174

ら
ラポール　229
ランダム化比較試験　185

り
離人症　273
リスク管理　85, 318
リハビリテーション会議　125
リハビリテーション実施計画　95
リハビリテーションマネジメント　125

れ
レスパイト　97, 126
レビー小体型認知症　245, 257
レビー小体病　321
連関係数　190

ろ
老健施設（介護老人保健施設）　95
老人医療費支給制度　16
老人医療費の無料化　16

老人保健法　17, 123
労働災害　175
ロコモティブシンドローム（ロコモ）
　31, 144
ロコモ度　145
6分間歩行試験　298

ロフストランドクラッチ　199
ロールプレイ　237

欧文索引

A
ACP（advance care planning） 319
ADHD（attention-deficit hyperactivity disorder） 282
ADL（activities of daily living） 38, 299
ALS（amyotrophic lateral sclerosis） 297
ASD（autism spectrum disorder） 282

B
BLS（basic life support） 89
BMI（body mass index） 177
BPSD（behavioral and psychological symptoms of dementia） 245

C
CBR（community based rehabilitation） 18
COPD 病期分類 296
COVID-19 85
CPR（cardiopulmonary resuscitation） 89

D
DMD（Duchenne muscular dystrophy） 297

F
FEV_1 296
$FEV_{1\%}$ 296
FVC（forced vital capacity） 296

G
GCS（Glasgow Coma Scale） 270

H
HMV（home mechanical ventilation） 296, 301
HOT（home oxygen therapy） 296, 299

I
ICF（International Classification of Functioning, Disability and Health） 60, 116, 171
　──の生活機能モデル 327
ICT（information and communication technology） 202
IL（independent living） 24
IoT（internet of things） 202

J
J-CHS 基準 144
JCS（Japan Coma Scale） 270
JRAT（Japan Disaster Rehabilitation Assistance Team） 221

L
LD（learning disorder） 282
LIFE（long-term care information system for evidence） 96

M
MCI（mild cognitive impairment） 98, 147, 251

MMSE（mini mental state examination） 271

N
NPO 159
NPPV（noninvasive positive pressure ventilation） 301

O
OJT（on the job training） 173

P
$PaCO_2$ 295
PaO_2 295
PS（performance status score） 316

Q
QOL（quality of life） 158, 173

T
TPPV（tracheostomy positive pressure ventilation） 301
TUG（timed up and go test） 169
T 字杖 199, 332

V
VISIT（monitoring & evaluation for rehabilitation services for long-term care） 48

シンプル理学療法学シリーズ
地域リハビリテーション学テキスト　改訂第4版

2008年9月15日　第1版第1刷発行	監修者　細田多穂
2012年12月15日　第2版第1刷発行	編集者　備酒伸彦，樋口由美，
2018年1月1日　第3版第1刷発行	対馬栄輝
2022年2月25日　第3版第4刷発行	発行者　小立健太
2023年2月25日　改訂第4版発行	発行所　株式会社 南江堂

〒113-8410　東京都文京区本郷三丁目42番6号
☎(出版)03-3811-7236　(営業)03-3811-7239
ホームページ https://www.nankodo.co.jp/

印刷・製本　三報社印刷
装丁　node(野村里香)

Physical Therapy in Community Based Rehabilitation
© Nankodo Co., Ltd., 2023

定価は表紙に表示してあります． 　　　　　　　　　Printed and Bound in Japan
落丁・乱丁の場合はお取り替えいたします．　　　　ISBN978-4-524-23216-1
ご意見・お問い合わせはホームページまでお寄せください．

本書の無断複製を禁じます．
JCOPY〈出版者著作権管理機構 委託出版物〉
本書の無断複製は，著作権法上での例外を除き禁じられています．複製される場合は，そのつど事前に，出版者著作権管理機構（TEL 03-5244-5088，FAX 03-5244-5089，e-mail: info@jcopy.or.jp）の許諾を得てください．

本書の複製（複写，スキャン，デジタルデータ化等）を無許諾で行う行為は，著作権法上の限られた例外（「私的使用のための複製」等）を除き禁じられています．大学，病院，企業等の内部において，業務上使用する目的で上記の行為を行うことは私的使用には該当せず違法です．また私的使用であっても，代行業者等の第三者に依頼して上記の行為を行うことは違法です．

教育現場での使いやすさを追求した
シンプルで新しい構成の教科書シリーズ

細田多穂　監修

シンプル理学療法学シリーズ

- 2023年改訂　理学療法概論テキスト
- 2022年改訂　内部障害理学療法学テキスト
- 神経筋障害理学療法学テキスト
- 2023年改訂　地域リハビリテーション学テキスト
- 2021年改訂　物理療法学テキスト
- 義肢装具学テキスト
- 小児理学療法学テキスト
- 理学療法評価学テキスト
- 日常生活活動学テキスト
- 運動療法学テキスト
- 2021年改訂　運動器障害理学療法学テキスト
- 2021年改訂　高齢者理学療法学テキスト

シンプル理学療法学・作業療法学シリーズ

- 人間発達学テキスト
- 生活環境学テキスト
- リハビリテーション英語テキスト
- 運動器系解剖学テキスト
- 運動学テキスト

※掲載している情報は2023年1月時点での情報です．最新の情報は南江堂Webサイトをご確認ください．

南江堂　〒113-8410 東京都文京区本郷三丁目42-6　(営業)TEL 03-3811-7239　FAX 03-3811-7230　www.nankodo.co.jp